天藤真推理小説全集 9

JN262985

大阪刑務所の雑居房で知り合った戸並健次，秋葉正義，三宅平太の三人は，出所するや営利誘拐計画の下調べにかかる。狙うは紀州随一の大富豪，柳川家の当主とし子刀自。県内はおろか全国に聞こえる資産家で，持山およそ四万ヘクタール。小柄な体躯ながら時に威風あたりを払い，菩薩の慈愛を以て人心を集め，齢八十二を重ねてなお矍鑠たる女丈夫だという。──かくして犯人グループと被害者は運命の邂逅をし，破天荒な大誘拐劇の幕が開く。行くとして可ならざるはなし，斬新奇抜な展開が無上の爽快感を呼ぶ，まさに絶品の誘拐ミステリ。天藤真がストーリーテラーの本領を十全に発揮した，第三十二回日本推理作家協会賞受賞作。

登場人物

柳川とし……………柳川家の当主
柳川国二郎…………としの二男
柳川大作……………同　四男
田野可奈子…………同　二女
田宮英子……………同　三女
串田孫兵衛…………柳川家の執事
吉村紀美……………お手伝い
安西…………………運転手
中村くら……………元メイド
戸並健次……………┐
秋葉正義……………├虹の童子
三宅平太……………┘
井狩大五郎…………県警本部長

天藤真推理小説全集 9

大　誘　拐

天　藤　　真

創元推理文庫

RAINBOW KIDS

by

Shin Tendou

1978

目次

天藤真推理小説全集9

大誘拐

母の母なる方々へ

第一章　三童子天下る

1

　紀州随一の大富豪といわれる柳川《やながわ》家の女主人、とし子刀自《とじ》が、不意に山歩きがしてみたい、と言い出したのは、一週間ほど前、九月上旬のことだった。

「お山を？」初めに聞いた小間使い役の吉村紀美《よしむらきみ》はけげんな顔をしたものだ。

　柳川家のある津《つ》ノ谷《たに》村は、熊野《くまの》川の上流約四十キロ、紀伊《きい》山地の南面に位していて、千メートル級の山々が背比べでもするように立ち並び、山あいの谷間谷間に人家が散在している典型的な山国である。紀美は、大阪のキャバレーの経営者に嫁いだ刀自の次女が、夫の遠縁に当るとかで行儀見習いに預けてよこした娘で、明るくて気立てがいいので刀自のお気に入りだが、都会育ちの彼女にしてみれば、回りはすべて山、一歩そとへ出れば山道という山の中に住んでいて、山歩きがしたいというのは、コイが水遊びしたいというのと同様にへんに矛盾してきこえたのだ。

「さいな」刀自はことし八十二歳になる。昔はそれでも人並みだった、というのだが、身長は百四十センチに少し足りない小柄な老婦人だ。顔も体にふさわしくちんまりとしていて、居間のふとんの上にちょこんと座ったところは、ちょっと両手ですくいあげてみたくなるような、かわいい仏像の趣がある。その上品な顔にどこか茫洋とした色を漂わせながら、やさしくうなずいた。

「季節もようなりましたしなあ。何とのう……ほんまに何とのう、山歩きしとうなったんですわ。この二、三十年、ろくろく歩いておりませんしなあ。紀美はん。あんたもえろう厄介やろけど、一緒に行ってくれると、ありがたい思いますんやけどなあ」

「はい。うちもハイキング大好きやさかい、喜んでお伴しますけど……ちょっと支配人さんにお話しして参りますわ」

刀自は、どちらもとうに他界したが、二人の夫を持って、前夫とのあいだに四人、後夫とのあいだに三人の子をもうけた。このうち男子二人が戦死し、長女が戦災で死んで、今いるのは男女各二人の四人だが、それぞれ別居していて、この津ノ谷村の本邸で刀自の下に家の差配をし、かねて山林の管理をしているのは、紀美たちが支配人と呼んでいる串田《くしだ》孫兵衛《まごべえ》という勤続四十年あまりの老執事である。紀美の話を聞いて急いでやって来た。

「あの……何か変わったことでも、お耳に入りましたんやろか」

職掌柄、どこかに手落ちがあって、それが刀自の突然の山歩きになったのでは、とまず気になったのである。

「何の、何の」刀自は当惑した様子で小さな手を振った。

「そないに気遣わしたら困る思うてましたんやけど……紀美はんにいうたとおり、ほんまの気まぐれだす。気まぐれいうたら悪いかもしれへんけど、先代はんが植えはった入沢の杉もなあ、あれからどないなったか、三十年も見てしまへんやろ。いくら何でも済まん思うたり……ついでにその辺も歩いてみとうなった、いうだけのことですわ」

丁寧に釈明したので、老執事もほっとした。

「そうですか。それならお天気もようて、おひろいにはいいあんばいやと思いますけど……でも、大奥さまも、いうたら叱られますやろけど、いくらお元気でもお年はお年ですしなあ。何かあったら、わしらの責任になりますし、若いもん二、三人、お伴につけまひょか」

「そない大げさな」と刀自は顔をしかめて、

「何さまのお出ましでもあるまいし、こう見えてもまだ足に年はとらしまへんで。紀美はんひとりでたくさん。お昼は途中でいただきますよって、おにぎりと水筒と……それから若い人が好きなガムいうもん、紀美はんに持たせてもらいましょ。それと、山のとば口まで、これは安《あん》西《ざい》さんに、な」

「へ。かしこまりました」

安西というのは、本邸に二人いる運転手のうちの年長のほうで、これも勤続三十年。刀自の外出には、クルマは行く先によって使い分けるが、運転は彼と決っているのだ。その日のクルマは、私的な用向きに使うダットサンだった。

こうして第一日目は無事にすんだが、だれにも意外だったのは、その日限りと思った刀自の「山歩き」が、それから毎日、日課のようにつづいたことである。それも判で押したように朝の九時には安西の車で屋敷を出て、帰りは夕方の四時前後になる。山国は日暮れが早いから、ときには暗くなってからご帰館ということもある。まる一日じゅう「山歩き」をしているわけである。

まず首をかしげ出したのが忠義者の串田執事で、

「どんなお様子なんや」とおともの紀美をわきへ呼んで聞く。

「どんなお様子いうて……」刀自の〝気まぐれ〟の一番の被害者はこの少女で、一日の行程が十キロから十五キロにもなるので、足にマメの絶え間がないらしい。薬などを柔らかい足にすりこみながら、これも首をかしげて、

「そうやな。別にどうということあらへんけど、きょうはここと、ここ、とちゃんと予定を決めてはるのはたしかですねん。また、山の一つ一つのこと、ようおつむに入ってはりますわ。うちなんか、どれも同じように見えて、見分けつけへんのに、この山は先々代の太右衛門はんが、五十人もの男衆指図して苗を植えはったところやとか、ここはわたしが子どものころ、背負いカゴに苗入れて運んで、お祖父さまにおつむ撫でられたところやとか……そんなとこでは、樹の幹をさすって、生きてるものに物いうようにお話してはります。それぐらいのことですね

ん」

「そうか。ほんなら、あしたもまたお出かけになるつもりなんやな」

「はい。あしたは何でも、中野いうとこから山へ入って、瀬尾いうとこへ抜ける予定とか、安西はんに話してはりました」

「中野から瀬尾か。だんだん遠うなるな。……ふうん、これはもしかすると」

腕を組んで考えこんだので、

「もしかすると……何ですねん？」紀美のほうがちょっと心配になった。

「もしかするとやな」執事は腕をほどいて、「大奥さま、持山をみんな一回りするおつもりかもしれへんな」と重々しく言った。

「持山をみんな？　あんな仰山《ぎようさん》歩いて、まだほかにもあるのん？」

紀美が驚くと、執事は、

「おまえら若いもん、ほんまに何も知らへんな」と心もち背をのばした。

「このご本家の持山いうたら、日本で何番いうほどのもんや。だいたい、この村がやね、面積が六百七十平方キロもあって、これも日本で何番かいう大きな村や。その六割方がご本家のもんなんや。六百七十の六掛いうたらどれぐらいになるんか、ちょっと暗算してごらん」

「…………」

「暗算でけへんやろ。約四百平方キロや。正確にいうたら三百九十八平方キロやけど、これは台帳面積で、縄のびいうもんがあるさかい、実際には四百では利かへんな。四百二十か、四百三十か、それとも、もっとあるかもな。……どうや、驚いたか」

「……？」

「あんまり驚いた顔せえへんな。平方キロいうからわからへんのやろ。一平方キロは昔の言い方で百町歩、今の百ヘクタールや。四百平方キロとして、それを百倍してごらん」

「……」

「また暗算でけへんな。教えたるわ。約四万ヘクタールや。どうや、こんどは驚いたやろ」

「……」

「まだ驚かん？　今の若いもん、どない言うたらわかるんやろな」

老執事は憤然としたが、急にニコニコして、「ええもんがあるわ」といって、戸棚から地図帳を一冊持ち出してきた。

「これ、うちの子が高校んとき使うた地図帳やから、今と大して変わりあらへんやろ。……これによると、やな」

巻末の索引を繰って、「ほれ」と一箇所を指で押えて、紀美の前へ突き出した。

「あんたが居てはった大阪な。大阪いうても区内やあらへんで。北は箕面《みのお》から、南は河内《かわち》まで、全部ひっくるめた大阪府やで。その全面積が千八百三十一平方キロと出とる。津ノ谷村は六百七十平方キロやから……ええと、三分の一以下いうことあらへんな。ご本家の山は四百平方キロやから……ええと、五分の一以下にはならへん。どや、こんどこそ驚いたやろ。柳川家の山いうたら、全大阪府の二掛以上もあるんやで。区内ぐらいはすっぽり腹ん中へ入ってしまうんやで」

紀美はかわいい口を開けて、また閉じた。ほんとうにびっくりしたのである。

それから足のマメに気がついて、心細い声を出した。

「ほな、そんなに広いとこ、これからてくてく回らんならんのですか。いったい、どれぐらいかかりますやろ？」

「まずひと月やな」と執事は無情に言った。

「わしも若いころ、先代さまのお伴で、一回り調べて回ったことがあるんやけど、元気な盛りで、四週間たっぷりかかったさかいな。それに飛地もあるよってな」

「飛地？」

「お隣の奈良県の端っぽにもちょいとした飛地があるんや。ま、こんどはそこまで行かはるかどうかわからへんけど……」

執事は言って、また思い出したように腕を組んだ。

「そやけど、大奥さまも今ごろ何でそんな発心《ほっしん》なさったんやろ。一々おひろいにならんでも、毎日居間の窓から見まいとしても見えるお山をな。気まぐれいわはったけど、えらい手間のかかる気まぐれや。……というても、わしの想像が当っとったらの話やけどな」

翌日もすがすがしい秋晴れだった。この日も刀自の車は、大ぜいの家人に見送られて、瓦に青苔が生えている冠木門《かぶきもん》から往還へ滑り出て行った。

往還沿いに熊野川の支流が流れている。一むかしまえは筏《いかだ》流しに使われた水量の豊かな流れである。その対岸はネコのひたいほどの畑を挟んで、すぐに鬱蒼とした杉林に蔽われた八百メートル級の山々だ。

その一つの中腹から、双眼鏡で、食い入るように刀自の出発を見つめている目があった。車が走り去るのを見届けて、双眼鏡を目からはなして、トランシーバーをとり上げる。

「いま発車。方向はきのうと同じ。例の地点で合流する。ええな、きょうこそ勝負やで」

濃い眉毛の鋭いまなざし。猟犬のように引きしまった体つきの若者である。――戸並健次《となみけんじ》。刀自の誘拐を目論んで津ノ谷村に潜入した一味のボスだった。

2

やがて「虹《にじ》の童子《どうじ》」の名で知られるようになったこの誘拐団は、同志三人。大阪刑務所の雑居房で知り合った刑余者たちである。かれらについては刑務所におよそ次のような記録が残っている。

戸並健次・昭和二十六年生。本籍不明。住所不定。

昭和二十九年十月十六日、新宮《しんぐう》市内で警察に保護される。本人は「おばさん」と称する婦人にはぐれた、と言っているが、以後該当者が現われないところから計画的に遺棄されたものと思われる。氏名、生年は当時つけていた名札による。同年、同市郊外の施設「愛育園」に収容。長ずるに及んで反抗性が顕著となり、四十年十月、同園を脱走、浮浪生活に入る。四十三年ごろ、大阪でスリ師「大匠」の一味に加わり、以来収監時までに前科二犯。犯行歴百二十六回。五十△年六月、懲役一年二カ月に処せられて、雑居房第四号に収監。五十△年八月、刑期満了出所。

所見　知能優秀、身体強健。収監当初は反社会的性向がなお根強かったが、戒護の結果漸次好転して、刑期満了時には社会復帰を熱望しているかに見受けられる。しかし陰険、複雑な一面もあるので、なお保護観察を要するものと認められる。

秋葉《あきば》正義《まさよし》・昭和二十九年六月六日生。本籍岡山県。

定職なし。住所不定。父労務者。四十年ごろ、一家離散して、父母ともに生死不明。兄弟なし。小学校四年修了。以後各地の商店、工場等を転々して、四十五年ごろから主に日傭《ひやとい》労務者。この間「空巣」等の窃盗前科一犯。犯行歴八回。五十△年六月、懲役三カ月に処せられて、雑居房第四号に収監。服役態度良好のため、刑一カ月を減ぜられて、五十△年八月出所。

所見　知能やや低度、身体頑健。性格概ね温良で、肉体労働に適しているが、周囲との協調性に欠けるので、関係者の善処方が望まれる。社会復帰の意欲は相当と認められる。

三宅平太《みやけへいた》・昭和三十一年二月十八日生。本籍奈良県。

父死亡。母（52）本籍地で雑貨商を営む。妹一人がある。私立春陽高校一年中退。しばしば家を出奔して不良仲間と交遊。五十△年七月、「かっ払い」等の窃盗で懲役二カ月に処せられ、雑居房第四号に収監。今回が初犯。犯行歴三回。同年八月、刑期満了出所。

所見　知能、体力ともに普通。機敏、活発な面もあるが、他人の扇動等に乗り易い、いわゆる「おっちょこちょい」である。家庭事情等から強く社会復帰を望んでいるが、意志薄弱なので、十分に保護観察の必要がある。


こういった秋葉正義とか三宅平太のようなケチなコソ泥たちを、鉄の団結をもつ誘拐団に組織したのは、いうまでもなく、リーダーであり、スポンサーであり、名実とものボスである、もとスリ師の戸並健次だ。

看守たちの「所見」が正確に指摘しているように、彼は「社会復帰」を熱望している。服役者が出所するときは、必ず訓戒課長から最後の訓戒を受けることになっている。「もう二度とここへ戻ってくるようなことは、してはならないぞ」というのがその決り文句だが、健次はそのとき、当の課長がおや、と思うぐらいの強い語調で、「はい。絶対に二度と課長さん、看守さんたちにご面倒はかけません」ときっぱり誓っているのである。

正真正銘の本音だった。再びムショに逆戻りする気はなかった。だが、「社会復帰」のあり方と、そのための方法とは、かれらが考えているのと全く別だった。

十年に近いスリ生活で、彼はこういった泥水商売の空しさを身にしみて知っている。同時に刑余者のいわゆる社会復帰がどんなに辛く、社会がかれらにどんなに冷酷で非情であるかも膚で経験しているのである。

彼の頭にある「社会復帰」とは、社会の底辺へもぐりこんで、お情けやらおこぼれやらに与《あずか》って、しかも永遠にはい上がれない下積み生活を送ることではなかった。社会の中に自分の生活権を確実にうち樹てることだった。

いまの彼には、当局の目をくらまして隠しためた金が百万円ほどある。だが、それぽっちの金で、もとスリの身分で、いったい何ができよう。先立つものは一ケタ上の、もっとがっぽりした資本だ。そしてそれを稼ぎ出すには……。

健次は三度目の一年二カ月のムショ生活の全部を、そのための計画作りと、同志の獲得に費した。古いスリ仲間は初めから外していた。そういう絆というものは、きっとどこかでボロが出るからだ。この同志は、ここで知り合った、そしてこのことだけの、完全にあと腐れの残る心配のない仲間でなくてはならなかった。選に入ったのが、秋葉正義と三宅平太である。

秋葉正義は、はじめ四号雑居房に入ってきたときは、さてはタタキ（強盗犯）か、それともどこぞの組の若いもんか、と房内が色めいた堂々とした巨体の持主だ。

その重い口から空巣の正体がばれると、

「何やね、国会議員みたいなご大層な名しよってからに」

「道理でとぼけたツラしとる思うたわ」

相場はとたんに底値に落ちてしまったが、健次の見る目は違っていた。

新しい仲間の条件は、まず絶対に裏切りのない人間。これを限りとしてこの世界から足を洗う人間。──この二つである。強盗団などが仲間割れで自滅するのは映画の世界でたくさんだし、味をしめて夢よもう一度というようなやつはいつかはみんなの首を絞めるに決っている。

秋葉正義は、他のことはともかく、この基本条件では合格点だった。

動作は鈍い。頭の回転もたしかにそう早くない。その代わり他のこそ泥のようなずるさ、いやしさがない。この世界のものに特有の見栄やはったりさえ持ち合わせていない。人を裏切るような悪知恵が働くどころか、そもそもこんな世界へ入りこむのが場違いな若者なのである。そして健次が求めていたのは、正にこういう男だったのだ。

折を見て打診すると、一も二もなく飛びついてきた。正義のほうでも、いつかは健次のような指導者が現われるのを心のどこかで待っていたのだ。親のない同士ということも親近感に輪をかけた。「おれ、兄さんのためやったら、水の中、ヤブの中へも飛びこみまっせ」と大きな手を重ねられて、言い違いのおかしさよりもその純情さに胸がじんとしたものである。

第二号の三宅平太は、正義とは逆だった。入監当時は、いやにチョコマカした野郎やなぐらいで目にも留めていなかったのを、三宅平太のほうから近付いてきた。それも正義との内緒話を盗み聞きしたらしくて、ぜひ仲間に入れてくれ、と哀願するのである。

白を切って突っぱねると、目に涙をためて生家の窮状を打ち明けた。母が病身で店が立ち行かなくなり、多額の借金をして、店も土地も抵当にとられてしまった上、ことし十七の妹を二号によこせ、と強談されている、というのだ。相手はまだ三十そこそこだが凄腕の金貸しだという。

「おれが極道やさかい、お袋はともかく、たった一人の妹をそんな目にあわせんならん思うと、居ても立ってもおられんのです。お願いや、兄さん。人助けや思うて……」

妹から来た手紙を見せられて口説かれると、情にほだされたわけではないが、こういうコンニャク野郎でも、これだけ必死になれば、と見直す気になった。

こうして二人の子分ができた。刑期ぎりぎりのことだから、運が好かったというべきだろう。だが、難関はそれからだった。第一が子分たちに計画を納得させること、第二が計画そのもののむつかしさである。

この八月、前後してムショを出て、初めて詳細を打ちあけたときの二人の驚きかたは、まだ健次の胸に新しい。

正義などは、話を切りだしたばかりで、

「何やて？ ユウカイ？ 兄さん、誘拐いわはったんか？」

ふだんは象のように細い目をみはって、

「おれ、おりるわ」とのっけからぼそっと言ったものだった。

「何でやいうて、おれ、兄さんのいわはることやったら、たとえ水の中、ヤブの中思うとったけど、あれだけはあかんわ。かわいい子どもさろうて、金ゆすって……あれ、人間のすることやないわ。兄さんがそんなこと、思いついたやなんて、本気にでけへんぐらいや」

すぐに吉展《よしのぶ》ちゃん事件などを連想したらしいのである。ろくろく話を聞こうともしないで、しまいには、銀行強盗でも何でもいいから、それだけは思い止まってくれ、と涙を浮かべて頼む始末だった。平太は口を挟もうとしなかったが、恐いものでも見るように健次に向けているキョロキョロした目つきだけで、正義と同じ思いということは十分に察しがついた。

おそらくは、それが正常な反応だったのである。健次自身、最初その着想が浮かんだときは、何てばかなことを、と慌てて払いのけたぐらいだったから。

彼にできることは、どうして自分がこの作戦を思いついたか、どうしてこの他に資本を稼ぐみちはないと確信したか（身代金は五千万円と予定していた。それもズバリと言った。分前は健次二千万円、二人が千五百万円ずつである）、ありのままをぶちまける以外になかった。

また、この作戦が、どんなに困難で、どんなに危険かも、包み隠さずにさらけだした。

二人の顔色は話につれて猫の目のようにゆれ動いた。

目標が、子どもでもなく、女の子でも人妻でもなく、男の資本家でもなく、小さなおばあさん、と聞いたときは、どこかホッとした色が現われた。

そのおばあさんが地方切っての名望家で、村民だけではなく、社会全般から尊敬されていて、特に恵まれない立場の人々から、神か仏のように慕われている慈愛深い老婦人だ、と聞いたときは、さっきより激しい拒否反応の色が浮かんだ。

最後に、おばあさんの住んでいる和歌山の県警本部長が、おばあさんを無二の恩人として仰いでいる人物で、おばあさんがさらわれたとなれば自ら火の玉になって陣頭に立つだろう。当然県下千六百の警官は、目の色かえてかれらを追い回すだろう。かれらは餓えた狼の大群に囲まれた三びきの小羊も同然だ、と聞いたときは、二人とも「ウーン」とうなって、面上は恐怖ともファイトともつかない異様な緊張に蔽われた。誇張でもないし、まして脅しでもない。ここまでしっかり性根をすえなければ、初めから手を出せるような作戦ではないのである。

二人を納得させた……というより引きずりこんだのは、健次のこうした肚を割った率直さ、それにこめられた激しい気魄だった、と自分でも思う。

「命がけやな」と正義が言った。

「そや。命がけや」おうむ返しに答えた。

「わかったわ」と正義が言った。「兄さんの考えはること、やっぱり並大抵やないわ。何やら空恐ろしい気するけど、そういうおばあさんでないと、家のもんもポンと五千万円出さへんのやろな。しゃあないわ。おれ、さっきおりるいうたけど、あれ取り消して、乗せてもらう。第一、兄さんにそないヤバい作戦させといて、指くわえて見とられへんもんな」

「そうか。平太はどうや」

それまでほとんど無言だった平太が、ただのかっ払いでないことを示したのは、そのときの返事だった。

「おれ、生涯に一ぺん、何かでかいことやってみたい思うてました。そんな大仕事、兄さんとやれるんやったら男子の本懐や。喜んでのっけてもらいます」ときっぱりと言った。

「ただな……」

「あん？」

「分前千五百万円はもらいすぎやから、兄さんの半分の一千万にしてほしいわ。兄さんがおらなんだら、その半分の半分にもありつけへんさかいな」

「ええこというな」正義が感心した。「ほな、おれも一千万にしてもらう。値切るみたいで悪いけど、考えてみたらそのへんがおれたちの相場や」

「その話はあとや。二人ともええんやな。ほな、改めて言うことがある」

健次が胸を正して指示したのは、次の誘拐犯の心得三箇条だった。

一つ。人質は丁重に扱わなくてはならぬ。大事な取引品であるだけでなく、それを握っている限り敵が手を出せない、いわば守り神でもあるからである。

二つ。人質とは数日生活を共にすることになるが、そのあいだ素顔を見せることはもちろん、名、素姓を知られるようなことは一言でも言ってはならぬ。監禁場所についても同様である。人質は返さなくてはならぬものだから、常に返したあとのことを考えて接しなくてはならないのである。

三つ。身代金は、平太の緊急必要分は別として、原則として一年間は手をつけてはならぬ。ばかな犯罪者たちが足がつくのは九十九パーセントまで不相応な金遣いからである。

「ええな」とおわりに念を押した。「誘拐いうんは、アメリカのＦＢＩの記録にも『最も卑劣な犯罪』というとる。どう転んでも汚い手に違いない。おれたちがあえて決行するんは、この他にこっちのほしい金を手に入れる方法がないからや。それだけにせめて、堂々と、あとでやましい思いが残らんようにやらな、な。作戦中、このことだけは忘れんといてや」

「ようわかりました」二人が同時にいって、「そやけど」と正義がため息をついた。「むつかしいもんやな。そないあとあとのことまで考えなならんのやからな」

「そのとおりや」健次は深くうなずいた。「今は一々言わんけど、むつかしいことはほかにも山ほどある。本式の誘拐いうたら、それこそ最高の知恵が要る犯罪なんや。おれたちの頼るもんは、これひとつや」

トンとひたいを叩いた。頭脳の働きを唯一の武器に、世界でも優秀を誇る大権力組織に立ち向う……いわばそれが「虹の童子」誘拐団の結団宣言だったのである。

それから東奔西走の日々が始まった。まず和歌山市の郊外にかっこうなアパートをみつけて確保した。まさか県警本部のおひざ元に本拠をおくわけがないという盲点をねらったのだ。姫路の中古車売場から二十五万円の黒のマークIIを手に入れた。免許証は平太と正義が持っていた。双眼鏡、トランシーバー、モデルガンなどの必要資材をあちこちでバラバラに買い求めた。

用意万端整って、現地へ乗り込んだのは、この八月の中旬だった……のだが。

いる。あらかじめ覚悟のうえではあったが、都会にはない山村特有の難条件からだった。

それからきょうまで、そろそろひと月だ。かれらはまだ刀自に一指も触れることができずに

3

柳川本家は、熊野川の支流に沿って国道から一キロほど西へ入った山の南麓にある集落の中央に位置している。うしろは山、まえは渓谷。通じている道路は流れに沿った往還が一本だけ。集落の家数は本家の他に六軒で、全部柳川姓の分家である。それが本家を中心に、ほぼ等間隔に左右に点在している様子は、ちょうど主君の両側に居流れる家臣の列のようだ。いってみれば集落全体がひとつの城で、怪しげな他国者が入りこむすきなどは全く残されていないのである。

本家自体も一つの小さな城だった。広さは二ヘクタールもあるだろうか。中央に冠木門がある高い塀に囲まれていて、鬱蒼とした植込みの合間合間に、一際大きな母屋を中心にして十いくつもの瓦屋根が数えられる。塀も家々も、見てくれがしの豪壮さ、華美さはないが、どんな自然の暴威にもビクともしないがっしりとした頑丈さを備えていて、自ら大家の風格がにじんでいる。

健次たちの調べたところでは、柳川家のいまの四人の子どもたちは、それぞれ都会へ出てい

て、この本邸にいるのは刀自ひとりである。しかし仕えている家人の数は、目認しただけで十人の余もいるし、数頭の番犬もいる。忍びこんで拉致するなどはじめからできない相談で、刀自の外出時をねらうほかにないのだが、こういう条件下では、その事前の布石からしてまず容易ではなかった。

「出入口があの門ひとつというのが付け目やな。まず監視点を設定すること。それから、外出はどうせ車やから、すぐ追尾でけるように近くに車を置ける場所をさがすこと。さしずめやらんとあかんのは、この二つや」

最初の下見から得た結論である。

集落の近辺に設定できない以上、監視点は対岸の山におくほかにないのははっきりしている。三人は下見の日、一度五條《ごじょう》の町へ出て準備を整えてから、夜になって津ノ谷村へ引き返して、対岸の山に潜入した。

そこで第一の蹉跌《さてつ》にぶつかった。昼間車で通過したときは、簡単に見当が付きそうに思っていたのだが、不案内な夜の山というのは魔ものだった。ペンライトで地図を照らし、照らし、磁石を頼りに、たしかこのへんと思われるあたりの山腹へ出てみると、下を流れているはずのせせらぎのせの字もなかった。全くの見当違いだったのだ。

「兄さん、このへん詳しいのと違うんか」正義が不審を起こした。

「いいや。ばあさんは子どものころからよう知っとるけど、この村へ来たのはおれも初めてなんや。……さて、弱ったで。こないなとこで迷子になってしもうて、車んとこまで無事に戻れるかどうか、それからして問題や」

結局、その夜は一晩じゅう山の中を迷い歩いて、明け方近くなって、やっと車のところへたどりついた。防虫剤をふりかけておくのを忘れたので、食われ放題ヤブ蚊に食われて、慣れない夜の山歩きで手も顔もすりきずだらけ。何度もつまずいたり転んだりで服は泥とごみにまみれて、三人とも「惨憺《さんたん》」を絵にかいたようだった。

「いきなり山へ入ったからまずかったんやな。渓谷沿いに山すそを伝って行って、あの集落の前から山へ登ればよかったんや」

第一夜の教訓である。

次の夜は、教訓を生かしてはじめから渓谷沿いのコースをたどったが、これがまた決死的、サーカス的難路行だった。柳川家の側は、木材運搬用の大型トラックがらくに交換できる広い往還が通っているが、対岸のこちら側は、国道からわずかの間、釣人用らしい細い道が谷へ下っているだけで、それもすぐに切れてしまい、そのさきは山すそがいきなり流れに落ちこんでいて、崖ぎわの樹にすがり、すがりして、危険な斜面をカニのように横歩きしなくてはならなかったからだ。

「だれもばあさんさらうもん、おらなんだわけ、やっとわかったわ」と正義が息を切らしながらつぶやいた。「これも今夜一晩のことやのうて、毎晩やもんな。命がいくつあっても足らんわ。おれ、ひとつしか持ち合わせがないいうのにな」

たしかに、こんながむしゃらな無茶をして、だれも渓流に墜落しないですんだのは、奇跡に近かった。

こうした試行錯誤を重ねて、山の地理もわかってきて、監視点がきまり、わりに安全なルートもついたのが第三夜目のことだ。

昼間なら二、三時間でわかることに、これだけの手間がかかるのが、夜間しか行動ができない潜入者の宿命だったのである。

車のおき場所にはもっと手間がかかった。車が入れるような道は、ふだんはそう人跡がなくても、いつだれが通りかかるかわからない道である。一度、二度なら、へんなところにパークしてあるな、ぐらいですむかも知れないが、三日、四日そのままとなれば早晩疑惑を招くのは免れない。気の早い村民ならすぐにでも駐在に知らせるかもしれない。常時発進ができるところで、しかも人目につかなくて、監視点からもそう遠くない場所、となると、オリエンテーリングのチェック・ポストをみつけるより十層倍もの難題だった。

三人が三匹の夜行獣になって、必死に探し歩いて、一週間めに、やっと平太が、もと炭焼小屋だったらしいボロ屋をみつけ出した。交通不便なこの山村では、昔は小屋掛けをして炭を焼いたらしいのだ。林道からちょっと外れた林の中の小さな凹《くぼ》みに建っていて、奥は窯《かま》の名残りらしい土塊が散乱している。林道への傾斜がかなり急勾配なのと、監視点から一キロほど離れているのが難だが、奥の窯跡は小型のマークIIがすっぽり入れる広さが十分にあった。

「ここなら下の林道からは絶対見えへんな。欲いうたらきりはないけど、この場合人目につかんいうのが第一や。平太、登り下りには十分気をつけるんやで。これがポンコツになったら買いかえる予算はもうあらへんさかいな。それから、出入りしたあとタイヤの跡はよう踏み消しとくんやで。怪しまれる基やからな」

これで二つの課題は、どうやら解決した。

最後に最大の難題が残った。刀自がいつ外出するか。そして外出したとき、この態勢でうまく追尾ができるか、である。

かれらが山ごもりを始めてから三週間、刀自は全く外出しなかった。

「暑いうちは控えてんのやろ。ここは下界より温度が五、六度違うさかい、もうすぐ朝夕は涼しゅうなるわ。それまでの辛抱や」

はじめはそう言っていた健次も、九月に入って涼風が立つようになっても、全くその気配がないので、

「すこし、見込み違いやったかもな」と認めないわけにはいかなかった。

「おれが知っとったころは、ようあちこちに顔を出しなはったもんやけど、考えてみたらあれからもう十年の余や。子どもも、もうええ年やから、公の集りなんかはたいてい代理で出てるやろうし、といって、ちょっとそのへんへ買いものにとか、近所へおしゃべりにとかいうなみのばあさんとはお人が違うよって、めったにそういうこともなし……これは、思ったよりも長期戦になるかもな」

刀自が健在で、本家の威勢が昔とすこしも変わっていない様子は、人の出入りを見ているだ

けで十分察しがついた。

どんな炎天の日でも毎日三組や四組の客がないことはないし、ときには一組が数台の車を連ねてやってくることがある。冠木門がその度に開いて客を呑吐《どんと》する。その合間にはまわりの分家の年寄やら娘やら男たちがくぐり戸から出入りする。ふつうの家ならば正月のような賑いである。だが、刀自は現われない。

一目みたらわかる確信があった。健次が知っているのは、いま言ったように十余年のむかしの刀自だが、人間も七十歳近くになればそれからはそうは変わるものではないだろうし、これは子分たちにも話してないことだが、健次には刀自について、今も生々しい哀切な記憶があるからだ。

刑務所の記録に残っているように、彼は少年時代の大半を「愛育園」という施設で過した。柳川とし子刀自はこの施設の大スポンサーだった。刀自を知ったのはこの縁からである。刀自は年に一回の園の創立記念日に、市長やその他の名士たちとともに、欠かさず園を訪れた。席はいつも最上席で、園児たちの最大の人気者だった。

人気のゆえんは、「一番えらくて」「やさしい微笑を絶やしたことがない」「上品なおばあちゃん」というだけでなくて、毎年園児たちに希望の品をプレゼントしてくれるサンタクロースでもあったからだ。健次の思い出もこのプレゼントにからまっている。

脱走の前の年だから中一のときである。彼は刀自あてのリクエストの紙に「登山ナイフ」と書き入れた。春の山遊びのとき、園長から「これ一丁あれば彫刻もできるし、マキも作れるし、包丁の代わりにもなる。こんな重宝なものはない」と聞いて以来のあこがれの品だった。

ところがその年、彼にだけはプレゼントが渡されなかった。代わりに園長室に呼びつけられた。

部屋には園長のほかに刀自が困ったような顔をして、ちょこんとイスに座っていた。こう間近に刀自を見たのは初めてだし、刀自のそんな表情を見たのも初めてである。

そして彼は、そのまえで園長からめちゃめちゃにどなりつけられた。一々のことばは覚えていない。要するに、こんな危いものをおねだりするとは何事だ。おまえなどに持たせたら何をするかわかったものではない。ご本家さまにも申しわけないことだから、手をついておわびをしろ、という趣旨だった。

自分が原因ということはけろりと忘れていた。驚きと恐怖と恥ずかしさで、真青になって立ちすくんでいた彼に刀自が声をかけた。

「ただほしいもんあげればええ思うた私が悪かったんや。堪忍していな。な、坊や。園長はんには私からも謝ってあげるよって、何かほかのもんにしていな。こんどはまちがいのないもんを、な」

……その優しい、いたわるような声を聞いたとき、どうしてあんな激しいものが爆発したのか、自分でもわからない。

「要らん。ご本家はんのもんなんか、何も要らん！」

叫んで、わっと泣きだしながら廊下へとび出した。うしろで園長のあわてたような声がした。

それだけのことである。多忙な刀自がそんな些末事を覚えているはずがないから、今では健次の胸の中にだけ生きている一コマだ。だが、刀自の誘拐を思いついたとき、まずひらめいたのが、この甘酸っぱいような記憶だったし、刀自のそのときの声も表情も画像のように鮮やかだ。忘れようにも忘れられない顔であった。……だが、出て来てくれないことにはどうしようもない。

三人ともやつれて、目だけがギロギロ光るようになってきた。見張りについたら日中はほとんど動けない。門から一ときも目を離せないし、まわりの草むらや枝がゴソとでも鳴ると、すわ村民かと胆を冷やさなくてはならない。神経のとがらしづめ、気の張りづめの毎日で、しかも口に入れるものは、たまに五條あたりでうさ晴らしする以外は、三度三度が火を通さないパンやカンヅメのたぐいばかりだ。これでやつれなかったらおかしいようなものかもしれなかった。

その上に和歌山のアパートのことがあった。管理人はいないし、専用同然の出入口があって他の同居人と顔を合わせることもない。そういう持ってこいの部屋が見つかったから本拠に選んだのだが、それにしても同居人はいるのだし、近所に家がないわけではない。借りっ放しで一ぺんも寄りつかないのではまわりの疑惑を招くおそれがあるから、だれかが交代で在宅当番を勤める必要があったが、これがまた一骨だった。

津ノ谷村から和歌山までは、五條経由で片道百五十キロである。これも人目をさけるために行動はすべて夜間だ。夜になるのを待って出発し、夜が明けないうちに帰りつかなくてはならない。往復三百キロ。その半分は起伏とカーブの激しい山間の路線だから、早くて四時間、まごまごすると六時間あまりもかかってしまう。

「兄さんは見張りの主役やから、この当番おれたちがやるわ」

　正義と平太が引き受けたが、帰って来たところを見ると、どちらもいつも目が真赤である。夜十時に着いて出発は午前三時まえ。万一寝過したらたいへんという気があるから、トロトロもできないらしいのだ。そして帰れば帰ったで、見張りか車か、どちらかの当番が待っている。

「ほかの誘拐犯が、町で子ども狙う気持、だんだんわかって来たわ」と正義がいったのもそのころだ。「きょうはあかん思うたら、帰って寝ればええんやからな。食べたい思えば食堂はある。のみたい思えば喫茶店はある。極楽みたいなもんや。そやけどな、兄さん。野郎ども、うまいもん食うて、ぐっすり眠って、それで儲けようという根性やから、ろくな稼ぎでけへんのやな。一千万稼ごう思うたら、やっぱり苦労が要るわ」

　八月の末に豪雨に見舞われたときはひどかった。対岸の集落も山も、白く煙って見えない土砂降りが、まる四日も続いたのだ。それでも見張りも和歌山帰りも欠かせなかった。

「昔の戦争いうのん、こんなもんやなかったやろか」と健次と一緒に見張り番についていた平太が全身を雨に打たれながら勇壮に言った。

「最前線の塹壕《ざんごう》いうたら、こうしていつ敵が来るか思うて、じいっと緊張して見守ってたんやろな。それ思うたら、タマは飛んでこん、爆弾は降ってこんのやから、わいらまだ天国や。もっとも塹壕には屋根ぐらい付いとったやろけど」

　部下は健気であった。過労と睡眠不足と栄養の不十分で、体はくたくたに参りかけて来ていたが、志気はまだ旺盛であった。

……頼むわ、おばあちゃん。

健次はできるならそう祈りたかった。

……もういいかげんで出て来てえな。こいつらが本当に参ってしまわんうちに。そしたら身代金、一千万ぐらい負けてやってもええわ。

そして、豪雨が去って、秋晴れがつづくようになった九月のある日、突如として局面が動き出した。

じっと待っているあいだも辛かった。だが動き出せば出したで、そこにはまた別の困難が待っていたのだ。

4

初めて刀自を見た日——あとで考えると、それが刀自の山歩きの第一日目だったのだが、同時にかれらにも忘れられない一日である。

「兄さん、門が開いたで。……何や、白のダットサンや。そやけど車は車やな。見てみはるか」

双眼鏡をのぞいていた平太が気のない声で言って、渡してよこしたとき、

「まただれか家のもんやろ。ばあさんのクルマいうたら、外車ではのうても、まず最高級の大型車と相場が決っとるさかいな」

健次も気のない調子で受けとって、レンズを目に当てたものだった。

やはり慣れであり、知らず知らず身についていた訓練であった。ひょいと当てがっただけで、双眼鏡は門を出てくる車にぴたりと焦点が合った。

ダットサンは門を出て、右手へ曲がりかけるところだった。数人の家人が道路へ出て見送っている。

刀自が車を運転するはずがないから、運転席に用はない。本能的にリアシートへ移したレンズの中に、見送りに会釈している丸い、小さな顔がぽっと浮かんだ。

「…………？」

瞬間に、いっぱいにズームアップして、

「わッ！　ば、ばあさんや」

そのとき脳天を突き抜けた声を、健次は自分でも覚えていない。

なつかしい……といったらおかしいだろうか。計画を思い立ってから一年あまり。この長い月日のあいだ、一日も思い出さなかったことのない、あの小さな顔がそこにあったのだ。

全然昔と変わっていなかった。気品があって、穏やかで、優しい微笑をたたえていて、シワが前よりいくらかふえたかな、と思うぐらいで、髪の毛などは頭の中の刀自よりもずっと黒々としている。十何年という年月がくるくるっと瞬時に逆転した気がしたほどである。

「何やて？　ばあさん？」平太の目がとび出した。

「どれ。おれにも見せてや」

「あほ。そんなひまあるかい。早う追っかけんと。慌てるんやないで」

だが、声は上ずっていて、自分でも慌てていた。双眼鏡を握って、宙を飛ぶような足どりで林の中を小路へ走り降りて、そこでやっと車への連絡を思い出した。

トランシーバーを引っぱり出して、スイッチを入れて、

「正義！　正義！」

この作戦中は、人質の前ではもちろん、傍受される危険があるこういう連絡のときは、互いに暗号名を使うことに決めてあったのだが、ついそれも忘れて、本名で車当番の正義を呼んだ。

「…………」

応答がなかった。

「ちぇ！　あいつ、何してけつかんねん。いよいよいう時やいうのに。こら、正……」

思い出して、走りながら暗号名に呼びかえた。

「こら、風！　風いうたらおまえのこっちゃ。返事せんか。こちら雷。かみなりの雷。こら風！　風のあほたれ」

まだ応答がない。

「うーん、畜生！　どないなってんのや」

うめいて立ち止まったところへ、平太がぜいぜいいいながら追い付いた。

「風兄い、出えへんか」

「うん、出やがらん」

「ゆうべ和歌山当番やったから、のびてんのと違いまっか。おれ、飛んでって起こして来ますわ」

「あほか、おまえも。今から呼びに行っとって間に合うわけあらへんやないか。ばあさんの車、百キロも向うへ行ってしもてるがな」

「そいでも……行って来ます」

平太は自分の責任のように顔をこわばらせて、転げるように林の中の小みちを走って行った。皮肉なもので、その小柄な姿が山かげに消えた直後に、正義の声がレシーバーからとび出した。

「あーあー、こちら風。いま何か言わはったか」

「何かやないわ。どこへ行っとった」

「ちょっとトイレへ」

正義がトイレと呼んだのは、排泄物の処理穴である。臭いで所在を感知されないように、用のあと上に土を落すことにしているが、それにしてもすぐ近くというわけにはいかないので、車のほうも監視点のほうも、二十メートルほど離れた木かげに掘ってある。それではすぐ返事ができなかったのも当然だ。

「うーん、生理現象か。じゃ、しゃあないわ。おい、ばあさんが出たぞ」

「ひゃあ、とうとう出よったか。えらいこっちゃ。すぐ行きますわ」

「ああ、大急ぎや。おい、ちょっと待て。平太が……雨がそっちへ飛んでったわ。行き会うたら拾って来いや」

「平太……雨が？　この忙しいのに、また何で？」

「何でいうことあるか。おまえのこと案じたからやないか」

「ああ、さよか。諒解。……そやけどな、兄さん。……やないわ、雷。もし行き会わなんだらどないします？」

「どないいうて……置いてくほかないわ」

「そら殺生や。今までこれだけ辛抱して、いざいうとき置いてくなんて、兄さん、そらあいつが可哀そうや」

「そやかて、こんなとき鬼ごっこしていられへんわ。問答無用や。すぐ飛ばして来い。第一やな。行き会わんものを、どないして拾うんや」

すべてが初回なるがゆえの混乱であった。だれもかれもが度を失っていた。健次が山道へかけ降りて、かねて打ち合わせてあった合流点で、途中で平太を拾った正義の車がガタガタ走ってくるのをつかまえたときは、刀自の出発から十五分もあとだった。

かれらの位置から刀自の車を追うには、いったん国道へ出て、渓谷に架けられている橋を渡って、それから刀自の集落へ通じる往還へ曲がらなくてはならない。このカギの手コースを経て、刀自の家の冠木門のまえを走りすぎたときは、むろん白のダットサンは影も形も見えなかった。

道が一本ならば、まだ希望もあるが、この主に伐採した材木の運搬に用いられている産業道路は、熊野川の支流がさらに小さな渓流に分かれて行くように、途中でいくつもの山道に分岐している。集落へ通じる道であることもあり、山すそを縫ってどこへ通じているのかわからない道であることもある。

かれらは刀自の集落から二キロほどの山中にある最初の分岐点でまず迷った。

車を下りて調べたが、連日の快晴でカラカラに乾いている砂利みちには、どちらも同じようなわだちの凹みができているだけで、アマチュアのかれらには輪痕の新しい、古いも、まして車の種類などは全然見分けがつかない。

山ひとつ回るたびに、同じような山道があった。そして、山の次にはまた山があり、その奥はまた山であり、右も左も数の知れない山なみが重畳と果てしなく続いている。空から見れば、そのあいだを曲がりくねり、登り降りしている無数の山道は、大自然の中に描かれた迷路図のように見えることだろう。入り組んだ網の目のような都会の迷路とはスケールが一ケタちがう壮大な迷路である。

健次たちが走ったのはその中のほんの二本か三本だった。そしておわりの一本は、走っているうちにずんずん幅が狭くなってきて、しまいに突然プツンと切れてしまった。山すそにぶつかって、そこでおしまいだったのだ。

「どんづまりや」

「おれたちみたいや」

車の中で三人はしばらく茫然としていた。

いったいこの広袤《こうぼう》とした山野のどこに、たった一人の刀自を探し求めたらいいというのだろうか。

「つまり、車一台というのが無理なんやな」

結論はそうなった。きょうのような混乱がなかったにしても、車が険しい山の中をかけ下りてくる監視要員を収容してから追尾に移る、という今のシステムでは、車のところへかけ着くまでに最少五分はかかるから、追尾はそれからになる。一度見失ったらそれまで、というこんな自然条件では、十五分も五分も大同小異である。

車には常時二人が待機していて、収容の手間を抜きに連絡次第すぐ飛び出して追いかけることにすれば、時間は半分に短縮できる。だがそのためには監視要員にもう一つの足が必要だ。

「バイクやな」だれの考えも同じだった。

バイクなら人目をさけるのに車のような苦労はいらない。出口の付近の叢《くさむら》に何かかけて寝かせておけばいい。監視要員はできるだけ早く、それで車のあとを追う段取りである。

仲間が二手に分かれるのはいろんな点で不利だし、使うメカニズムが倍になれば人目をひく危険も倍になる。できれば打ちたくない手だが、ほかに方法がなければ仕方がない。

「そやけど兄さん、バイク買う金、まだ残っとるんか」と正義が心配した。これまでの出費で百万円の資金が底をつきかけているのを二人とも知っていたのだ。

「金はない」健次は簡潔に言った。

「ほな、どないするん？　バイクかっ払うんか」

「そんなヤバいことはせん」と健次は右手の人さし指をピクンとさせてみせた。

「もう二度とやるまい、思うとったけど、大事のまえの小事や。それぐらい何とかこの指で稼いでみせるわ」

その夜、五條市内でスリの被害届が三件あった。健次たちはバイクを手に入れた。

新システムの効果をためすチャンスは、早くもその翌日訪れた。

5

第二日。

刀自の車がきのうと同じ時間に門を出てくるのを発見した健次は、はじめ目を疑って、次に驚喜した。

「ツイて来よったぞ。そろそろツキが回っていいころや思うとったけど」

つぶやいて、「あれ?」と眉をしかめたのは、車がきのうと逆に、門から左手へ走り出したからだ。

この方角には、約一キロのところを国道が南北に走っている。刀自の車も国道へ出るのはまちがいないが、問題は、出てからさきどっちへコースをとるかだ。

右へ曲がれば南、津ノ谷温泉を経て本宮《ほんぐう》から新宮へ抜けるコース。左なら北、健次たちのがわを通って村のど真中を五條へ向かうコース。かれらとしたら、そのどっちと読むかで、まかりまちがえば、追いかけるどころか、背中合わせのあさっての方向へ突走ってしまうことになるわけだ。あいにく国道は山かげになっていて、健次のがわからは全く見えないのである。

「えーと、こっちがわ……北コースへ来てくれるとして、何とか一足早く正義らの車で確認できんもんやろか」

頭の中で素早く計算する。

国道まで一キロ。国道へ出て、渓谷の橋を渡って、健次たちの山道の出口まで約五百メートル。計一キロ半。六十キロのスピードとして約一分半。

正義らの車の隠し場所から国道まで約二キロ。スタートのハンデを三十秒と見て、国道へ出るまでの時間二分半。

「だめやな」答えは簡単に出た。

刀自の車は、かれらの車が国道へ出る一分も前に、山道の出口を通り過ぎてしまう。出口の直前までこちらからは国道が見えないのだから、事前に視界にとらえることなどはできない相談だ。

「しゃあない。最後はカンや」

決心してトランシーバーのスイッチを入れる。

「はい、こちら風と雨」

きょうはすぐに応答がある。

健次の指令も前おき抜きだ。

「ばあさん、また出て来よったぞ。やっぱり白のダットサン。ただしや。方角はきのうと逆に国道へ向かいよった。国道やで。いま集落の外れのカーブ曲がるとこや。おまえらも国道へぶっ飛ばせ。国道へ出たら左、五條のほうへコースをとれ。どっちへ行くかわからんけど、おれのカンや。カンが当っとったら、ダットサンは前方約一キロを走っとる。ええか」

「諒解。兄さんのカンならおれたちより確かやろ。国道やったら毎晩走っとるホームグラウンドや。一キロが二キロでもつかまえてみせるわ。任しとき。というても、昼間はめった走ったことないけどな」

返事の半ばでエンジンの音が響いて発進の気配がした。まずは申し分ない好スタートだ。健次も一散に森の小みちをかけ下りる。幸い今まで、村人に出会ったことはなかったし、この日も人かげを見なかった。

山みちの途中で車からの第一報が入った。

「いま国道へ出たで。ガラガラや。こんならのみでもつかまえられるわ」

走りながら時計を見ると、刀自の出発からちょうど三分。予定よりすこし遅れているが、むこうの往還はアスファルト、こっちは凸凹の山道だから、これぐらいの差は止むを得ない。

「よし、頼むで」

樹の根から樹の根を飛び伝いに下りながら、また慌しく頭のソロバンを弾く。

では想定どおりとして、ダットサンはかれらのマークIIの前方一キロ半だ。刀自の車はああいう大事な老婦人を乗せているのだから、出しても六十の安全運転にきまっている。こちらが八十なら一分に三百メートル間がつまる。五分もあれば追いつく計算である。

「禁を破ったかいがあったというもんや」

山すそへ走り着いて、叢にビニールのごみ袋をかけて寝かせておいたバイクを起こして、マスクをかけ、レシーバーの上からヘルメットを冠ってスタートする。さっきの連絡から二分。これもこれ以上は縮めようがない最短時間だ。

国道へ出るまで、しばらく連絡がとぎれた。これはかれらのトランシーバーが、こういう事態を予想しなかったためもあるが、守秘性を第一にえらんだ近距離用の機器だったからで、実用交信距離は千五百メートル。二キロ離れるともう声が届かないのである。

国道はなるほどガラガラだった。対向線は新宮方面へ木材を運ぶ大型トラックがしきりに地響きを立てて行くが、こっちがわはまだ混む時間ではないのだろうし、もともと産業道路で、最近は「現代の秘境」というようなキャッチフレーズで観光面でも売り出そうとしているが、それもシーズン・オフで、マイカーで賑うような土地柄ではないのだ。健次たちにはすべてが好条件だった。

……だが、それもこれも、彼の見込みが当たっていたとしての話である。

間もなく交信距離に追いついたとみえて入って来た第二報は悲観的だった。

「あーあー、風と雨。第二有料林道を過ぎた。ダットサンはまだ見えん。もう見えていいころやがな。……あーあー、雷。きこえてまっか」

「あーあー、こちら雷。今きこえて来よった。前方どれぐらい見えるんや」

「このへん、わりにまっすぐやから三百メートルぐらいやろな。ガランガランでのみもおらへんわ」

「有料林道へ入った気配ないか」

「そう思うてな。のぞいてみたんやが、見通し利かんさかいな。よっぽど降りて、料金所に聞こうか思たんやけど、平……雨がヤバい言いよるんで」

「そらヤバいわ。このへんでばあさんのこと知らんもんないよって、おまえ何者かいうことになってしまうわ。ヤブヘビや」

「ほな、どないしょ？」

「とにかく、次の有料林道まで行ってみよ。そこまでに見えなんだら、また考えるわ」

「諒解。……ほんま、どこ行きよったんやろな」

国道には国道で、きのうの林道とはまた違った、もう一まわりスケールの大きい困難が待っていたのだ。有料の林道だけで四本。信号のない村道がその間に数本ずつ。地図にはないが、車が入れるぐらいの狭い小路がまたその間に散らばっている。そのどの一つをえらんでも、おそらくはきのうと同様の彷徨をくり返すだけのことなのである。

マークⅡとバイクは、ついに刀自の車をとらえないままで、第三林道の手前で合流した。スタート地点から約二十五キロ。当初の計算では、もう五遍も追いついていいころだ。

「このさきいうたらきりないけど、そない遠出やったら、ばあさんダットサン使わんと思う。来てもこのあたりが限度やろ」

健次の判断だった。

「そいでつかまらんいうと？」

「おれのカンが狂っとって逆方向やったか、どこかで支線に外れたか、どっちかや。はじめから狂っとったんならどうしようもないけど、ここまで来たんや。どうや、ただの気休めかも知れへんけど、手分けして、支線いう支線、洗うてみよやないか」

「あん？」

「むろん限界はある。そんなに遠くまで入るはずないよって、三十分走って見つけなんだら国道へ戻る。一時間毎に国道で落ち合って、だんだん南へ下ってゆくんや。どこにも居らんいうことになったら、あきらめもつくやないか」

はじめ驚いた二人も、説明を聞くと同時にこっくりした。このままでは腹の虫が納まらない思いはだれも同じだったのだ。

「そうと決ればバイクはおれが乗るわ」平太が言った。

「兄さんは車に移ってや」

「なんでや」

「なんでやいうて……バイクは若いもんが乗るもんや」

「こいつ……まだおまえらに同情されるほど、年を食っとらへんわ」

半分は意地だった。かれらは躍起になって、めぼしい支線に二台のメカニズムをぶっ飛ばした。

……結果は壮大な徒労だった。ダットサンのダの字も見ることができずに、第二日は暮れて行った。

バイクはもとの山林に寝かせて、三人はその夜は和歌山のアパートに戻った。健次としては十日ぶりの「里帰り」である。このあいだ山ごもりがつづいて一度も入浴していないので、車内には気がひけるほど垢臭いにおいが漂っていた。

そして、それ以上に、車内を支配していたのは暗澹ムードだった。

きのうに懲りて、きょうはベストを尽したつもりだった。また現在以上の監視・追尾のシステムはもう考えることができなかった。ベストを尽して、しかも刀自の所在さえ全然つかむことができないのでは、誘拐そのものが不可能事になってしまうではないか。

「これからどないするんや？」正義が聞いた。

「こっちへ来てくれても一分半。向うへ行かれたらそれにプラスの三分。この時間いうもんは、どないしても縮めようないんやからな。その間に向うはパーと消えてしまう。難儀やで、これは」

「だから初めから言うとるやないか」健次は不愛想に言った。「この作戦は知恵の戦いやと。

難儀でないもんなら、なんで知恵が要るかい」

「そらそうやけど……言うとくけど兄さん、おれたちにそない知恵の持ち合わせないで」

「あっさり言うてくれるわ、ほんまに」

ため息をつきながら、健次も今は全く五里霧中だった。

……どうしたら、このデッドロックを打ち破ることができるのか。

6

翌日、刀自の三日目の外出を迎えたとき、健次はもう驚きも興奮もしなかった。

指令も必要最小限に簡潔で、

「ただ今出発。方角は右の山の手」それだけだった。この日は初日と同じく、刀自の車は門から右の林道コースだったのだ。

そのまえに進歩が一つあった。刀自のときは、ほかの者と違って、門が開くと必ず数人の家人が道路へ出て来て見送るのがわかったので、その動きを見ると同時に、車がまだ出て来ないうちから、「スタート！」とマークIIに指令したことである。「ただ今出発」はいわば確認のためだった。

マークIIは最初の「スタート」ですでに隠れ場所を飛び出している。これで貴重な時間が三十秒は節約になっている。

「諒解」の応答を聞くと、健次は、「がんばれ」と一言いって、時計に目を落して時間をメモに走り書きして、トランシーバーをわきへ置いて、双眼鏡で刀自の車を見送る。

きょうは山みちを飛んで下りることもないし、バイクの出番もない。

「そら出たいうて、やみくもに追っかけるばかりやったら、ラチがあかんいうこっちゃ」という前夜の検討から生まれた新態勢である。

「そやから、おれたち、ばあさんがいつ帰ったかも知っとらへん。出かけた時間と帰りの時間をにらみ合わせたら、ばあさんがどこへ何しに行きよったか、大方の見当もついてくるんやないやろか。まず行動のパターンをつかむ——これが誘拐の第一歩や。おれたちあんまり待ち時間が長すぎたよって、焦って先走りしたんやけど、二度の失敗がいい教訓や。このへんで第一歩から出直さなあかんのや」

この案の泣きどころは、刀自の外出の予定が全くつかめないことだ。通勤、通学、通園などの一定のパターンをもたない家庭婦人の特徴である。

「運やな。おれたちの運とばあさんの運とが、どっちが強いかや」そこに肚をすえるほかにない。

「ばあさんが、これで前みたいに引っ込みきりになりよったら、向うの運が強いんやから、おれたちも一旦あきらめて再起を図らんならんかも知れん。そやけど、おれには確信がある。インスピレーションいうやつやな。二度あることは三度やから、ばあさん、あしたもきっと出てくる。三度だけやない。これから当分はつづく。何としても、このチャンスをつかんで、こっちへツキを呼びこむんや」

きょう、みごとにそれが当ったのだが、その確信を生んだのはダットサンという使用車と、二日とも朝の九時に家を出たという事実だった。よその家や施設などの訪問では絶対ない。もっと個人的な、おしのび的な用件だ。その用件がいつまでつづくか。いつ終わるのか。それこそ運次第、かれらの運のつかみ方次第なのだった。今のところ、信号は青。まず幸先《さいさき》は悪くない。きょうの二人の追尾は、刀自の行動範囲をさぐるのが主目的である。機会に恵まれたら二人だけで決行する。その際は和歌山まで運んで、あとで一人が連絡する手筈である。ただし、よくよくの好機に恵まれたらだ。二人とも姿かっこうは健次の話でよく呑みこんでいるが、まだ本人を見ていない。ここまで粘って、人ちがいでもしたら、目も当てられない。

健次の役は終日の見張りである。

刀自の出発からほぼ三分。マークIIがしまった冠木門の前を通過する。「うっかりこっちへ手なんか振るんやないで。だれが見てるかわからんのやからな」といっておいたのが利いたとみえて、運転席の平太は緊張し切った横顔を前方にすえている。正義は見えない。リアシートに大きな体をすくめて伏せているのである。これも少しでも人目をさける用心だ。

「さて、これで当分は用なしやな。おともの女の子、カゴみたいなもん持っとったさかい、もしかしたら弁当持参かもな。早くても昼まえいうことはないやろ」

顔は往還に向けたまま、樹の根に腰をおろして、ふと目の中にいつも刀自と一しょのその女の子の顔が浮かぶ。

色白の純真そうな少女である。地味なかすりの着物の刀自に、より添っているとき色のドレスが、松林に咲いた花のように鮮やかでカラフルだった。

「孫か何かやろか。いざ、さらういうとき邪魔になったら困りもんやけど……」

考えるともなく考えていて、

「あッ!」思わず叫んで立ちあがる。

木の茂みのあいだから、白いキラッと光るものが見えたのだ。

「まさか……」半信半疑で、双眼鏡を目に当てる。

まちがいなかった。刀自のダットサンだった。時計を見ると、出発からまだ二十分。出たと思ったら、もう帰って来たのだ。

「………?」

レンズにこれも見慣れた、中年のおとなしそうな運転手が映っている。リアシートは空だった。刀自もカラフルな少女もいなかった。

唖然として眺めているうちに、車の警笛がかすかにきこえて、門が開いた。車を呑みこんで閉まった。往還がいやに広々して、あっけらかんと秋の陽を浴びている。

「……きのうもこういうことやったんやな。いくら目を皿にしても、どこにも見えんかったわけや。おうちへ戻ってござるとはなァ」

そうとも知らないマークIIは、いまごろあの迷路の山道を、鵜の目鷹の目でとび回っているのだ。突然、早く教えてやりたくなって、体がムズムズッとしたが、考えてみれば無駄なことだった。今からバイクでとび出しても迷子のメカが二つになるだけである。

「ばあさんと女の子、どこかへ下ろして来よったんやな。下ろしっ放しいうことはあらへん。いずれ迎えに行かなあかん。それを見届けるのがおれの任務やないか」

思い返して、辛抱した。

この辛抱が長かった。長い午前が過ぎて、昼を過ぎて、このごろ一日毎に衰えてくる日ざしが弱まりはじめた午後の三時半、やっとダットサンが門を出て来た。朝帰ってから六時間も経っている。

しかも、がっかりしたことに、朝とは逆に、左手の国道へ向かって走って行く。

「何や。迎えやのうて、他の用足しか。運転手の野郎、人の気も知らんと」

舌打ちをして、また腰をおろす。

こんどもかなりかかった。ダットサンが集落の外れのカーブから姿を現わしたのは、ほぼ一時間後の四時半。往還はすっかりかげって、日ざしは背の山の頂き近くにわずかに残っているばかりだ。

「のんきなやっちゃ。お迎えは放ったらかしにしよって、どこで道草を……」

双眼鏡をのぞいて、はっとこの日の二度びっくりだった。リアシートに刀自とときごがちゃんと納まっていたのだ。

……右へ出かけた刀自が左から帰って来た！

瞬間、奇術の舞台を見ている気がした。右の袖のボックスに二人が入る。奇術師が杖を一振りして「はいッ」と声をかけると、ボックスは空になって、反対側の袖のボックスから同じ二人がにっこりと現われる。あの奇術である。

「………」

息を呑んで見守っているレンズの中で、車は家人に迎えられてゆっくり門内に消えて行く。

「そやったのか」

初めて豁然《かつぜん》と胸が開けた。

これがきょうだけではない、おそらくこれで三日めの刀自の行動のパターンだったのだ。いくらとび回ってもつかまらないわけだ。かれらは刀自のいないところ、いないところを追っかけまわしていたのだから。

くたびれ切ったマークIIが、右の山の手から帰ってきたのは、まわりが夕闇に包まれた六時だった。

「それ、どういうことや?」隠れ場所に落着いて、健次の話を聞くと二人は同音に言った。どちらもキツネにつままれた表情だ。

「簡単やないか。ダットサンは片道十分そこそこんとこでばあさんを下ろして来た。そこから先は車では送れんからや。迎えは逆の方向やった。ばあさんがそっちへ行ったからや。時間がかかったんは、遅れたらあかん思うて早目に家を出たからやろ。大方は、ばあさんが出てくるまでの待ち時間やったんや」

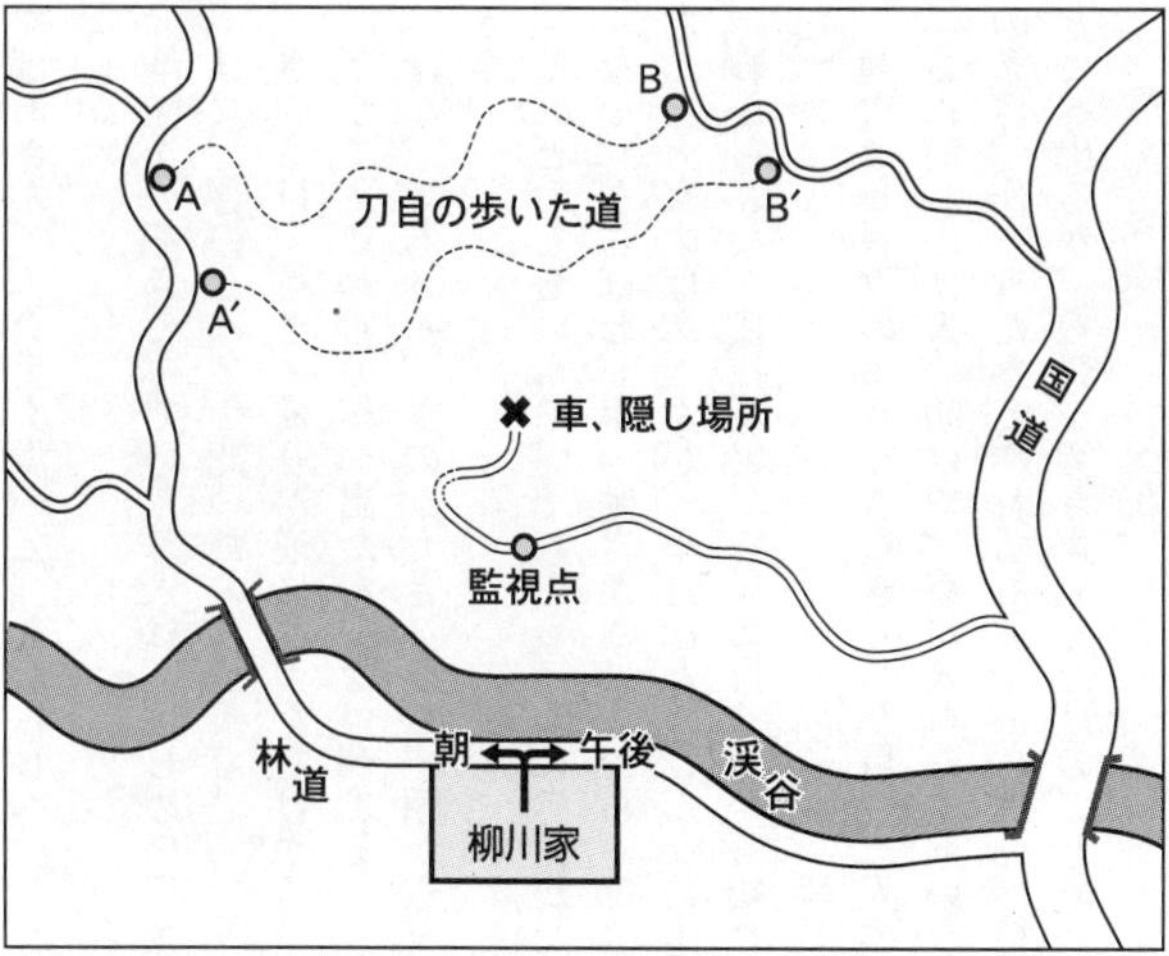

「兄さん、あんたときどき悪い癖出すの知ってまっか」と正義が抗議した。

「自分が頭がいいさかい、人までいい思うて、半分呑みこんで話するこっちゃ。こっちはいい迷惑やがな。もうちょい、わかるように話してんか」

「図にかいたら何でもないことや。ええか。距離、方向はええかげんな略図やで」

健次は車内灯の明かりで、あり合わせの紙に鉛筆で記しながら説明する。

「ばあさんは、朝はこっちから右手の山のほうへ向かったわけやな。車を下りたとこを、このへん、Aとマルをつけとこ。車は午後国道へ出たわけやな。どこでばあさん拾うたかわからんけど、国道じかではないやろ。国道から外れる支道のどれかやろ。そこをBとマルつけとこ。このAとBのあいだは、車が入る道がない山ん中や。そこをばあさん、テクテク歩いて、AからBへ出たわけや。どや、これで一切合財はっきりするやないか」

地図をのぞきこんでいた二人は、はじめに平太が、三十秒ほど遅れて正義が、頭をあげた。

「ほな、きのうは？」聞いたのは正義だ。

「きのうは、行きと帰りが逆になっただけやろ。この地図でいうたら、ばあさんB′のこのへんで下りて、こっちのA′へ出たんやないか。そうとしか思えんわ」

「ほな、ばあさん、きのうもきょうも、朝から夕方まで、そない山ん中ほっつき歩いとったんか？」

「それとおとといもや。それともほかに考えかたがあるか」

「ない。なるほど、車の動きからいうたら、どうしてもそういうことになるんやな。そやけど、あんな大家のばあさんが、またなんでこんなに山歩きするんやろ？」

「わからんな。伐採現場でも見に行くんかも知れんし、健康のためかも知れん。……ともかくな」

健次はヒョウのようなぎらぎらした目で二人の目を見入った。

「おれたちには天の助けや。車が入らん山道いうたら、人もろくすっぽおらんやろ。これ以上の条件、作ろうたって作れるもんやあらへん。待てば誘拐の日和や。あとはどこで下りるか、どこへ出るか、それを突き止めるだけのことや」

つづく三日間で、健次の判断が正しかったことがはっきりと証明された。

刀自は毎朝九時に邸を出て、夕方の四時半から五時ごろに帰ってくる。コースは日によってまちまちだが、行きと帰りとは必ず逆方向である。きのう、おとといは、行きが国道がわ、帰りが林道がわと同じコースがつづいている。

車を下りる地点、迎えの車を拾う地点も、およその見当がついて来た。几帳面な性格とみえて朝の出発は九時を一分と違ったことがなく、主人の性格は使用人にもうつるらしくて、迎えの車の出発も判で押したように三時半ときまっているので、尾行がうんと楽になったためである。

今までのように「スタート」の合図で慌てて飛び出すことはない。時間を見計って国道の近くまで出ていて、指令と同時に、ときによってはダットサンが走り過ぎるのを確認してから悠悠と追尾に移ることができる。時間の壁に絶望的になった昔がうそのようである。

それだけに、偵察行動のあいだは、これまでと逆に、あまり接近しないように、また見とがめられることがないように気を使った。決行のチャンスは一ぺんしかない。やり直しは許されない。相手にどんな小さな警戒の念も抱かせてはならなかった。そうした万全の注意を払っていても、五日めの夕方の追尾のとき、マークIIがエンストを起こして十分ほど立往生したため、帰ってくる刀自の車と狭い山道ですれ違って、冷汗をかいたことがあったぐらいである。

第六日。ついに確実な手がかりが得られた。

この日の追尾当番は健次と平太だった。いつものように迎えのダットサンを、三百メートルぐらいの距離を置いて尾けて行った。

「きょうはきのうより四、五キロ奥のほうでっしゃろ」

一日一日と刀自のコースは邸から遠のいて行っているが、日割にするとそのへんが平均だ。平太がすっかり慣れ切ったハンドルさばきで車を転がしながら、そう予告してから間もなく、ダットサンがふいに道から消えた。

「へんやな。見失うわけあらへんのやけど」

しばらく行ってから気がついて、逆行しながら調べると、ダットサンは一見道とは見えないような崖鼻《がけはな》をまわって、急な谷底へ下りて行っているのが輪痕でわかった。

「難儀やな。こないな道、地図にもあらへんがな」

ふつうのドライバーなら二の足を踏みそうな険路だが、口ではぼやきながら、平太はためらいもなく、マークIIを乗り入れた。

坂の中途まで下りると、右手の目の下に二軒ほどの家が見えた。すっぽり山懐に抱かれた谷あいで、青黒い渓流がしぶきをあげて手前を流れている。ダットサンはその家の中庭に止まっていた。坂を下り切ったところに木造の橋がかかっていて、道はまたそこから急な斜面を這い上がっている。

「鉢合わせはまずいでっしゃろ。とにかく前の坂、登ってみましょか」

「そやな。逆戻りしよういうても、この道では戻れんさかいな」

集落を横目に橋際を通りすぎて、坂を登り切ると、どうやら車を回せるぐらいの小さな平らみがあった。さきはくねくねとした細道がつづいている。

平らみへ車を止めて、下りて、坂の下り口へ戻った。叢にしゃがんで双眼鏡のピントを合わせる。運転手は家の主人らしい二人の男と立ち話をしている。

「どないなとこにも人は住んでるもんですな。これでも集落の名はあるんだっしゃろな」

「そら、人がいるんやからな。それより、ばあさん、どこから出てくるつもりなんやろ」

迎えの車が来ているのだから、ここがきょうの終点に違いないが、家のうしろも、まわりも、昼なお暗いという形容がぴったりな厚い森林に蔽われていて、人の歩ける山路があるとは見えないのである。

だが、やっぱり道はあるのだった。しばらくそうして待機しているうちに、樹木のあいだをちらっと明るいオレンジ色が動くのが見えた。

「あの女の子や。また、えらいところを下りてくるもんやな。ばあさんはどこやろ」

刀自の姿はこの位置からは見えなかった。背が小さいのと、地味なかすりが自然の保護色になっていたためらしかった。

姿が見えたのは、突然、まるで地面から湧いたように、森の中からひょっこり中庭へ現われてきたときだ。どこをどう歩いて来たのか、それまで全くわからなかった。

刀自が現われると同時に、中庭に大さわぎが起きた。二軒の家から大小十いくつもの頭数がとび出して来たのだ。

男もいる。女もいる。年寄もいる。子どももいる。みんなが刀自のまわりに集まった。深々と腰を折ってお辞儀するものがある。顔じゅう笑いにくずれて話しかけるものがある。涙をふいているものがある。子どもの一人が刀自にとびつくと、我も我もとあとはイナゴのようで、刀自の姿が一時見えなくなったほどだった。

「えらい人気だすな」と平太がささやいた。顔に畏怖に似た色が浮いていた。

「このへんでは生き神様やからな。だからこそおれたちには金の卵を生む鶏なんや」

健次は非情にうそぶいたが、胸の中を何がしかの感情が揺曳していなかったといったらうそになる。十数年の昔には、彼も刀自の手にぶらさがろうとしてひしめいた子どもの一人だったのだから。

このさわぎで一時忘れていたが、オレンジ色が森から出てきたのは刀自からすこしあとだった。つつましく中庭の隅に立って、交歓の様子を見守っている。

「問題はこの女の子やな」健次はつぶやく。

「一人が二人になったんでは手間も倍やし、こういつも腰巾着では一人だけいうわけにもいかんし……どうしたもんやろな」

そのうちにやっと出発になった。刀自は窓を開けて、車を囲んだ人々に一々丁寧に会釈を返している。

ダットサンはゆっくりと動き出して、橋を渡って、エンジンをふかして、帰りの坂を登って行く。

車が見えなくなっても中庭の人の輪はなかなか散らなかった。車の去ったほうを見上げて、興奮してしゃべり合っている。まだ涙をふいているものがある。

その様子を見ていて、健次の頭を一つの考えがかすめた。危険ではあった。しかし今をおいて、またのチャンスはありそうもなかった。

「スタートや」平太に命じた。「橋のとこで止めるんや。おれ、探りを入れてくる」

「へ？」

「ええから、スタートや」

マークIIを橋際に止めて、ひとりで橋を渡った。中庭にはまだ四、五人の男女が残っていた。一斉に健次に目を向ける。よそ者へ向ける山村特有の不審のまなざしである。

「道に迷っちまいましてね」

声をかけながら近付いた。

「ここは、なんちゅうとこですか」

里人たちは顔を見合わせて、中の年輩の男が代表格で言った。

「さっきの車やな。こないなとこへ何で入って来たか思うとったんや。どこへ行きなさる？」

「今日じゅうに津ノ谷温泉へ行くんで、とにかく国道へ出たいんですがね。何とかいう滝の名所があるって案内書にあったんで、ちょっとわき道へ入ったら、方角がわからなくなっちゃって。国道へはどう行ったらいいんですか」

里人たちは笑い声を立てた。

「そら迷うわ。土地のもんでもわかりにくいとこあるよってな。ほんなら、今の車のあとついてけばよかった。今からでも追っかけたら間に合うんやないか。一本道やからね」

「今の車って、あの白い小型の？　そうですか。じゃ、ついてってみます。どうもありがとう」

礼を言って、戻りかけて振り向いた。

「ちらと見ただけだけど、きれいなお嬢さんが乗ってたみたいですね。このへんの人ですか」

「若い人はすぐそれやな」と里人はまた笑った。

「お嬢さんもやけど、あれは柳川さまのお車でな。というてもよその人にはわからんやろけど、お年寄が一緒にいてはったやろ？」

「気が付きませんでしたなァ。おばあさん？」

「ああ。あの方は、日本で何番いうお金持なんやで。あんたらも若い子にばっかり気い取られんと、よう拝んどくんやったにな」

「へえ。ここへはちょいちょい見えるんですか」

「そんなお方やもん、めったにいらっしゃるわけがないやないか。あんたらも千載一遇のチャンスやったんや」里人は誇らしげに胸を張った。

「惜しいことしたな。どこかでお顔だけでも拝むわけにはいきませんかね」

「あしたはこの奥の瀬尾いうとこへ行かれるいうお話やけど、よそのもんには無理やろな。ここよりもう一つへんぴなとこやさかいな。また迷子になるぐらいが関の山や」

「はっはっ。そんなとこでしょうね。ぼくらお金持のおばあさんより、ほんまはあのきれいなお嬢さん、もう一目見たいけど。……これ冗談です。じゃ、どうも」

里人たちの笑い声を残して、車に戻った。

まだこっちを見ている人々に手を振ってみせて、車が走り出すとともに、ぞくぞくとこみあげる緊張感に目がすわった。

「あしたや」平太にささやいた。「あしたが千載一遇とかいう、そのチャンスなんや」


その日、邸へ戻った安西運転手は、車庫に車をしまうと、庭さきにいた串田執事に浮かない顔で話しかけていた。

「ちょっと気になることがあるんやけどね」

「何やね」

「きのう帰りに、エンコしとる車があったんや。大奥さまは人の困っとるの見過しにできん方やし、こっちも車同士のことやし、手助けしてやろか思うてスピード落したら、向うの男、要らん、要らん、いう風に手をふり回すんや。そいつが白いマスクかけとってな」

「ふン？　そのマスクがどないしたんや？」

「マスクのことやないわ。車や。きょうも大奥さまを西谷でお待ちしとるとな、その車があとから集落のまえ通って行きよったんや。どうや？　二日つづけて同じ車に行き会ういうの、おかしいと思わへんか」

「それにもマスクの男、乗っとったんか」

「そこまでは見えなんだ。そやけど、車はたしかに同じ車や。おんぼろのマークIIでな。番号まで覚えとらんけど、このへんでは見たことない車や」

「ふーン」と老執事は考えて、結論を下した。

「一度、二度やったら、偶然ということもあるさかい、どうということもないけど、三度となると要注意やな。あした気をつけて見とって、またどこかで行き会うようやったら報告してえな。若主人さまにもお話しして、何か手打たないかんいうことになるかも知れんよってな」

……こうして、決行の日が来たのだった。

第二章　童子戦端を開く

1

その日も刀自のペースはいつもと変わらなかった。

中野集落で車を帰すと、すぐ山に入って、昼食は源兵衛《げんべえ》という農家で摂った。山の中にぽつんとある一軒家で、住んでいるのもその名の主人ひとりだけである。

この山歩きで紀美が感心しているのは、刀自が地理や樹相だけでなく、一人一人の住民についての知識が実に詳しいことだが、ここでも話が弾んで、家を出たのは一時すぎだった。

「年寄の思い出話で退屈やったでしょうね」と山みちをそぞろ歩きしながら、刀自が弁解するように言った。

「でもああいう人もだんだん少のうなるし、後学のためというたら何やら押しつけがましいけど、会うておいて損はないと思いますよ」

そう前おきして話してくれたところでは、この源兵衛はもと貧しい小作百姓の出だが、地形・風土がシイタケ栽培に向いているのを見越して大規模経営に踏み切り、今は村の主要産業の一つとなるまでに育て上げた先覚者の一人だそうだ。

「連れ合いを早うに亡くして、男手ひとつで三人の子を立派に育てあげましてな。みな街に出てよう暮してはります。お父さんの独り暮しを見かねて、来い、来いいわはるんやけど、村で生まれたんやから村で死ぬ、あの人そう言いましてな、ああしてがんばってはる。日本人の一つの典型を見るような気がしますな。今どきはやらんかも知れませんけどな」実感のこもった話しぶりだった。

「大奥さまとはどういうお知り合い？　昔の小作の一人なんですの？」

紀美が聞いたとき、刀自の和やかな面を、ちらりと淡い雲のようなかげりが過ぎた。

「それもありますけどな。あの人、私の長男の戦友だったんですわ」

「ご長男の？」紀美はびっくりした。つるつるに禿げたしわだらけの老人で、髪がつやつや黒い刀自と並べると、どっちが年上かわからない。小学校時代の同窓ででもあるかと想像していたのである。

「長男は愛一郎《あいいちろう》いいましてな。北支で戦死しました。いま新宮で製材の社長しとるのは二番めですわ」刀自は淡々と説明する。

「あの人、愛一郎と同じ部隊でな。戦死したときもそばに居って、詳しい手紙くれました。今も大事にとってありますけど、敵陣へ飛びこもうとして胸板を射ち抜かれた、当時のことばでいかにも壮烈な最期やったそうですわ。新兵仲間をようかばって、みなに大事にされておった。できれば自分が身代わりになりたかった、とも書いてありますけど、親ばかやのうて、ほんまにそうやったろう思います。いい子でしたわ、あの子は」

「……まァ」

「もう一人、三男の貞好《さだよし》いうの、これは海軍航空部隊で、あの特攻隊いうのに組み入れられて南方で死にました。私、特攻隊いうのは、志願してなるもんやと思うてましたけど、命令なんやそうでして。はじめて知ってびっくりしたもんですわ。これもばか正直言いたいぐらい、気性のまっすぐないい子でしたわ」

「………」

「まだおりますんよ」刀自のほおに苦い笑いが浮かんだ。

「これは女やけど、長女の静枝《しずえ》いうのん、学徒動員でかり出されましてな。兵器工場へつとめていて爆撃で殺されました。女子《おなご》いうても、戦死と変わりはあらへんでっしゃろ。ひとさまの目から見ると、私そっくりの子やったと、みな言います」

「………」

「こうして死ぬたびに、人は慰めてくれはったもんです。あなたはまだ他にお子がいるから幸せなほうや。一人っ子を死なせた親もおるんやさかい、言いましてな。そらそうやろう思います。でもな、どの子もかけがえのない子ですわ。国二郎は愛一郎の代わりにならん。大作は貞好の代わりにならん。可奈子も英子も静枝の代わりにはならん。子を死なせた親の悲しみいうもんは、いのちのかぎり、忘れられるもんやありまへん」

初めて聞く事実であり、述懐であった。

「本間さまには及びもないが、せめてなりたや殿様に」と酒田《さかた》の長者、本間家を賛えた有名な民謡は、実はこちらが元祖で、原歌は「柳川さまには……」だった、といつか串田老から自慢話で聞いたことがあるが、はた目にはそれほど何不足のない身分に見えても、胸の奥底にはやはりこうした深い悲しみが秘められていたのだろうか。

紀美がことばに詰って、黙々と歩いていると、刀自は湿っぽくなりかけた空気を払いのけるように快活に言った。

「子どものこと言うて、連れ合いのことを言わんでは、冥途から、これ、わしらのことは忘れたんか、とお叱言食うかも知れませんわな。紀美はん、うちの連れ合いの話、串田はんあたりから聞かはりましたか」

「いいえ」

「わたし、二人の夫を持ちましてな。はじめは十七のとき、もとの名を正助いうて、うちへ来て太右衛門の名を継ぎはったお人やけど、これが水も滴るような美男子でしてな。そのころは恋愛結婚いうハイカラなことばおまへんでしたけど、いうてみれば三国一の恋婿でしてな」

「あーら」

「その代わりには根性なしの弱虫でしたなあ。当時小作騒動が盛んで、うちへも大勢で押しかけて来たことがありましたんやけど、うちの人いうたら、奥へ逃げこんでぶるぶる震えてる始末でしたわ。……もう死んで五十二年にもなるよって、すこしぐらい悪口いうても、お墓の下へは届かん思いますけどな」

「これで懲りたいうわけやあらへんけど、二度目のは、見てくれは悪うても根性のしっかりした人を、いうことで作次郎さんいう人を迎えましたんや。この人は名は継がんと生涯もとの名で通しはったお人で、武骨な働きもんで、性根はたしかにしっかりしてはったけど、二ついいことはないもんで、見てくれがいかにも悪うてなあ。首だけ前のとすげかえたら、なんぼいいか、と何べん思うたか知れまへん。三人も子を生《な》してそないな事考えるんやから、女子とは罪深いもんですわなあ」

「まあ、ぷっぷっ」

「あーら、いやだ」

山道をたどる合間合間に、そんな話を交しながら、二人は午後三時ごろ、その日の行程の終わりに近い瀬尾地先へさしかかった。三人組が待ち伏せを予定していた場所であった。

健次たちには目のまわる一日だった。朝、刀自の出発を確認すると、まず監視点、車置場の両地点のトイレの穴をふさいで踏み固めて、それぞれの場所を入念に清掃した。ガムの紙片一枚落ちていないのをたしかめて、靴あとや輪痕を小さな竹箒で一々かき消しながら、徐々に退去作業に移った。

こういう間際になると、ふしぎに邪魔が入るもので、この作業の途中で、正義たちのマークIIは自転車に乗った村人一人に行き会ったし、健次は二、三人の村の子どもたちとぶつかった。いきなり森の中からとび出して来たので身を隠すひまがなかったのである。どちらもそれほど怪しむ様子もなくて立ち去ったのが不幸中の幸いだった。

二台のメカが前夜打ち合わせておいた瀬尾集落の北二キロほどのところにある山道の入口付近で合流したのは、刀自の出発から約一時間後のことだ。

こんどの作戦で、今まではほとんど使うことがなかったが、最後にものをいったのは、日本都市協会で発行している「津ノ谷村動態図鑑」だった。正確な縮小図ではないので、切り取ってつづけてみると合わないところも出てくるが、ほぼ三千分の一の細密さで、住民の一軒一軒の名が入っていて、国土地理院の二万五千分の一の地図と照らし合わせると、周囲の状況が手にとるようにわかる。

この図上研究で健次たちが決めたのが、あとで「虹の片足」の名で有名になった地点だ。

柳川家からほぼ二十キロの北手にこの瀬尾集落がある。家数は六軒。マークIIと健次のバイクは、五分ほどの間隔をおいて、集落を通りすぎた。

この作戦で一番危険なのは、迎えのダットサンと遭遇することだが、地図を見ると、右がわの山林地帯から、じかに集落へ出るみちが一本ある。きのうの様子からみて、刀自がこのコースをとることはまず間違いない。迎えのダットサンが刀自たちを待つのも、従ってそのみちの出口の付近である。そこから北へ登ってくることは絶対ない。

健次たちがえらんだのは、この安全地帯にある山道だった。地図で見ると、もと伐採した材木の搬出に使ったらしくて、車が入る幅はたっぷりある。この道を山林の中へ二キロほど入ると、刀自の予想コースへ下りてゆく道がある。その合流点が「虹の片足」である。ここで刀自をつかまえて、車に収容して、往還へ出たら集落のほうへは戻らずにそのまま北へ突走ってしまえば、時間はいくらか交錯しても、集落に待っているダットサンと顔を合わせる心配はないはずである。しかもこの往還は、途中悪路、険路だらけには違いないが、だいたい国道と並行して走って、百キロあまり先で五條―和歌山街道の国道二四号線へ突き抜けている。一目散にトンズラを決めこむには絶好のコースだった。

「天は道路までおれたちに恵んでるんや」

この手筈を決めたとき、健次は軒昂と胸を張ったものである。

実際はそう簡単でなかった。第一、山道の口がわからなかった。健次も気がつかないで通りすぎて、しばらく先まで走って、向うから戻ってくるマークIIに出会った。

「へんやで、兄さん」正義が言った。「念のため五、六キロ先まで行ってみたんやけど、それらしい道どこにもないわ」

「そうか。そういえば、集落から二キロはとうに来とるわな」

引き返して探すと、わからないわけだった。両側の樹の枝が交叉するほど伸びていた上に、倒木を十数本も積み重ねて入口が塞いであったのだ。樹皮が腐ってボロボロになっている。

「廃道になっとったんやな。この分では奥もどないなっとるか、わからへんで」

「わかってもわからへんでも入るほかないな。今から新道作ってる暇ないで。第一、二台のメカ、あほみたいに道路においとけんわ」

正義を仲間にしておいてよかった、とほんとうに思ったのはこのときだ。健次と平太では一

日がかりでも処理できそうもなかった倒木を見る見る内に林の中へ引き込んで、そのうえ、メカを中へ入れると、

「あとふさいどかんと、だれか通ったときに怪しまれるがな」

わかってはいても、処理だけでヘトヘトで手を出す勇気がない二人を尻目に、ほとんど一人でもとのように積み直したのも、ムショでは「ウド」と呼ばれてみんなのおもちゃにされていたこの巨漢の働きである。

廃道の奥は、果たして熊笹が身の丈ほども生え茂って、その中の至るところに倒木や、落した枝やの障害物が転がっていた。健次たちは必死になって働いたが、午前中はほとんど一キロも進むことができなかった。

「ばあさんが下のみちへ出てくるの、遅くても三時。早ければ二時半や。ここで取り逃がしたら、もう百年はつかまらんで」

奥へ入るほどまわりは密林の暗さだった。

「三匹の子羊になるまえに、もぐらもちに化けるとは思わなんだな」と平太がぼやいたとおり、バイクの明かりで道を照らしながら、汗みずくになって熊笹をかき分け、かき分け、妨害物を除去しながら、暗い山道を進むかれらは、さながらに三匹のもぐらだった。

しかもこれは作業の前段にすぎないのである。この密林の中で、刀自のコースへ降りる地図の上でもあるかないかの細い木の間のみちを発見しなくてはならないのである。

健次は作業の合い間に、はじめは百メートル毎に、終りはほとんど十メートル毎に、押して

歩いているバイクのメーターを数えていた。地図が正しければ、約二キロでそのみちが右へ下りているはずだ。……しかし、地図が正しかったらだ。それも、もう廃道になっている林道を堂々と道路として記載している古い地図が今も現状を示している、としてだ。

昼めし抜きで頑張ったかいがあって、午後二時、バイクのメーターは入口から二キロの数字をマークした。

「そろそろこのへんや。どうせ草が茂っとるやろし、人ひとりが歩けるぐらいの細い道や。容易やないけど、目を皿にして、いいや、体じゅうを目にしても見つけるんや」

それから二キロ地点の前後を、三人でどれぐらい行き来したろうか。木と木の間という間へ、一度はだれかが足をふみ入れてみた。

しかし、どこにも道はなかった。そのあいだも時計は容赦なく時を刻んでゆく。十五分……二十分……二時半。もう刀自は間近に来ているころだ。

みんなが焦った。目が血走っていた。だれの胸にも絶望感と闘志とが、これぐらい目まぐるしく入れ代わったときはなかったろう。たった一本のみちが見つからないために、これまでの苦労が一切オシャカとは泣いても泣き切れない。しかし、到底見つかりそうもない。

四十分……四十五分。

そして、こんどの殊勲者は平太だった。

「おまえ、ちっこいさかい、それだけ目が地面に近いわけや。這いずり回ってでも見つけんかいな」

兄貴分の正義にどやされながら、コマネズミのように飛び回っていた平太の姿が、不意に叢の中に消えてなくなった。

二メートルと離れないところにいたのが健次だった。

「どないした、雨。穴でもあったんか」

気遣って声をかけると、下のほうから平太の嬉しげな声がした。

「穴やないわ。兄さん……やない、雷。道や。ここが道や。つるっと滑った思うたら、ここまでころころッと転げ落ちたんや。転げる幅があるんやから、りっぱな道やないか。まだ転がれるで。……ほら、どこまでも転がれるわ。……あいた！　雷、風。石が出とるで、気い付けて、下りて来てや」

涙がまなじりを走った。健次はコブシで涙を拭って、正義を呼んだ。

三人は先を争うように、岩だらけのゴツゴツしたみちを、草を払いのけながらかけ下りた。

間一髪――だった。

2

三人が下の山道との交差点にかけつくか、つかないかに、左手の森のほうから、刀自の柔らかい声と、若い娘のコロコロいう笑い声がきこえてきたのである。

それからの成行きは、吉村紀美の当局に対する宣誓供述書に、精細に描かれている。当局の捜査方針の根本ともなったものだから、全文を次に掲げることにする。（もちろん彼女はショックで動転していたから、最初のうちは順序が逆になっていたり、抜けているところがあったりで、要領を得ない点も少なくなかった。これは度重なる事情聴取のあいだにそれらの点を整理してまとめた最終供述書である。）

吉村紀美の供述

（前略。この部分は、当日出発以来、現地に至るまでの行程を述べている。）……それから私たちは、ここからが瀬尾地先だという登り坂にかかりました。すごく急で、樹の根や岩が突き出ていて足場も悪い、険しい坂でした。

大奥さまがお元気なことは、何べんもお話ししたとおりですが、この坂は、さすががお応えになったようで、私の先に立ってお登りになったのですが、私がおあとから坂を登り切ったときは、ふうふういいながら、樹の根に腰を下ろして休んでいらっしゃいました。無理もありません。若い私でさえ、やっとおそばに着いたときは、クタクタになって、道へ座りこんでしまったぐらいですから。

そこで二人でしばらく休んでいたのですが、そのときこんなことをおっしゃいました。

「驚きましたなァ。こんな足腰が弱ってましたとはなァ。昔はこれぐらいの坂、走って登ったもんやのに、こう息が切れますとはなァ。……でも、こうして聴いてますと、同じ息が切れるにも、紀美はんと私では勢いが違いますなァ。紀美はんのはおなかから飛んで出るような息やし、私のはほんま絶え入るような息ですわ。風速にしたら、紀美はんは二十メートル。私は五メートルあるかなしと違いますやろか」

私は思わず笑ってしまいました。

「いややわ。こんなふうふうしながら、息を聞き比べてらしたんですか。でも仕方ありませんわ。わたし、まだ若いんですもの」

大奥さまはうなずかれました。

「ほんま、若いいうことはええもんですな。でも、体は年を取っても、心はいつも若うていたいもんですわなァ。外国のえらい人が、若さとは将来を夢みる年代であり、老いとは過去を夢みる年代である、いうてはりますけど、ほんまやな。私みたいに老年の入口にかかりますと、とかく過去の影ばかりが見えて来よりましてなァ。こういうことではあかん。いくつになっても、心の中に虹のようなもの、きらめくものを持たなあかん。そう思い思いしよっても、もうなかなかそういうもんは見えて来ませんでなァ。体が年とるのはしょうないけど、心まで年とるいうのは、わびしいもんですわなァ」

さきほどのお子さまのお話といい、こういうことはめったにおっしゃる方ではないのですから、私ももっと真剣に伺わなくてはいけなかったのでしょうが、しんみりしたお話しぶりならともかく、汗をふきながらニコニコしておっしゃるものですから、私またクスクス笑ってしまいました。だってねえ、八十二にもおなりになって、「老年の入口」だとか、「虹のようにきらめくもの」なんて、あまり釣合いがとれませんものねえ。

大奥さまは、そうした私を楽しそうに見ていらっしゃって、

「さて、もう一ふんばりしまひょか。ここからはあと二キロもないぐらいやし、安西はんをあまり待たせても悪いよって。ほれ、どっこいしょ」と気合をかけてお立ちになりました。

そうして歩き出して、間もなくのことでした。叢がガサガサッと鳴って、あれが道へ飛び下りて来たのは。

はじめは何だかわかりませんでした。まるでお化けが二匹、飛び出して来たような気がしました。一つは肉色の、一つは白の、のっぺらぼうの顔の中に、大きな黒い目が光っているお化けです。

私、「キャッ」といって、うしろへ逃げようとしたら、こんどはそっちへ、ずしんと音を立てて、もう一匹のお化けが飛び下りました。顔も黒、目も黒で、一番大きいお化けでした。私たち、前を二匹、うしろを一匹のお化けに挟まれてしまったのです。

私、青くなって、大奥さまの背中にしがみつきました。

大奥さまは、さすがに落着いていらっしゃいました。あの小さなお体で、私をうしろにおかばいになって、前の二匹に、

「あんたたち、何しに来やはった」と誰何《すいか》なさいました。緊張なさってはいましたが、お声はしっかりしていて、すこしの震えもありませんでした。

肉色が、やはり緊張していたのだ、と思います、乾いた声で、

「あんた、柳川家の大奥さんだな」と言いました。

「さいだす。いかにも柳川の主人だす」と大奥さまは、はっきりお答えになりました。

肉色は……どうやらこれがリーダーらしいのです。私もだんだんお化けの正体がわかってきました。かれらはストッキングで覆面して、サングラスをかけていたのです。覆面のしかたはちょっと変わっていました。アメリカ映画のギャングなどは頭からすっぽり冠るのですが、そうではなくて、一本を鉢巻のようにひたいに巻いて、もう一本で目から下を蔽っているのです。あとで見たのですが、二本とも頭のうしろで結んでありました……「そうか」という風にうなずいて、

「実はな、おばあちゃん、おれたちはあんたをさらいに来たんだ。むろん目当ては身代金さ」と言いました。

「私を？　さらいに？　身代金を目当てに？」

大奥さまは、おうむ返しにおっしゃって、私はハッとして、お顔をのぞきこみました。

そのとき、大奥さまは、一瞬ほっとしたような表情をされたように思います。さらいに来た、と言われて、ほっとするものはありませんし、一瞬のことですから見違いかも知れません。でも、私は錯覚とは思わないのです。大奥さまは、このときご自分のことよりも私のことを心配して下さっていたのです。だから、ねらいがご自分で、私ではない、とおわかりになって、ご安心なさったのです。それはその次の問答でよくわかります。

「ほな」と大奥さまは言われました。「私をさらえばいいんだすな？　この子は関係はないん

だすな?」

肉色はちょっと困ったように言いました。

「そやけどな。二人いるものを、一人だけさらういうわけにいかんじゃないか。気の毒だが、その子にも一緒に来てもらう」

このときの大奥さまのお声は……何といったらいいのでしょう。私まですくみあがるような、あのような凛とした強いお声は一ぺんも聞いたことがありません。

「なりまへん」と大奥さまは言われたのです。「この子には指一本触れてはなりまへん。そないなことは、私が許しまへん!」

ぴりぴりっとまわりの空気が震えるような感じでした。

かれらはぐっと気圧されたように見えました。でも、そう簡単には引込めなかったのでしょう。肉色が皮肉な笑い声をして言いました。

「許しまへん言うて、な、おばあちゃんや。こっちは男三人、あんたらは二人だけや。力ずくでさらう、と言ったら、どうする」

大奥さまは即座に切り返されました。

「あんたら、私をさろうて、金にしたいんやないですか。まさか、人殺しになりたいわけやないでしょう」

「何やて?」かれらはぴくっとたじろいだようでした。それに追いかぶせるように、

「私はもう八十二歳だす。人間八十すぎたら命は惜しゅうないもんや」と大奥さまは言われる

のです。「あんたら、力ずくでも、言わはるんなら、私この場で舌をかみ切って、死んでしまいます。あんたら、自分が殺したんやない言うても、あんたらに襲われたから死んだんやさかい、りっぱな殺人犯や。言いのがれるみちはあらしまへんで。うそやない証拠に、このとおりや」

そうおっしゃって、大奥さまは舌をべろりと出して歯でおくわえになりました。

男たちは、これにはほんとうにぎょっとしたようです。

肉色と白が顔を見合わせて、肉色があわてたように言いました。

「おばあちゃん。短気起こさんと、聞いてくれ。さらう言うてもな、さらって悪さしよう言うわけやないんや。ま、せいぜいが、男では目が届かんこともあるよって、おばあちゃんの世話でもさせようかと……」

「いけまへん」大奥さまはぴしっと言われました。

「あんたらが何もせんでも、世間はそうは見いしまへん。さらわれたいうだけで、この子は一生傷ものになってしまいますんや。ええな、紀美はん」

ぎゅっと私の手を握られました。

「あなた、そないな肩身狭い思いして暮さんならんぐらいやったら、私と一緒にここで死んでしまいなはれ。若うて可哀そうやけど、八十二歳も一生、十八歳も一生や。最期を清うしなはれ。私が模範示してあげるよってな」

そう言ってまた舌をおくわえになったので、私もほんとうにそのとおりだと思いました。涙

を流しながら、おことばに従って舌をくわえますと、

「ま、待っとくれや、お二人とも」と肉色が急いで手を突出して、そして怒ったように言いました。

「おばあちゃんも無理いわはるわ。ここでこの子逃がしたら、どないなるねん。すぐサツへ訴えられて、たちまち御用やないか。そんな自分の首しめるようなこと、でけるもんやあらへんがな」

「いえ、いえ」と大奥さまは首を振られました。

「あんたらも、私に狙いをつけるほどのお人やないの。そやったら調べもついてるはずやけど、この子を逃がさんでも、あと一時間もすれば、このさきの集落へ迎えの車が来よるんですよ。運転手はまじめな、責任感の強い人やさかい、十分、二十分は待っとるやろうけど、三十分もして私らが現われなんだら、集落の衆を動員して探しに来よるに決ってます。私が道に迷うわけがないんやから、途中で居なくなったことは、すぐわかってしまう。まず遅くても三時間のうちや思います。この子を逃がしたとして、この子にできることは、きょうお昼を食べた源兵衛さんいう人のうちへ逃げ帰るぐらいが関の山ですわ。それも運が好かったらや。私がついていなんだら、西も東もわからんのやさかい、そのうちだんだん暗くもなってくるし、十中八九は途中で迷子になってしまいます。たどりつけたとしてもたっぷり三時間はかかるやろ。それにその源兵衛さんのうちには、電話いうもんがない。それからバイクで集落へ飛ばして、集落から私のうちへ連絡が届くまでに、どうしてもまた一時間はかかります。あわせて四時間や。

そのころはとうに運転手から報告が行っとるはずですがな。ウソやありませんよ。こないなことで駆引きするケチな根性は私にはあらしまへん。これでおわかりやろ。この子を逃がしたかて、あんたらは一分だって時間を損するわけやありまへんのや」

肉色は、しばらく沈黙しました。それから言いました。

「なるほど時間の点ではそうかも知れん。そやけど、この子には第一、現場を見られとる。おれたちが三人いうことも、どんな背かっこうかいうことも見られとる。この子をさらえば、そないな情報は、サツに知られんですむやないか」

「たしかそういうデメリットはありますわな」大奥さまは認められました。

「あんたが今言わはったこと、当局がつかむのは時間の問題や思いますけど、それにしても生き証人を残す、残さんはかなりの違いや。その代わりにはな、肉色仮面はん、大きなメリットもあるはずやおまへんか。早い話、一人さらうと二人さらうとでは、見張りの手間ひとつでも倍や利きまへんで。私ひとりではでけんことも、この子と二人ならでける……そういうことが、いつ、どこで出てくるか知れたもんでもない。余計なものを抱えこむいうこと自体がデメリットなんやから、そないな面倒がなくて済むなら、あんたらにも望むところやおまへんのか」

肉色は、じっと大奥さまを見つめていましたが、やがて、「よっしゃ」と大きくうなずいたのです。

「おばあちゃんのいうことも一理ある。おれたちも好んでさらいたくはないんやから、この子は逃がしてやってもええ。ただし、条件があるで」

「はい？」

「おばあちゃんが、これからおれたちの言うこと素直にきく、いう条件や。あばれもせん、手向かいもせん。来い言うとこへおとなしくついて来て、じっとしとれ言うたら静かにじっとしとる……一言でいうたら、人質としておれたちに全面服従するいう条件や。どやね、柳川家の大奥さま」

今まで大奥さまに、こんな無礼な口を利いたものは一人として居なかったでしょう。わたしでさえ、そんな際でもカッと頭が熱くなったのに、大奥さまはしわ一本お動かしになりません。

「そしたら、この子には指一本触れんと逃がしたる、そういわはるんだすな」

静かに念を押されました。

「そうや」

「まちがいあらしまへんな」

「男子の一言や」

「よっしゃ。手を打ちましょう」

大奥さまは小さなお手をおひろげになり、男たちも釣られたように手に持っていたもの（手錠のようにみえましたが、よくわかりません）を小脇にはさんで両手をひろげました。

「はいッ、それ」

大奥さまのお声と同時に、森の中にパンパンパン、パパパ、パンと両方の三拍子の拍手の音がひびきわたったのです。

「大奥さま……」

自分は助かる――そう思った瞬間に、私の胸は申しわけなさで一杯になりました。わっと泣き出しながら、大奥さまにしがみつきますと、

「これでええんだす」と大奥さまは言われました。

「紀美はんのためばかりやない、私のためにもな。これでどうやらお預かりした方々にも面目が立つ言うもんですわ」

「でも、大奥さまは……」

「私のことは心配いりまへん」はっきりと言われました。

「今の様子でわかりますやろ。この人たちが一番こわいのは、私が死ぬいうことですわ。元も子ものうなった上に、殺人犯としてみじめな最期遂げなならんのですものな。そないなばかな人やったら、こんな山ん中で大手間かけんと初めからもっと楽な相手えらぶはずや。何も心配いりまへん。それより早う……」

私の手を握り握りおっしゃいました。

「源兵衛はんのうちへ戻んなはれ。一ぺん通っただけの道やから、なかなかにわからん思います。そこを何とか……ええですな、そこを何とか、がんばって、道を見つけて、戻んなはれ。さ、早う」

私の手を振り払って、ぽんと肩口をお突きになりました。

私は迷いました。ためらいました。でもこうなっては、この場の様子を、当局はじめ皆さま

にお伝えするのが私の使命だと信じました。お口には出されませんでしたが、大奥さまもきっとそうお考えになっていたことと思います。

私は涙をふきふき、夢中で走り出しました。後ろをふさいでいた黒色が、大きな体を斜にして、私を通してくれました。そばをすり抜けるとき、「すんませんな、お嬢さん」と言ったように思います。……もしかしたら空耳だったかもしれません。こんなとき、誘拐犯の仲間がそんなこと言うはずがありませんものね。

私は見向きもしないで、けんめいに走って、さっきの坂をかけ降りました。降りたところで振り返りましたが、だれも追ってくる様子はありません。

私の耳には、大奥さまのおことばが残っています。

「早う源兵衛はんのうちへ戻んなはれ。何とかがんばって、道を見つけて」……私ひとりで戻れるわけがないのを、百もご承知でそうおっしゃったのですから、あのおことばは、「ここで安西はんらが探しにくるのを待て。それが最善の方法だ」という意味だったに違いありません。だからああして、ぐっぐっと手をお握りになったのです。

しばらく木陰に隠れていてから、私はそろそろとさっきのところまで引返しました。山道にはもうだれの姿もありませんでした。三匹のお化けのような男たちも……そして大奥さまのお姿も。

「大奥さま……大奥さま……」

私はとめどもなく涙を流しながら、何べんも何べんも、口の中で呼びつづけるばかりでした。

弱い女の身が、そのときほど情けなかったことはありません……。

刀自の言ったとおり、安否を気遣った安西運転手が数人の村人の案内で現地へ到着したのは、ほぼ二時間後の五時半ごろだった。

呼声をきいて、吉村紀美は木陰から飛び出して、

「安西はん。大奥さまが……」

泣声をあげて、安西にしがみついた。

「大奥さまが……どないしたんや。これ、しっかりせんかい」

驚いた安西に励まされて、やっと声を絞った。

「大奥さまが……さらわれなはった。三人組の、覆面の男に、さらわれなはった」

言い終わったとたんに、ぐったりとなって、安西の腕の中で失神した。

3

午後七時、津ノ谷村駐在警官から、事件の第一報が所轄の新宮警察署へ入った。

刀自の存在はこの新宮市でも偉大だし、子の国二郎は市内で製材・木工の会社を経営していて、市会議員も兼ねているトップクラスの名士である。

新宮署では、直ちに署長自ら現地へ飛ぶと同時に、県警本部へ急報した。

あいにくその夜の本部の当直は、東京出身で、県警には最近新採用になったばかりの若い警部補で、柳川家のヤの字も知らなかった。

「八十すぎの老婆の誘拐か。まさか色恋沙汰じゃあるまいし、変わったことするやつもあるもんだな」

気にも留めないで当直簿へ綴り込んでおいたのを、十時すぎに報告に戻ってきた外勤の古参刑事が見つけて仰天した。

「柳川家のおばあさんやと？　こら一大事や。警部補殿、本部長閣下へ報告されましたですか？」

「本部長へ？　いや。どうして？」

「どうして言うて……一口には説明できまへん。そや、スクラップがあったわ」

書棚へ飛んで行って、スクラップ・ブックを引っ張り出して、新聞の切り抜きをひろげて見せた。

警部補は、読んでいて青くなった。

「恩人を語る」という地元和歌山新聞の連載記事で、語り手は井狩大五郎。すなわち彼らには鬼より怖い親玉の本部長である。

本部長は語っている。

「私はこのとおりの度外れ者ですから、若いころから周囲に厄介になりっ放しで、その意味であらゆる上司、先輩、みなこれ恩人ならざるはないのですが、中でも、この方がおられなかったら今日の私はない、と断言できる生涯最大の恩人は、柳川家の大奥さまです」

次いで詳しくそのゆえんを述べている。

本部長は津ノ谷村の隣町、本宮の在の生まれで、家庭に恵まれず、進学の望みがなかったのを、口を利く人があって、柳川家の篤志育英資金を受けることができ、おかげで大学まで出してもらったという。

それだけなら他にも同じ恩沢に浴したものは大勢いるが、本部長は中でも外れ者中の外れ者だった。まず、せっかく学資をもらっていながら、肝心の大学入試を三べんも滑った。

もうだめだろうと思っていると、四年めもちゃんと学資が届いた。さすがに恥じ入って、坊主頭になって本邸へわびに行くと、「大奥さま」から、昔から坊さんいうのは世を捨てる印やが、あんた、たった三回の失敗で世に望みを失うような甲斐性なしか、と叱られた。

そこで一念発起して、翌年首尾よく合格したまではよかったが、外れ者はどこまでも外れ者で、当時ふつう三年で出るところを倍の六年かかった。学生語でいう裏表をご丁寧につとめたわけである。

「大奥さま」はそれでもいやな顔ひとつしなかった。卒業のあいさつに行くと、快く祝ってくれて、私に面倒かけた分、他の人の面倒みておあげや、と一言いっただけだった。

「全く、面倒をかけた方もかけた方だが、みた方も根気づよくみたものです」と本部長は述懐して次のように結んでいる。

「あのときの一言は、思い出すたびにピリッと肺腑に響きます。今の私は、もっと出世しようとか金を儲けようとかいう欲がないから、知事も大臣もこわくない。何にもこわいものはないけれど、この方にだけは頭があがりません」

「…………！」若い警部補は電話にとびついた。

県警本部長、井狩大五郎は、入浴をすませて寝に就いたところだったが、「柳川家……」と聞くと同時に、布団をはねのけて飛び起きた。

「何だと？　柳川家の刀自が誘拐？　ばかな。そんなことがあってたまるか。聞き違いにしても許されんぞ。新宮署で、たしかに柳川家の刀自と言ったのか」

地声でさえ本部では「破れ太鼓」と陰口を言っている。それがカッと頭に来たのだから、雷《らい》霆《てい》のような大音声《だいおんじょう》だった。

「は……いえ……その」警部補はすっかり動転している。

「トジではありませんで、トシ子という名の……その」

「この大ばかもん」また雷が炸裂した。「刀自といったらお年寄りのご婦人の敬称だ。そんなことも知らんと、きさまいったいどこの大学を出た。では新宮で言ったんだな。柳川トシ子刀自と。たしかに言ったんだな」

「はっ……トジ子トシ……いいえ、その、ただのトシ子……」

「このどあほう。トシ子といわれるのは刀自のご本名だ。……うーン、ではまちがいないか。

いったい、どこのどいつが、そんな大それた……おい、事件が起きたのはいつだ」

「はっ。連絡によりますと、およそきょうの午後三時半ごろ……」

「何？　三時半？　それでいつ連絡が入った？」

「は……」警部補の声は消え入るようだ。「実はその……ひち時十五分ごろ……」

「何？　よくきこえん。はっきり言え」

「は、でありますから、ひち時十五分ごろ……」

「ちっともわからん。きさま、まともに日本語しゃべれんのか。英語でいえ。ファイヴ・シックス・セヴンのセヴンか」

「は。そのセブン時十五……」

「もう十時二十分だ。では、三時間も寝かせておいたのか。そんな重大事件を……うーン」

けもののようにうなって、

「この大間抜けの、おたんちんの兵六玉、きさまなんか首でもくくって死んじまえ！」

「……はッ」

「ちょっと待て。そのまえにおれの所へ車を回せ。即刻現地へ向かう。刑事部長以下の捜査の責任者は全員、可及的速かに現地へ集合させろ。五分以内に車が来なかったら、おれのほうからきさまの足を引っぱりに行くぞ！」

「はッ。わ……わかりました」

「畜生！　男は三人といったな。人もあろうにあのお方に手をかけるとは、何たるうじ虫どもだ。こらッ、何をボヤボヤしとる。早く車の手配をせんかッ」

健次が、刀自と本部長の間柄を知っていたのは、むろんさっきの新聞記事を読んでいたからだ。

想像どおり、井狩本部長は火の玉になった。それも周囲の全員を引きずり込み、焼き尽さずにはおかない、でっかい、すさまじい火の玉だった。

4

深夜零時。津ノ谷村を縦貫する国道一六八号線は、全速で疾駆する二十余台のパトカーのきらめきであふれて、路面が悲鳴をあげた。

真先に到着したのは井狩本部長自身だった。

先着していた新宮署長の案内で、つぶさに現場を調べると、柳川邸に引きあげて、紀美をはじめ、家人たちから詳しい事情を聴取した。

さすがに三十年あまりも捜査畑で鍛えた眼力の持主であった。一とおりの事情聴取がすむころは、健次たちの動きの大様は、ありありと手に取るように読めていた。

「ああいうところで待ち伏せていたのだから、犯人が刀自の当日の予定を事前に知っていたのは疑いないな。問題はまずその情報の漏れどころだ。串田さん。大奥さまの予定を知っていたのはだれだれです?」

急を聞いてかけつけた国二郎らへのあいさつもそこそこに、直ちに執事を呼んで調査にかかる。

「とおっしゃいますと、家人の中にだれか内通者がいるとでも?」

串田執事はとたんに顔色を変える。

「ばかな。そのへんの出来合いのブルジョアならいざ知らず、ご当家に限ってそんな不心得者がいる道理がない。そんなこと言ったら、まっさきに疑われなきゃならんのは、同行していた吉村君じゃないか。そうではない。家人のだれかが、むろん悪気ではなく、ちょっとした不注意で……不注意ともいえんな、こんなことが起こるとは、だれも夢にも思っとらんもの。とにかく漏れたにはちがいないのだから、そのいきさつを確かめるのが、犯人の足どりを追う第一歩というわけですよ」

かんで含めるように説明されて、執事の顔に生色がよみがえる。

「さようでございますな。そういうことでしたら、新太以外には……」

「新太? 新太とは?」

「来て三月ほどですから、本部長さんもご存知ないのやけど、四十か五十ぐらいの浮浪者でしてな。一どここで施しもらいまして、それから来ればもらえるもんや思うたらしくて、毎日のように来よりますのを、大奥さまがお目を留められて、草むしりでもさせたらいわはって、家へ入れることにしましたんだす。強度の精薄いうんですやろな。ことばもほとんどしゃべれんで、それでも大奥さまだけはわかるらしくて丁寧におじぎなどしよりまして、大奥さまも、新さん、新さんいうてかわいがっておられました。仕事は半人前もでけしまへんけど、やれいわれたことはいつまでもやっとる……根は正直なんやろな、とわしらも思います。そういう男ですから、この騒ぎも知らんと、ぐうすら寝とりますが、まずこの新太だけは、予定などいうことはよう知らんのやないか……」

「早い話が、その男以外の家人全員が知っとった?」

「はあ。一口に申しますとな」

「ではね、串田さん、あなたから家人の一人一人に、そとのだれかに大奥さまのきょうのコースのことを話したものはいないか、聞いてみて下さい。話したからといって罪になるわけでもないし、別に責任がどうこういうことも絶対にない。本部長のわしが保証するから、安心して話すように、と言ってね。その結果を、こんどはなるべく一口で報告して下さい」

同席していた新宮署長が、思わず「なるほど」とうなずいたように、こういう大家の、それも思わぬ椿事で動転し切っている家人から、言いにくい情報を聞き出すためには、通常の警察的訊問よりも本部長のとった方法がはるかに適切だった。

効果はすぐに現われて、串田執事は間もなく一人の家人を連れて来て、簡潔に報告した。

「この男が話したいうとります。ほかには一人もおりまへん」

家人は安西運転手である。

彼の口から前日、西谷集落のものに何気なく今日の予定をもらしたことがわかり、そのうえ怪しいマークIIの話が語られると、居合わせた捜査官の頭に、一様に鋭い直感が走った。

「捜査一課長」井狩の命令が下る。「きみ、その集落へ急行して、徹底的に洗ってもらいたい。真夜中だが、かまうことはない。安西さん、あなたも同行して下さい」

捜査一課長は鎌田浩一。今夜の緊急動員で現場へかけつけた幹部の中で、本部長に次いで一番早かった。井狩の信頼が最も厚い部下である。

「はッ」

打てば響くように答えて一課長がとび出して行くと、井狩は新宮署長を顧みた。

「本来ならおたくに捜査本部を置くところですが、全県的、というより全国スケールの事件ですから、特別捜査本部を県警本部に設けたいと思います。ご了承下さい。むろんおたくは現地ですから、うんとご迷惑かけにゃならん、と思いますけどな」

鎌田一課長のほかに現場では本部の鑑識課長が見分の指揮をとっている。ふつうならヒラの刑事ですむところを、こうして課長レベルがとび回るような大事件を抱えこんだりしては、一署の貧弱な捜査予算はあっという間に吹っとんでしまう。

「はあ。私どもとしましても、ぜひそう願いたいところで」と新宮署長は一も二もない。

所管問題をそれで片付けると、井狩の目はすぐに次のポイントに向かう。

「さて、刀自の外出を予知するためには、内部にはもぐりこむ余地はないのだから、どこかに監視点を作って見張っていたに違いないな。門の出入りが見えるところ、といったら、対岸の山しかあるまい。それとクルマだ。マークIIかどうかは未確認として、いくら刀自がお軽くてもまさかトコトコおんぶしてったわけじゃあるまい。クルマを使ったのはまちがいない。それもそう遠くないところに隠してあったはずだ。監視点とクルマの隠し場所。新宮署長。宵から引きつづきでご苦労ですが、その捜査を指揮していただきたい。鑑識課長が現場の見分を終わり次第、直ちに応援に差し向けます」

「はッ、わかりました」所管を外されたからといってホッとしている間はなかったのだ。署長が残りの一隊を引き連れて早々に出動すると、井狩はやっと家族たちと協議に入った。

地元新宮の家兄国二郎夫妻はもちろん、次女の可奈子とその夫、四男の大作、末娘の英子とその夫の七人全員が、それぞれこのころにはかけつけて来て、奥の一室に不安な顔をそろえていた。親疎の度はまちまちだが、みな井狩とは顔見知りである。

「どうもこのたびはご心配なことです」

あいさつはその一言で、井狩はすぐ本題にかかる。

「はじめにちょっと講釈めきますが、法律上は、甘言などを用いて連れ出すのを誘拐。暴力、威迫などによるものを略取と区別しています。従って今回は正しくは略取ですが、耳慣れないことばですから、一般的に誘拐と呼ぶことにしておきましょう。さて、皆さんももうご承知の犯人の言動からして、これが身代金目当ての営利誘拐ということは明らかです。捜査はわれわれにお任せいただいて、皆さんにはとりあえず身代金の手当てをお願いしておきます」

こういうときの係官のことばは、患者に対する医師と同じで、かれらには平常の用語でも家族にはひどく非情に響くことがある。

「身代金」……自分たちも覚悟していたはずなのに、その一語が井狩の口から出ると、七人の顔には同時に怒りと恨みのいりまじった色があふれた。

「身代金……用意せなあかんですか」代表して口を切ったのが家兄の国二郎。ことし六十三歳。頭は禿げあがっているが、でっぷりした体に、地方名士の貫禄は十分である。

「はい」と井狩ははっきりうなずく。

「これもご承知のとおり、ふつう営利誘拐というものは、犯人からの要求があって、初めて事件がわかる、というケースがほとんどです。ところが今回は、犯人が大奥さまの説得に応じて吉村さんを拉致しなかったので、最初から誘拐とわかった。しかも現場も知れている、という極めて珍しい事例で、私の知る限り、武装ゲリラは別として、この種の事件ではおそらく前例がないんじゃないか、と思います。ですから、通常の誘拐事件と比べて、われわれとしては、特に初動捜査の段階で、はるかに有利な立場にあるのは事実です。現にそのために、着々と捜査は進んでいます。犯人の足どりや使ったクルマなども、夜が明けるまでには、大方つかめるかも知れません。しかし、それにしても、犯人が大奥さまを握っている以上は、うかつなことはできない。足どりを追及する一方では、犯人がわとの折衝の準備もしておかなくてはならない。事態は常に流動的で、その場にならないとどう転ぶかわからないのですから、和戦両様の構えが必要なのです。早い話、要求があってそれから金策にかかるのでは、その間だけ大奥さまに余分なご苦労をおかけすることになり兼ねんじゃないですか。弱気でいうのではないのですから、おわかりいただきたい。むろん交渉以前に、または途中でも、犯人らを取り押えることはできるかも知れません。われわれはそのために全力を集中します。あなた方としては、前以て身代金の手当てをしておいて下さることが、捜査……解決への何よりの協力なんです」

井狩の説明はもっともだ。

感情的には反発したものの、いわれてみれば捜査陣がこれだけの意気込みでかかっている以上、家族側もそれに応える態勢をとるのは当然にすぎない。

「よくわかりました」国二郎は同意して、

「われわれも、何も金が惜しいんじゃない。こんな卑劣なやり方が腹にすえかねる、というだけのことなんで……じゃ、その場になって時間をロスせんように、おっしゃるとおり手当てをすましておきましょう。要求されるまえに準備する、というのもあまり前例はないことじゃろうが……ところで、どれぐらい？」

弟妹たちを見回すと、

「おばあちゃんを狙うぐらいのやつやもん、一億以下ということはあらへんね」

すっぱり言ったのが女きょうだいで姉の可奈子。夫の田野栄一は大阪で屈指の大キャバレー「ミナト」の経営者で、彼女自身も現役のマダムで店を切り回しているというだけあって、ことし五十三歳だが、年にはとても見えない、まるで三十代の若作りである。今夜も店からじかに飛んできたそうで、ネックレスだけは地味な猫目石のロケットにとりかえているが、黒のイブニングが白い肌を映え立たせて、場に不似合な華やかさだ。

「そらそうやろな」国二郎も無造作に、

「最低が一億か。最高はどや？　三人組いうから、一人一億の三億か」

「それぐらい吹っかけて来て、不思議はないわね」

「言い値を呑むと限らへんけど、天下の柳川家があまりケチな駆引きもでけへんな。ま、二億から三億。そのへん手当てしておくか」

国二郎は井狩へ顔を向けて、

「井狩さん、どうでっしゃろ。その程度で？」

これには井狩のほうが煽られ気味だった。彼としてはこれまでの誘拐事件から考えて、せいぜいが四、五千万と踏んでいたのである。

「結構でしょうな」答えざるを得なかった。

「ご家族の方がそれだけの出血を覚悟されているとなると、われわれ捜査陣も、何クソ、というファイトが湧きますからな」

「ひとつ伺いたいことがあるんですがね」と口をはさんだのが弟の大作だった。

柳川一族の中では変り種の画家で、四十九歳になるが、まだ独身。その方面に暗い井狩には、彼の画壇的地位は全く見当がつかないが、ほかに何一ついうところのない刀自にアキレスの腱があるとしたらこの四男坊ではないか、とひそかに思っている。前後何回かフランスへ留学したが、中身は画の修業か女の修業かわかったものではなかったし、いまは志摩《しま》半島の突端の御座《ご ざ》岬に洒落たアトリエを構えて優雅な生活を楽しんでいるが、生活費の大半は刀自の懐から出ているという噂が専らだ。きょうもルパシカ姿にダンヒルのパイプ片手の典型的な画家スタイルで、一見無造作だが、よく見ると一つ一つに金がかかっているという、あの粋好みがぷんぷんしている。

「誘拐事件というと、必ず公開捜査か秘密捜査か問題になるようですね。こんどの場合はどうなんでしょうか」

だが、その質問は一つのポイントにはちがいなかった。

「ああ、そのことも皆さんのご了解を得ておきたいんですがね」と井狩は認めて、「その点もこんどの事件の特色なんですな。ふつう誘拐犯人というもんは、警察力の介入を極度に恐れるんですが、このやつらは、介入を恐れない……というより、大奥さまのような大物に手を出すからは、介入するなと言ったところで、絶対介入するに決っている、と見透しているんですね。だから、吉村さんのような目撃者もあえて残して行った。介入を恐れるような相手なら、こちらも公開か秘密か一思案しなけりゃならんでしょうが、こういう白昼公然と決行するようなやつらには、秘密捜査ということは意味をなさんのですよ。それよりも、むしろマスコミを味方にして、広く一般市民から協力を求める。そうしてやつらに対して、今回の所業がいかに大それたもので、成功の望みなどあるはずがない、ということを思い知らせて、精神的にも窮地に追いこむのが必要だと考えます。つまり当初から公開捜査、それも大々的なキャンペーン作戦を断行する、というのがわれわれの所存です」

「でも……」と声をふるわせて言ったのが末の妹の英子。大作が変り種ならこの女性も変わった道をえらんだ異色の存在だった。熱烈なクリスチャンで、大富豪の家に生まれながら、信仰で結ばれて、大津のほとりにある小さな教会の貧乏牧師の妻になっている。むろんマイカーなどはなく、今夜も何万円になるか目安のつかないハイヤーは使えず、信者の小型トラックにつめこんでもらって飛んで来た。兄妹じゅうで一番の母思いで、今も真赤に目を泣きはらしている。

「でも……そんなことでかえって犯人を刺激して、母の身に影響したりしないでしょうか」

穏やかな気質もだが、顔も姿もそのころの刀自に生き写しだった。そのころ――刀自四十五、六のころは、井狩が大厄介をかけていた最中だ。

「大丈夫ですよ、英子さん」彼女には肉親の妹に似たいとしさが、自然に声にもにじむのが自分でもわかる。

「これだけ派手にやって、介入しないような素振りをしたら、やつらに裏があるな、とカンぐらせるだけです。逆に、世論が高くなればなるほど、やつらとしたらお母さんの安全に気を遣わないではいられないはずですよ。私には確信があります。任せておいてください」

きっぱりと言い切りながら、井狩の胸には新しい怒りと闘志がむらむらっと湧き立ってくる。

この英子の悲しみと歎きは、そのまま彼の悲しみと歎きであり、刀自を知るすべての人々のそれである。こういう善良な人々にこれほどの衝撃をもたらしただけでも、犯人どもは人道上絶対に許し得ない公敵なのであった。

夜の明け方になって、捜査の結果が続々と集まってきた。

西谷集落を洗った捜査一課長の報告で、果して白マスクの青年が刀自の翌日の予定を聞きこんで行ったことがわかって、満座はどよめいた。集落では車型までは不明だったが、青年が下りてきたのが古い黒のセダンだったという点も、安西証言と一致していた。

「この白マスクの身長、体つきは、吉村証言の肉色仮面とぴったりです。そのうえもう一つおもしろいことがあります。集落の人の話では、白マスクは初め東京弁で話しかけて来たけれど、帰りぎわには関西弁になっていた、というんですな。肉色仮面の言葉使いも全く同じです。東京方面の人間と思わせようとしたのが、慣れないもんだから、つい地金が出たんですな」

一課長の調査はさすがにキメ細かくて、臨時捜査会議では、満場一致でこの両者は同一人と断定した。

吉村証言でも大抵推察はされたが、この首領と思われる人間が、二十七、八歳の若者と確認されたこと、その上にマスクの上に出ていた長髪、しまったひたい、濃い眉毛、鋭い目つきなどの人相の一部が判明したのも大きな収穫だった。

「やつらの使用車もここまで来たら安西証言のマークIIと断定していいんじゃないか。よし、よし、うまく軌道に乗りよるぞ」

井狩は顔をほころばせたが、誘拐現場と監視点などの報告が出そろってくると、だんだん渋面に変わってきた。

現場周辺では二百メートルほど北方を走っている廃道の草がなぎ倒されていて、一味のルートに使われた跡は歴然としていたが、足場の大半が岩や叢だったため数台の投光器を用いてのけんめいの捜査も空しく、輪痕や足跡は全く採取できなかったうえに、遺留品らしいものは何一つ残っていなかった。

監視点と車の隠し場所でも事情は同様である。踏み荒したあとや、重量物がおかれた形跡から、それらしいと推定される場所はみつかったが、どちらにもガムの紙片一枚落ちていない。特に係官たちの舌を巻かせたのは、両地点の各所に竹箒様のものでかきならしたあとが発見されたことで、逃走に当って輪痕、足跡を克明に掃き消していったものと推定された。はっきり残っているのは、まだ土色が新しい、埋め立てたばかりと思われる二つの穴だけである。

「相当に用心のいい野郎どもですね。足跡はともかく、輪痕のほうはあとがほとんど残らない砂利道まで二キロ近くもあるんですから、この長い距離を全部掃き消してゆくとは容易じゃありません」という報告に、

「こんな大仕事を企むやつらだ。それぐらいの用心はしようさ。しかし、それにしてもおよその足どりはわかったわけだ」と井狩の眉は険しい。

「ところで、その穴というのは何だ」

「はあ。上部の土を除去してみますと、異臭がして来ました。例のやつです」

「例の異臭とは？」

「排泄物です」

「クソ穴か。じゃ、やつらそこで山ごもりしとったんだな。分量は？」

「まだ確認していませんが、穴はかなり深いようです」

「相当期間粘っとったいうわけだな。では、きっと目撃者もいるはずだ。その方面の聴込みは、新宮署長、おたくに頼む。……畜生、残したのがクソだけとはな」

現場からこれ以上の手がかりが得られないとすると、焦点は犯人の潜伏地点に絞られてくる。

地理状況からいうと、犯人らは犯行直後、一応は北方……五條方面へルートを取ったと推定されるが、むろんそれだけで逃走方向を即断はできない。痕跡の隠滅にこれほど手を尽している奸知に長けた連中のことだ。北と見せて南、あるいは東ということは十分あり得るし、またその気になればルートはいくらも開けているのである。

しかしそう遠くではない。県内でなければ隣接府県のどれかだろう、という見込みでは大方の意見は一致した。

人質を伴っての逃避行は距離が延びるほど危険がふえるわけだし、もう一つ営利誘拐の泣き所というものがある。早晩身代金の要求にかからなくてはならないのだから、支払主の柳川家からあまり遠隔では、犯人にとって不便でもあるし、不利でもあるからだ。

「アジトは田舎ではあるまい。おそらくは都会……それもなるべく人口の多い都会だ。やつらがプロならそうするはずだ」

井狩の判断であった。

アマチュアはどこか人目のない山の中が安全な気がするが、ただ逃げ隠れするだけならともかく、生活もしなくてはならない、交渉もしなくてはならない、となると、実は田舎ほど人目に立ち易いところはない。隣人のくらしに無関心な大都会のほうがあらゆる点で犯罪者には有利なのだ。この見解にも大方の係官は同感だった。

「すると、重点地区は本県では和歌山はじめ各主要都市。隣接府県も同様、ということになりますな」と作戦主任格の鎌田一課長が要約する。

「そのとおり。特にこの二、三ヵ月のあいだにアパートや住宅とかに入って来た連中だな。一般市民の仕業とは思えんからな」

「わかりました。早速手配にかかります」

……こうして次の諸措置が即時実行に移された。
一、警察庁長官、ならびに隣接府県各警察本部長宛の支援依頼の公文書。
一、県下全警察署への緊急指令。
一、「柳川刀自略取事件特別捜査本部」の設置。本部長は井狩警察本部長の兼務。
公文書、指令の文案は井狩が自ら起草した。以下にその全文を転記する。

宛警察庁長官
並びに各府県警察本部長
昨九月十五日午後三時半コロ、当県津ノ谷村ニオイテ、柳川家ノ当主トシ子刀自（82歳）ガ、三名ノ男性犯人ニヨッテ営利略取サレタ。同刀自ハタダニ本県随一ノ大富豪タルニトドマラズ、性極メテ慈愛深ク、県内外ノ社会・福祉事業ニ多大ノ貢献ヲ重ネテ、県民ノ等シク敬愛オカザル人物デアル。カクノゴトキ老婦人ヲ営利略取ノ対象トスルトハ天人トモニ許サヌ非道行為デアリ、正義ト人道ニ対スル公然タル挑戦ニ他ナラズト思惟サレル。当本部ハ全力ヲ挙ゲテ事件解決ニ邁進スル所存ナルモ、貴庁（マタハ貴本部）ニオカレテモ、本件ニ関シテハ格別ノゴ指導、ゴ援助ヲ賜リタク、ココニ懇請スル次第デアル。

現在マデニ判明シタ犯人ノ特徴ハ次ノ諸点。以後モ情報入手次第ゴ連絡申シアゲル。

一、主犯。身長一七〇センチ、体重六〇キログライ。年齢二十七、八歳。長髪、眉濃ク、眼光鋭ク、一見美男子風。関西出身ト思ワレルガ、東京弁ヲ用イルコトガアル。

二、共犯ノ一。身長一八〇センチ、体重八〇キログライ。年齢、容貌不明。

三、共犯ノ二。身長一五〇センチグライ。年齢等不明。車ノ運転ヲ相当スルモノノゴトシ。

四、一味ノ使用車ハ黒ノセダンデ、車種ハ「マークII」ノ中古車ト推定サレル。以上。

同時に発せられた県下全警察への緊急指令では、「当本部ハ」以下がこういう文句になっている。

諸士ハ本県警察ノ名誉ト威信トガ、本件ノ解決イカンニカカルコトニ深ク思イヲ致シ、人質ノ安全ナル奪還ヲ第一義トシテ、憎ムベキ犯人ノ追及ト逮捕トニ全力ヲ挙ゲテ挺身スルコトヲ望ム。

しめくくりは、柳川家の庭内を埋めた百名近いマスコミ関係者への公式発表と共同会見である。

ここでも井狩の気魄は満場を圧倒する概があった。彼は公文書と指令の趣旨をくり返した上で、

「諸君もご存知のように、私は個人としても刀自には格別のお世話になっている。しかし以上に述べた決意は、断じて私情によるものではない。刀自は私一人の恩人にとどまらず、世の弱いもの、虐げられたもの、すべての人々の大恩人である。私の決意は同時に、全県民の決意であり、また諸君の決意であると確信する」と力をこめて訴えた。声明というより演説であり、記者団に飛ばす檄《げき》だった。

息を呑んで聴き入っていた一人のベテラン記者が、首を振りながら感想をもらした。

「本部長がこんなに燃えるのを拝見したのは初めてですね。今の指令はさしずめゼット旗じゃないですか」

井狩は、わが意を得たりというように大きくうなずく。

「そのとおり。これは、私と県警にとってのゼット旗です」

若い記者がけげんそうに聞いている。

「そのジェットだかゼットだかのキって何です？」

ベテラン記者が答えている。

「きみ、ハワイ海戦の映画見たことないか。あのとき旗艦が掲げた国の興廃この一戦にあり、

という信号の旗だよ」

……井狩の頭に子どものころ聞きかじった古い、古い歌詞とメロディが浮かぶ。

〽敵艦ーン見えたあり　近付きたあり
旗艦ーンのみ柱　信号あがる
　み空は晴るれえど　風え立ちて……

はじめてゼット旗がひるがえった日本海海戦の歌だ。

それにダブって刀自の顔が浮かんだ。いつにかわらないにこやかな温容で、ユーモアをたたえた目がいたずらっぽく光っている。

声がきこえるようだった。

「大へんな勢いやね、井狩はん。あんた、そない旗立てて、大部隊引き連れて、私を助けに来てくれはるの？」

「行きますとも。何があろうと絶対に。大奥さん、あなたもうんと駄々こねて、やつらに手を焼かせて下さいよ。こないなおばあちゃん、どもならんわ、と悲鳴あげるぐらいにね」

「さあね。私にそないなこと、できまっしゃろか」

刀自は首をかしげて、ほほえんだ。

声が消えて、顔が消えた。

第三章　童子虎穴に入る

1

健次たちの手に落ちてから、刀自は約束どおり従順そのものだった。

車をおいてある廃道へ登る小路は、健次たちでさえ息を切らす急坂だったが、「ついて来な」といえば文句もいわずにちょこちょこついて来るし、車に着いて、「乗るんや」とあごをしゃくると、ちょっと会釈をしてスイと乗り込むし、往還へ出るまえに、ガラスを真黒にぬりつぶした水中メガネを渡して、「かけな」と命じると、「あ、目隠しやね」とうなずいて、ひとりできちんとかけるし、往還へ出てから、「なるべく姿勢を低く、外から見えんようにするんや」といえば、小柄な体をいっそう小さくしてシートに深く体をかがめて沈めるし……手錠や猿ぐつわを用意していたのが気恥ずかしくなるくらいの、手のかからない捕虜だった。

マークIIが、国道と並行した山道をまっしぐらに北上を始めてからも、しばらくのあいだは、その様子には全く変わりがなかった。

きちんと両手をもんぺのひざにそろえて、黙々と車にゆられている。人間というよりは仏像のようである。ただ、ときどき首をかしげたり、うなずいたりしているのが、へんに不気味ではあった。

その仏像が、隣席の健次にともつかず、運転手の平太にともつかず、初めて自分から口を利いたのは、現場から三十分あまりも来たころのことだ。

「北へ、北へ行くみたいやけど、まさか二四号線目指しているわけやないでっしゃろね」

細い、静かな声だったが、健次もぎくっとしたし、平太も驚いてふり向いた。

「どこ目指そうと、大きなお世話やないか」

気をとり直して、健次が一喝くわせると、刀自はそれにも至極従順だった。

「えろうすんませんな。たしかに、どこへ行くのもあんたたちの権利ですもんな」

すなおに謝って、もとの仏像に戻ったが、しばらくしてまた静かに言った。

「気い悪うされたら困るのやけど、あんたたちのアジト、まさか和歌山の市内やおまへんやろな」

これには二人とも、ほんとうにぎょっとした。

平太が本能的にスピードを落したので、面くらったのはうしろからついて来たバイクの正義だ。急旋回して危く追突は免れたが、半回転したところでバイクもろとも横倒しになりかかった。

砂利をはね飛ばす音で気がついて振返ると、長い脚を突っ張って、やっと踏み止まって、拳固をふり上げてこっちをにらみつけている。

「危いやないか。風がぶつかるところやったで」

「すんまへん。びっくりしたもんで」と平太は正直だ。

「何がびっくりや。おばあちゃんが当てずっぽう言うたからか」

たしなめておいて、健次は刀自に目を戻す。

「気の毒やけど、和歌山なんかやあらへんで。……それとも何か。和歌山では具合悪いことでもあるいうんか」

じっと気配をうかがったが、こうなると水中メガネの目隠しがうまくない。ほとんど顔半分が隠れてしまっているので、刀自の表情がまるでわからないのである。

ちょっと間をおいて、刀自が言った。

「あんたたち、県の警察本部長ご存知でっしゃろな。井狩はんいうお人やけど」

「おお知っとるわい。ついでにいうたら、おばあちゃんに世話になったやっちゃいうことも知っとる。それぐらいちゃんと調べてあるがな。その井狩がどないしたんや」

そのとき車が登りにかかった。

外の様子に耳を澄ませていた刀自が、ふと別のことを言った。

「三浦の登りやな」

「何やて？」

「右を見てごらん。大きな山が見えまっしゃろ。あれが法主尾《ぼうずお》山。この峠を越しますとな、間もなく谷川に沿うて道が二手に分れてますよって、右手の道を行きなはれ。あの山の向うを回って国道へ出ることになりますんや。左手へ行ってはあきまへんで。ハイキングにはええとこやけど、車は通れんとこがあるさかいな」

「お……おばあちゃん、あんた外が見えるんか？」

「見えるわけがありますかいな。この目隠し、ほんまよう出来てますわ。何も見えんし、かけててもちっとも辛うはなし、な」

刀自の言ったとおり、右手の車窓には、重なり合った山なみの向うに、一際壮大にそそり立った大きなうす紫の山かげが流れて行く。

啞然として眺めていると、刀自はきまり悪そうに、

「子どものころから、あんたたちの年の三倍も暮してきた村やもの、目をつぶっててもここがどこぐらいわからなんだらおかしいようなもんですがな。……そうそう、井狩はんの話でしたな」

語気を改めて、話を戻した。

「ああ、そや。井狩がどないしたんや」

健次も負けじと座り直す。

「あんたら、井狩はんのこと、よう知っとるいわはったけど、私ほどはよう知らんのと違いますやろか」

「何を、どう知らんのや」

「私なあ、私が井狩はんやったら、犯人の……面と向うて犯人いうの悪いみたいやけど、犯人

には違いないさかい我慢してえな……犯人の潜伏場所をどう考えるか、考えてみましたんや」

「ああ、それで？」

「井狩はんは、たぶんこう考えなはるわ。この犯人はプロや。プロやからして、アマみたいにどこか田舎などとは初めから考えん。山ごもりなら別やけど、こもり切りでは身代金は取れへんもんな。潜伏するとしたら都会や。それもそう遠い都会やない。車で二時間から三時間。実距離で百キロから百五十キロ以内や。そこで、井狩はんのまずしなはることは、津ノ谷村を中心に、こう……」ジェスチュア入りで、

「コンパスで地図の上に円を描きなはることやろ。実距離は地図の倍とみて、半径五十キロ、八十キロ、百キロぐらいの三重ほどの円やな。五十キロ以内いうことはまずない。一番くさいのは、五十キロと八十キロの間のまるい帯の中にある都会や」

「…………」

「私なあ、このごろ記憶力が衰えましてなあ。紀伊、近畿地方の地図がよう頭に浮かばんのやけど、この帯の中の都会らしい都会いうたら、和歌山か、田辺《たなべ》か、尾鷲《おわせ》ぐらいのもんやないやろか。その中で、人口が一番多くて、交通も便利で、人の出入りも激しくて、犯人の潜伏に一番都合がええとこいうたら、まず和歌山や。井狩はんならまずこう考えなはる。そう思いましたよって、さっき、まさかそことはちがいますやろなって言いましたんや」

「…………」

ぞーっと背筋が寒くなった。灯台下暗しどころではなかった。あの鬼の井狩が、まず足元か

ら洗いにかかる、というのだ。

平太が振り向いた。気の小さいやつだから、こう聞いただけで青くなっている。何か言おうとするのを、目顔で制して、

「そやけどな、おばあちゃんや」半分は平太に聞かせる声で、「一口に和歌山いうたかて、和歌山も広いんやで。人口も二十何万とか三十万とか言いよるやないか。そんな人の渦の中で、どないして犯人探すんや」

刀自はこっくりして、思い入れたっぷりに、「むつかしい、思いますなあ」と言った。

「そやろ。むつかしいやろ。むつかしいいうよりでけん相談やろ」

「むつかしい思いますなあ」刀自はくり返して、つけ加えた。「私らみたいなシロウトにはなあ」

「何やて？」

「でも井狩はんはプロやよって、そうむつかしい思わんかも知れへんなあ。手がかりが二つもありますよってなあ」

「どな……どないな手がかりや？」

「まずなあ。犯人が一般市民やのうてプロや、としたら、アジトを手に入れたのはそう古いことやない。このふた月三月の間に違いない、と井狩はんは考えなはる、と思いますなあ。そやから、第一に探しにかかるのは、そういう新規の入居者で、職業不明の怪しいやっちゃ。マンションやアパートや貸家、売家の持ち主に申告させたらええのやから、情報を集めるのは簡単

やし、あんたのいわはるとおり、和歌山は広くて人口も多い所やけど、そういう条件の該当者は、まさか千人とはおらんやろ。調べがつくのはせいぜい二、三日。井狩はんやったら今夜から始めて、あした一日いうところやないかと、思いますなあ。ほかのどの市でも同じことですけどなあ。……それに車いうもんがありますしなあ」

　平太がまた青い顔で振り向いた。

「車……車がどないしたんや？」

「私、車のことようわからんのやけど、この車、マークIIという銘柄と違いますか。実はなあ。うちの運転手の安西はんが、二日も続けて怪しいマークIIに行き会うた、いうて執事に話していましたんや。そういえば一ぺんエンコしてるとこを見ましたなあ。あのとき手を振って、行け行けいう合図しはったの、うしろのバイクの風はんだっか？　その情報も今夜じゅうには井狩はんの耳に入るわけやから、そういう車を持っている新規の入居者となると……そやなあ、あしたまで待たずに、ひょっとしたら今夜のうちにも……」

　マークIIは山道を外れて、道端の小路に走りこんでストップした。

「あかんわ、雷」平太ががっくりと喘いだ。

「アマのおばあちゃんが、ここまで見透してるんや。これでのこのこ和歌山へ戻ったら、牙をむいて待っとる虎の口の中へ飛びこむようなもんや」

「うーん」

　今さら失言を咎める気はしなかった。健次もしばらくはことばが出ない。

正義のバイクが追いついて、平太が開けた窓ガラスのすきから目をのぞかせた。

「何してんのや。まだいくらも来とらへんのに。まさかまたエンスト起こしたわけやないやろな」

彼の象のような太平楽な目が、このときぐらい憎ったらしく見えたことはない……。

2

……二十分後。

車はまだ山すその小路に止まっている。

健次はひとりで、車を離れて、いらいらしたときのくせで小指をかみながら、近くの叢を歩き回っている。

〈どないしたもんやろな〉

考えれば考えるほど、胸の中は千々に乱れて定まらないのである。

こんどの計画を思いついてから、理論構成は我ながら完璧なつもりだった。

二人を誘いこんだとき、「誘拐は最高の知恵が要る犯罪」と言ったのは掛け値なしの本音である。誘拐という犯罪には本質的に次の三つの困難があるからである。
一、人質の誘拐それ自体の困難

二、人質の身柄を極秘に確保する場所と方法の困難
三、身代金を受領する方法（相手方への連絡法を含んで）の困難

この中で最高にむつかしいのは三の身代金の受領法で、一と二とはそのための前提条件だ。そして彼の考えでは、この三つの困難を克服するだけではまだ足りない。これに、

1、人質を解放したあとの安全の確保
2、仲間割れの防止
3、身代金の使い方

の三点がそれぞれに重要で、これら六カ条の条件が完全に果されたとき、誘拐ははじめて完全犯罪になり得るのだ。

こう考える以上、自分では完全犯罪をやってのける自信と目算があったはずだった。ところが、実際には……。

前提の、そのまた前提だから、困難性もそれだけ低いはずの一の誘拐自体が、あれほどの悪戦苦闘の連続だった。

こんどはもっとひどい。まるで始まるまえに終わってしまった、というあんばいだ。誘拐はしたが、連れて行く場所がない、ではお話にならないが、それが現実なのである。やっとのことで第一関門を突破した、その興奮をかみしめる間もないのに、である。

こんなことで、あとに控えている最後の、そして最大の困難を克服できるものだろうか。

いや、そんなことを考えるのはまだ早い。今の、この急場をどうしのぐかだ。何とかしなけ

れば……。

「何とかせな」小指をかみながら口走って、車のほうを顧みる。

日はもうかげりかけている。車は残りのわずかな日だまりの中にある。正義と平太は、ステップに並んで腰かけている。正義の大きな手がマスクの下の鼻へのびた。目のまえに持ってきて眺めている。指で丸めてポイと弾く。無心な子どものようである。

「鼻くそなんぞほじくりおってからに……ほんまに」

だが腹は立たなかった。腹が立つ以上に、じんと胸にしみてくるものがあった。

困ったときは、雷がどうかしてくれる……二人ともそう信じ切っているのだ。だから、この一秒を争う急場でも、ああして安心して鼻をほじっていられるのだ。

「あいつらのためにも、何とかせな」

だが、どうしたら？

さっきからもう何百遍もくり返した問いであり、答えである。

まず和歌山へは帰れない。刀自の指摘をうのみにしたわけではないが、吟味するほどそのとおりで、今まで気が付かなかったのがおかしいくらいだ。ミスがあったわけではない。犯罪者として行動したことが、そのまま手がかりになっているのだから、防ぎようがなかったのだ。

山ごもりも、できもしないし、意味もない。だれも無警戒だった今までとはわけが違うのだ。当局だけでなく、村民という村民が目を皿にしている中で、いくらも逃げ隠れできるはずはないし、ただ逃げ歩くだけなら、何のための誘拐かわからない。

といって、今から大阪などの大都市へクラ替えするのも不可能だ。どうせ全国手配になるから結果は似たようなものだし、だいいち新しいアジトを作る金も暇もない。

昔のスリ仲間、泥棒仲間にすがるのは？　これだけは一遍も考えなかった。そんなことをするぐらいなら死んだほうがましだ。こんなに苦労して手に入れた金の鳥を、あんなハイエナどもの餌食になんぞできるもんじゃない。

「つまりは八方ふさがりや。逃げ場なしや」

足もとの小石を一つ蹴飛ばした。

「逃げ場もなし、コネもなしや」

もう一つ蹴飛ばした。こんどのは少し大きくて靴のさきがぴーんとした。……瞬間に、名案がひらめいた。

名案？　あるいは途方もない大迷案かもしれなかったが……。

二人を呼んで話をした。

二人とも往復ビンタを百発食ったような顔をした。

「だけど兄さんや」口々に言った。「そないなことでけるもんかいな」

健次は昂然と言った。

「でける、でけんやない。やるんや。こんなときに、弱気出したらあかんで。強気や。強気一点張りで行くんや。ええから、おれについてこい」

肩をゆすって、車に入って、刀自の隣にずしっと座る。あとの二人は前部席。どちらも緊張した顔つきだ。

刀自はさっきのままの姿勢で行儀よくシートにかけている。感心したのは、しばらくの間ひとりで置いておかれたのに、目隠しメガネを外してみたような形跡がないことだ。人質になればなったで、ちゃんとその分は守る、というのが、こういう世界の人たちの気風と見えるのだ。

……よっしゃ。こっちにもそのほうが都合がええんや。

健次は、唇をしめして、改まった口調で声をかける。

「おばあちゃんや。いよいよ出かけるんやが、そのまえに、ちょっと確かめておきたいことがあるんや」

刀自は「何を？」という風に健次に顔を向ける。

「あんたな。さっき誓うたこと、忘れてへんやろな。おれたちの命令には何でも従う、いう誓いや」

「さいな」ためらいのない返事が返る。

「まちがいないな」

「あんたが男子の一言なら、私は柳川家のあるじの一言だす。約束を違えることはありまへん」

刀自の答えは、静かだが、はっきりと澄んでいる。

二人へ目をやると、そろって大きくうなずく。健次は、もう一度唇をしめして、ずばりと要求を持ち出した。

「ほな、命令するで。あんたの知っとる家を一軒、おれたちの隠れ家に提供してもらいたいんや」

……これが「名案」だった。古いコネがダメなら新しいコネ。それなら今手もとにいる刀自が、だれよりも強力なコネの持主ではないか、と思いついたのだ。

誘拐者が人質に隠れ家の世話をさせる——非常識といえば非常識。それは百も承知のうえだ。常識なんてクソくらえ。八方どこにも逃げ場のない今、これしか活路がないではないか。

必死の気魄が自然にこもって、車内の空気はぴーんと鋼線のように張りつめる。

「………」

刀自もさすがにすぐには答えない。水中メガネの下の表情はわからないが、心もち小首をかしげて、じっと考えこんでいる風情である。

「実はやな」健次はつづける。「さっき雨がいうたように、おれたち和歌山にアパート借りとったんや。あんたに言われてヤバいのに気がついた。というて、今から他に設営のしようもない。これが正直なとこや。男がハラワタさらして言うとるんやから、無理でも何でも聞いてもらわなならんのや。……どや、心当りあるか」

「………」

三人の熱いまなざしの中で、刀自の考えこんだ姿勢がつづく。

簡単に答えられなくて当然だ、とは思いながら、三人の面には耐え切れない焦りがうずく。

ここでノーといわれたら、それまでである。ガソリンのある限り走り回って、なくなったらどこかの山へ逃げこんで、山狩りされてとどのつまりはつかまって、殺気立ったポリや村民に半殺しにされて……浮かんでくるのはそんなみじめな姿ばかりだ。そして、十中八九どころか、千中九百九十九まで、そうなることは目に見えているのである。

……何分、このいらいらした沈黙がつづいただろうか。

水中メガネの下の小さな唇が、やっと動いたのは、我慢できなくなった健次がまた口を開こうとしたときだった。

「そやな……ないこともおまへんけどな」

細い、ひとりごとみたいなその声を、三人とも体じゅうを耳にして聴き取った。

「心当りあんのか」「ほんまか、おばあちゃん」正義と平太が同時に頓狂声をあげて、同じように叫び出したい思いを、ぐっとこらえたのは健次だけだった。

「さよか」と殊更に冷静に言った。「どんなうちや？」

「それがなあ」刀自の口は重かった。「もとなあ……私のうちで、長いことメイドしとった人でなあ……そこやったら、とは思いますけどなあ」

「けど？　けど何やね？」

「なあ、雷はん」と刀自は健次に顔を向ける。「もしなあ、私がそのうち教えたら、どないなさるおつもりや？」

「どないするって、わかっとるやないか。隠れ家に使うんや」

「うちのお人は？」

「そら……しゃあないやないか。おばあちゃんと一緒に……人質にはしいへんけど、おれたちのいうとおり動いてもらうほかないわ」

「私が、そないなことは許さん、言いましたら？」

「何やて？」

刀自の小さな姿が、俄かに大きくなった感じがした。あの森の中で少女をかばった姿の再現であった。声にも凛としたものがこもって来た。

「なあ、雷はん」と刀自は語りかける。「私は人質やから、あんたの命令には従います。そやけど、その私に第三者を巻きこむ資格はあらへんし、あんたにも強制する権利はないのと違いますか」

「ほな……ほな、どないしたらええいうんや」

「うちへは連れて行ってあげます。隠れ家に使わせてもらうよう計らってもあげます。そやけど、あんたの権利が及ぶのは私だけで、家の人には何の権利もない。自由を拘束することはもちろん、あれこれ指図することなども許しまへん。それどころやおまへんな。向うが主人、あんたらは厄介になるんやから、家での生活万事、おうちの人の命令に従わんならん。それが約束でけまっか」

「そら……そら、無理いうもんや」健次の声は悲鳴に近かった。

「おれたちは誘拐犯やで。犯人が住んどる家のもんの自由認めたらどないなるんや。おまけにその人、あんたの元のメイドいうやないか。それこそ今夜のうちにもたちまちパクられてしまうがな」

「私がそないなことはない、言いましたら？」

「ないいうて、たとえあんたが言わんでも、あしたになれば、事件のことはテレビ、ラジオ、新聞にみな出てしまうやないか。アホかチョンでもない限り……あ、そうか。そのメイドいう人、これか？」

「これって、手付きは見えへんけど、精薄の意味やったら違いますな。しっかりしたお人だす」

「それやったら、現におれたちが目の前にいるんやもん、放っとくわけがないやないか。なんぼなんでも、そらめちゃくちゃや」

刀自の口もとがほころんだ。

「雷はん。あんた、さっきあの子を逃がすときも同じようなことといわはりましたなあ。あのとき、私、逃がしたかて、少くとも時間的にデメリットはないと保証しました。そのとおりやったやおまへんか。もうそろそろ五時近くですやろ。あれがウソやったら、今ごろあんたたち、こんなにのうのうとしておられんやないの」

「あの子はいっときのことや。二日三日一緒に住むいうたら話はまるで別や」

「なあ、雷はん。あんたには、私が人をだましたり、でけん相談を持ち出すような人間に見えますのか」

「…………」

「私が自由を拘束することは許さん、言いましたら、拘束しなくても絶対にあんたらにデメリットはない、と自信があるからだす。その元メイドいう人はな、こういうたら何やらおかしいのやけど、私のいうことなら、何でも無条件に信じてくれはるお人ですのや。極端にいうたら、きょうは日が西から出る、言いましたら、東から出たお日さまのほうがまちがえたんや、思うお人や。そやから、私が誘拐されたんではない、この人たちは誘拐犯やない言えば、新聞もラジオもみなわけがわからんとでたらめ言うとるんや、とすなおに信じてくれはります。そういうおうちやからこそ、連れても行く。しかし自由の拘束は許さん、いうとりますのや」

「…………」

「信じられまへんか」刀自の口辺にまた微笑が浮いた。

「信じる、信じんはあんたらの自由や。私から持ち出した話やなし、かけんですむんなら、くーちゃんに……そのお人の名前やけどな……私も面倒かけとうはないんやから。ただ言うときますけどな。ウソかほんとうかわからんけど、他に行くとこないさかい、とにかく行ってみよ。自由を拘束するもせんも、行ってみてからの出たとこ勝負や。そないな考えで行くんやったら、そういう気配が見えたら最後、私はいつでも舌かみ切って死にますよってな。これだけは忘れんといてや」

「…………」

「これは年甲斐もない。高飛車なこと言いましたなあ」刀自の様子にはもとの穏やかさが戻った。

「私は何も難しいことというてんのやないんだす。あんたら、さっき私の頼み聞いて、あの子を逃がしてくれはりましたなあ。そやから私、絶対服従いう条件に手を打ちました。こんどはあんたらの希望聞いてあげるよって、家のもんには一切手を出さんいう条件、呑んでほしいというとるだけだす。どうや、これで手を打ってくれへんか」

「…………」

「まだ迷うてはる」刀自はほっと小さく溜息をした。

「あんたら、くーちゃんいう人知らんよって、無理もないのやけど、三人ともちょっと手をお出し」

「え？」

三人は戸惑って、顔を見合わせて、操られるようにおずおずと手を伸ばす。

刀自は小さな手の一方で健次の手を握り、もう一方を正義たちに預けて、「ええこと？」とささやいた。

「私はあんたらを絶対裏切りはせん。あんたらも私を信じてほしいのや。……それだけのことや」

健次は自分の掌の中の刀自の手をみつめる。小さくて、しわだらけで、皮膚は紙のように薄くて、ちょっと力を入れたら裂けてしまうのではないかと危ぶまれるようだ。だが暖かかった。自分の手がこんな冷たかったかと思うほど暖かかった。そうして触れ合っていると、その暖かみが、皮膚を通して体の中までしみ通ってくるようである。

二人を見る。二人は四つの掌の上に刀自の手を載せて、半ば茫然としている。

三人の目が合った。二人の目は共通のことを訴えている。

健次はうなずいて、もう一方の手を刀自の手の上にそっと重ねて言った。

「ええわ、おばあちゃん。手を打つわ」

3

「くーちゃん」の住居は、現場から約八十キロ。県境を越えて隣の奈良県に入ってから車で一時間あまりの紀宮《きのみや》という村だった。

マークIIがその広い中庭にひっそりと止まったのは夜の七時。現場では鼎《かなえ》の沸くような大騒ぎになっていたころである。

「どうや。申し分のない隠れ家でっしゃろが。さ、みんな一緒に来なはれ。紹介しますよってな」

刀自に促されて、車を出た三人は、一斉にぶるぶるっと身震いをした。夜気が意外に冷たいせいもあったが、八分から九分までは緊張のあまりの武者震いだった。

刀自の話では、まわり四キロ四方に一軒の家もない、という。津ノ谷村とかわらない、あるいはそれ以上の山の中だ。

中庭は真暗だった。車のライトが消えると、鼻をつままれてもわからない真の闇で、母屋にも一点の灯も見えなかった。

「まだ寝《やす》むはずはないがな。風呂にでも入ってはるんやろか」

刀自は、自分の家に帰ったような気易さで、ちょこちょこ先に立って、母屋の門口の戸をトントンと叩く。

「くーちゃん。私や。もうお寝みでっか」

……一、二秒。

突然、家の中にすさまじい物音が起こった。

灯がついて、戸の下から明かりがさした。

つづいたダ、ダ、ダという屋鳴りは人の足音だった。

戸がすごい勢いで開いて、中から大きな人かげが飛び出した。

「まあ、奥さま!」

涙声で叫んで、地面にひざをついて、刀自にすがりつく。ひざを折った高さが刀自とあんまり変わらない。

「夢やないか思いました。……ほんまやな。狐が化けたんやあらへんやろな。ほんまの奥さまやな」

両方の目を代り番こに袖で拭いて、刀自を見つめて、

「どないして、こんな急に？　おはがき下さいましたら、お迎えに参じましたものを。……ま、とにかくお入り下さいませ。畑から上がりましたばかりで、取っちらかしておりますけど、奥さまには体裁作るも何もないで。さ、どうぞ」

いそいそとひざの土を払って、片手はしっかりと刀自の手を引いて、中へ入ろうとする。

刀自は引っ張られながら、バツが悪そうに言った。

「実はな、くーちゃん。連れが居りますのや」

「そういや、車の音したようやったけど、安西はんだっか」

「それがな。ちょっとわけがありましてな。くーちゃんの知らんお人なんや」

「だれでもかめへん。奥さまはどうぞ」

刀自を押し込むように家へ入れて、ちらと健次たちへ顔を向けて、

「お供の衆もお入り。入ったらちゃんと戸を閉めといてや」

ろくろく見向きもしないで、中へ消える。

正義がひょいと肩をすくめた。

「おれたち、お供の衆か」

「しゃあない。ここではそういうことになるんや。……しかし、大きなおばちゃんやな」

車の中で、刀自からくーちゃんの話はいろいろ聞いた。小学校を出た十二の年から柳川家へメイドに入ったこと。十八のとき刀自が親代りになって一度結婚したが、夫が戦死して、また柳川家へ戻ったこと。三十六のとき、この中村家へ嫁いだが、それまで通算二十数年を柳川家

で過したこと。だからメイドといっても家族同然で、主家の子どもも遠慮なく叱りとばすので、刀自の娘たちは「お母さんよりくーちゃんのほうがずっと怖かった」と今でも思い出話をすること。中村家の主人とのあいだに子はなくて、夫は十年ほど前に死んで、全財産をくーちゃんに残したこと。それで今は、一ヘクタールほどの畑と、二ヘクタールほどの山林を女手ひとつで経営していること。ことし五十六歳になること。……等々で、しっかり者の働き者ということはわかっていたが、こうまでおっかなそうなおばちゃんとは思わなかった。まずは体つきはもちろん腕っ節も正義に負けず劣らずと見える、逞しい女丈夫だ。

緊張して中へ入る。

入ったところが広い土間で、すぐの部屋が昔ながらの大きないろりを切った居間。ふすまの向うが寝間らしい、典型的な農家の造りである。柱も天井も棚の戸も真黒に黒光りしているが、さすがに今では薪は使わないとみえて、いろりには炭がおこっていて、五徳のうえの大きなやかんが湯気を吹いている。

「まあ、ほんとに何年ぶりになりますやろ。こんなあばら屋に、奥さまにお出でいただけるなんぞ、ほんままだ夢のようで……何からお話ししていいのやら……」

くーちゃんは、刀自を上座にすえて、またひっきりなしに袖で涙を拭いながら、話しかけながらお茶の支度に忙しくて、依然かれらのほうはふり向きもしない。

「あのなあ、くーちゃん……」

刀自が健次たちに気を配って話そうとするのを、

「まあまあ、とにかくお茶を一杯。奥さまにあがっていただくようなお茶ではありまへんのやけど……そや、そや、せめてお茶碗なりとすこしはましなのを」

慌しく立って、棚をガタピシいわせながら、

「ほんまに奥さま、ちっともお変わりになりませんなあ。前よりお若うなったのと違いますか。おぐしなんぞも黒々して……染めてはるのとちがいますやろ。染めたのでは、そない艶は出えへんもんなあ」

よほどの上客用とみえる金の縁取りをした茶碗を出して来て、恭《うやうや》しく勧めて、

「あんたもなあ、相変わらず元気で……」

刀自が言いかけると、大きな手を振って、

「いえいえ、もうあきまへんわ。昔は米の四斗俵ひょいと担ぎましたもんやけど、このごろは炭の四貫俵両手に持ちますと腕が痛うなるような始末でしてなあ。それに奥さま、何といいましても独り暮しはわびしいもんでしてなあ。あんなろくでなしでも、今になると、ときどき亭主野郎のこと思い出すことがあるんやからふしぎですわ……」と次から次へとめどがない。

「そういや、さっき家の中でドシンという音しましたなあ。あれ、何でしたの」刀自が仕方なさそうに相手になると、茶盆で顔を隠して、小娘のように体をくねらせて、くっくっと笑い出す。

「いややわ、奥さま。いつになってもそそっかしゅうて、へまばっかりしておりますがな。お声がしましたときな、ちょうど風呂からあがりまして、晩の仕度しようと米びつの米計りよっ

たとこでしてな。奥さまや、思うて、夢中になって米びつ放り出して、納戸部屋かけ抜けようとしましたら、着替え出したばっかりやよって、引出しが一つ出っ放しになっておりましたんや。ええい、邪魔や思うてピシャッとしめましたら、奥さま、拍子いうたらこわいもんだすなあ。その勢いでタンスの上半分がぐらっと行きよりましてな。うしろが障子戸やったもんやから、そのままドスン……。掛け金がばかになってましたんやなあ」

「ほな、くーちゃん、タンス突っ転ばして、飛び出して来たんか」

「そやから拍子や言うとりますがな。そや、米で思い出しましたわ。奥さまご夕食まだだっしゃろ。ほんまきょうは運が好かったわ。めったに来いへんのやけど、尾鷲からバイクで来る魚屋はんがありましてな。たまには口の栄養せんならん思いまして、カジキを半本買うときましたんや。お珍しゅうもありまへんやろけど、けさ浜で獲れたばっかしやから、新鮮なことは請け合いだすわ。すぐ支度しますよって……」

いそいそと立ったのを、刀自が声を張りあげて、「くーちゃんや」と呼び止めた。

「はい」と答えて、すぐひざを突いたのは、少女時代からの柳川家の訓練だったのであろう。

「実はな」と刀自は漸く話し出す。「今夜来ましたのは、遊びに来たのとちがいますねん。ちょっとわけがありましてな。当分くーちゃんのお世話になりたいんですわ。藪から棒にこないな無理言うてえろうすまんのやけど、聞いてもらえますやろか」

「奥さまが？　こんなうちに？」

茫然としたのは数瞬だった。急いできらっと光った目を拭いて、「はい」と力強くうなずいた。

「どないなわけやら存じまへんけど、奥さまがそうおっしゃるのは、よくよくのことでございましょう。どうぞ、当分などとおっしゃらず、三月でも半年でも、居ておくれやす。くら、身命にかえてお世話いたします。こない山家のことやし、思うほどのことはでけしまへんけどなあ」

「ほな、聞いてもらえますか」

「何をおっしゃいますのや。もったいない。くら、当分おるぞ――その一言で宜しゅうおますやないか。ええ。拝んでもお願いしても、居ていただきますがな」

「それがな、くーちゃん」刀自はさすがに言いにくそうに、「私ひとりではありまへんのや。この三人も一緒にお願いしたいんですわ」

「あ、お供の衆だっか」

くーちゃんは、初めて気がついたように、土間の健次たちのほうを向く。

……この一瞬を、健次たちは最も恐れていたのである。

人質や関係者に絶対素顔をさらしてはならぬ、というのは、誘拐者の鉄則だ。健次たちもそのために最善の努力を払って来た。かれらの決めた暗号名では、第一種（白マスク）、第二種（サングラスと白マスク）、第三種（二枚のストッキングとサングラスを使った完全覆面）の三つの方式で、最低でも第一種――白マスクなしでは人中を出歩いたことがない。

現在は第二種。マスクとサングラスだ。道案内をしてもらうために刀自の目隠しを外さざるを得なくなって、森を出てからは第一種だったのを急いで切りかえたのである。

「あまりええフィーリングやおまへんな。見るからにギャングか銀行強盗いうとこや」

水中メガネをとって初めてかれらを眺めたときの刀自の寸評だ。

「しゃあないわ。これがおれたちの生命線やもん」

「くーちゃんのうちへ行かはっても、そのかっこうで通すおつもりか」

「そのほかないわな。顔見せるわけにはいかんのやさかい。……どうやろ？　これではくーちゃん、うちへ入れてくれへんやろか？」

「心配いらんわ。私があんじょう言うてあげるよって」

刀自はあっさり請け合ってくれたが、その刀自でさえギャングか強盗かという風態のものを三人も、果してすんなりと呑んでくれるものやら、それともヒステリーでも起こされて何もかもぶっこわしになるものやら、その反応一つでこれからの運命も決ってしまうのである。

あがれとも言ってくれないので、三人とも土間に立ったまま、はらはらしながらくーちゃんの動きを追っていて、いよいよその大きな目が正面から当てられたときは、

〈さあ、右か左か〉

健次でさえ、一瞬くらっと目がくらんだほどだ。

次の瞬間、耳に入ってきたのは、主従のおかしな問答の声だった。

「これは気いつきませんでしたわ。おつきの人たち、目がお悪いんでっか」とくーちゃんが聞いている。

「いえ、そういうわけではありまへんのやけどな」と刀自が弁解している。「これもちょいとわけがありましてな。この人たちの素顔、あんまり人に見せとうないんですのや」

「へーえ。世を忍ぶ仮の姿、いうわけでっか。いったい正体は何者だす?」

「それもはっきりはいえへんのやけど、そやな、世を忍ぶ……つまり昔の忍者みたいなもんや思うてくれはったら、当らずといえども遠からずやな」

「忍者? あの出たり消えたりする忍者? こらおもろいわ」くーちゃんはくっくっと笑っている。「奥さまらしゅうおますな。そないなもん使うて、何をお始めになるつもりだす?」

「あしたになればわかりますわ。途方もない大騒ぎが持ちあがるよってな。……そや、大筋だけは言っておいたほうがええやろ。なあ、くーちゃん。実はな、私、このものたちに誘拐されたいうことになりますんや」

「へーえ。奥さまが……こないなちんぴらに……」

くーちゃんは感に堪えたように刀自を見つめて、

「またえらいことお考えになったもんだすなあ。奥さまのことやから、深いお考えがおありでっしゃろけど。……へーえ。そうしておいて、実はうちへお隠れになる。なるほどなあ。誘拐されたいうことになっていれば、ここならだれも探しにくる気遣いはありまへんもんなあ。奥さま、こらおもろいわ」

「おもろいと思うてくれまっか」

「思うも思わんも、こんなおもろいこと、生まれて初めてや。……そやけど、奥さま。お子さまたちは知ってはりますねんやろな」

「そら、子らが知らんことには、こないな芝居は打てませんがな。そやけど、くーちゃん、そのことは絶対の秘密やで」

「わかっとりますがな。こら、ほんまに大芝居や」

くーちゃんは天真爛漫な笑顔で、三人を一べつして、

「お邸の回りでは、ついぞ見かけんものたちだすな。どこで拾うて来はりました？」

「それも秘密や。そうそう、当分ご厄介になるんやから、名無しの権兵衛いうわけにはいかへんな。紹介しまひょ」

刀自は一人一人に目を移しながら、

「雷太郎……風太郎……雨太郎」と名を呼びあげる。太郎をつけたのは即座の思いつきらしい。

「雷に風に雨だっか。忍者らしい名前やな。どうや、おまえたち、顔見せに一つずつ芸をやってみせてんか」

すっかり悦に入ったくーちゃんが無理を言い出して、慌てたのは健次たちより刀自だった。

「くーちゃん、そらあかんわ。忍者みたいなもんやけど、忍者そのものやあらへんさかい、芸いうもんは持合わせがないんや」

「何や、芸なしの忍者だっか。でもアホと鋏は何とかいうよって、これでも使い道はありますんやろな。ほれ、おまえたち。そうと話が決ったら、いつまでもそれこそアホみたいに突っ立っててんと、上がるなり何なりしたらいいがな。……そやけど、ちょいと困りましたなあ」

「何やね」

「奥さまは客用のがありますよって大事おまへんけど、布団の余分いうもんがありまへんのや。亭主野郎のは棺に入れて一緒に焼いてしまいましたよってなあ。それと寝場所や。ここはいろりのそばやから危いし、といって他に寝るとこあらへんし……」

この難題も刀自の口利きで、どうやら解決した。一人が用心棒ということで、毛布を一枚借りていろりの間に居残って、あとの二人は、母屋とL字形に建っている納屋の二階で、積わらを布団代わりに寝ることになったのだ。

気がかりだったマークIIは、これも刀自の口添えで、母屋の裏にある古い物置小屋に格納させてもらい、刀自にだけ刺身が別についた夕食を、二人が寝んだあと相伴になり、終りに残り湯を浴びさせてもらって、最初の見張役兼刀自のいわゆる用心棒に平太を残して、健次と正義が当てがわれた納屋に引き取ったのは十時に近かった。

車の非常用ライトで危い足元を照らしながら、二階への梯子を這いあがったころ、一時曇っていた空の雲が切れて、明るい月の光が窓からさしこんで来た。初めて気がついたが、ちょうど今夜は満月だ。

「おれこんなことは慣れとるで。兄さんは見とってや」

そう言って、正義がかいがいしく作ってくれたわらの寝床に、着のみ着のままでごろっと横になると、「あーあ」と腹の底からため息が出た。

「疲れたのう」

「ああ、疲れたわ」

「それでも何とかなったやないか」

「ああ、何とかなったわ」

「まだ安心はできへんで。勝負はこれからやからな」

「ああ、勝負はこれからや」

会話はそれで途切れて、二人はしばらく窓の月を眺めていた。このひと月、ゆっくり仰いだこともない月だ。月だけではなかった。天下の景勝といわれる津ノ谷村をあれだけ走り回りながら、しみじみと景色を眺める間もない東奔西走の毎日だったのだ。

それも今日で一段落のときが来た。あしたからいよいよ本番の戦いが始まるのである。

体の芯までじーんという疲れが残っているのに、ふしぎに目が冴えて寝つかれない。

「兄さんや」と正義の眠そうな声がした。「何やら変な気分、せえへんか」

「変な？」

「ああ。おれたち誘拐犯やろ。おばあちゃん人質やろ」

「当り前やないか」

「それがや。人質は客用の布団でゆっくり寝とる。おれたちはわらん中でお月見しとる……」

「それがどないしたんや」

「どないした、いうこともないんやけどな……」

あくびが聞こえて、間もなく寝息に変わった。

苦笑いして寝返りを打ちながら、健次はふと心の底にトゲみたいに引っかかっているものを感じる。……それが何かは、はっきりと思い出せなかったが。

第四章　童子爆弾を投下する

1

十六日早朝にスタートした井狩のいわゆる「和戦両様の構え」は、その日の午後には万全の態勢を完了した。

犯人からの連絡に備えて、柳川本家には国二郎が、また新宮の柳川製材株式会社の社長室には国二郎の代理として弟の大作が待機することになり、二人を囲んで本邸に設けられた前進本部の精鋭をえりすぐった係官が配備された。ここの現地指揮官は、鎌田捜査一課長だった。

犯人は当然電話を使うものと予想されるので、電話の傍聴・録音・逆探知には最新の設備と工夫が凝らされた。通常の親子電話などを使ったりすると、台から外すときのカチッという音が入って、犯人に警戒されるおそれがあるので、受話器に直接、レコーダー室とイヤホーンに接続する盗聴マイクを取り付けた。

家人が送受器を取ると、その部屋から防音設備で隔離されたレコーダー室のスイッチが自動的にオンになって、スピーカーから相手の声が流れて録音が始まる。家人の回りには二人の係官が詰めていて、イヤホーンで同時に聞く、という方式である。

この方式だと、居合わせた全員がじかに犯人の声を聞いて、直ちに必要な行動に移れるという利点があった。

同時に津ノ谷村を範囲に持つ新宮の電電公社と前進本部のあいだに専用線が引かれて、公社には逆探知の専門家と係官のチームが配置された。

相手を犯人と確認次第、専用線で指令が飛んで、即時逆探知作業を開始するというシステムで、これも考えられる限りの最善の方法だった。

身代金も、とりあえず二億円の現金を取引銀行で用意して、電話一本で、制服警官が護衛して、本邸へ届けることになっていた。

この一方では、特別捜査本部にどっかり腰を据えた井狩自身の指揮と、隣接府県警本部の協力で、犯人の足どり調査が精力的に進行中だった。

犯人の潜伏地域と目される紀伊半島の全域にわたって、主要道路では和歌山、奈良、三重各県のパトロールが、刀自の写真と犯人の特徴を印刷した手配書を片手に検問の目を光らせていたし、主要都市では百数十班もの聞き込み部隊が、あらゆるマンション、アパート、貸家、旅館などをしらみつぶしに洗っていた。

刀自の知名度に加えて、井狩のアピールがものをいって、テレビではくり返し事件のデータを流していたし、地元各紙は夕刊のトップに大々的に報道したので、一般市民の協力も目覚ましかった。

刀自の恩顧を受けた個人や団体の代表者たちのあいだでは、刀自の救出をめざす市民団体を結成する動きが始まっていたし、各警察署、派出所、駐在所などを通じて、本部へ集まってくる情報の量は、特に夕刊発行後の午後になると爆発的に増加した。現地の津ノ谷村では村民の熱意は格別で、各中・小学校では、朝礼のとき校長が事件の話をして、「皆さんの知っていることがあったら、さっそく担任の先生にお話ししましょう」と児童・生徒に呼びかけた。

こうした動きは時間とともに広がる一方で、あちこちで過熱現象すら発生した。刀自のような小柄な老婦人や、犯人に似た体つきの男たちは、どこかで疑惑の目の洗礼を浴びるのを免れなかったし、中でも災難なのはマークIIのオーナーたちだった。和歌山のあるデパートでは、三十分ほどの買物をした女性客が、駐車場へ戻ると、愛車のまわりに人垣ができていて、その中で待ち受けていた警官にウムをいわさず署へ連行されるという事件が起きた。警察では、殺気立った群衆から保護するために止むを得なかった、と弁明しているが、むろん事件とは何の関係もないサラリーマンの妻だった。この種の悲喜劇が随所で続発したので、社員たちに当分この車での通勤はまかりならぬと禁令を出す会社も出たほどだ。

……しかし。

短い秋の日が、かけ足で夕暮れに近付くにつれて、井狩をはじめ本部の係官たちの面には、次第に重い色が漂い始めていた。

捜査陣の士気も、一般人の協力ぶりも、まことに申し分がない。現地の村民や児童たちから、事件の前や当日、犯人らしい一味、あるいは車を見かけたという情報が相次いで、かれらが潜伏していた地点や行動についての当初の見込みは着々と裏付けられていたし、中には逃走中の車らしいものを目撃した、という報告もあって、そのニュースが前進本部から伝えられたときは、本部の空気は目に見えて緊張した。目撃者は渋谷という村民で、彼は係官に次のように述べている（要旨）。

「私、そのとき山のシイタケの室を見に行った帰りで、時間は五時ちょっと前だったと思います。歩いていると、向かいの山のふもとに、キラキラ光るものが見えるので、何やろうと思ってよく見ると一台の車でした。街道から外れていて、車が入るようなとこでないから、おかしいな、と思って、もう少し近くへ来てまた見ると、車は山肌に鼻をくっつけるようにして止まっていて、ステップに二人の男が腰かけていました。大きいのと小さいのと二人で、どっちも白マスクをかけていました。どれくらい前からそこにいたのかわかりませんが、私が見たとき、大きい方が両手を伸ばしてアクビしていましたから、何か退屈でもしているようでした。車の中は見えませんでしたし、他には人はいなかったと思います。車は黒のセダンで、車型はわからんですけど、写真を見るとマークIIというのによく似ています」

地図で調べると、目撃地点は現場から約四十キロ北の三浦付近である。二人の風貌も、車の特徴もデータと一致するから、一味に間違いないと思われるが、問題はもう一人がいなかったということ、それに何よりおかしいのは車が止まっていた、ということだ。

犯行時刻が三時半。現場からそこまでは道が悪路だから一時間かかったとして四時半。三十分内外ものズレがある。一秒でも早く逃げのびなくてはならない犯人にそんな道草を食っているひまはないはずだ。

その疑問は、地図を睨んでいるうちに解けて来た。そのコースを進むと、道はまもなく左右に分かれるが、左手は通行不可能箇所があるから右折して国道に出なくてはならない。それまでの所要時間約三十分というのがその答えである。

「そうか。暗くなるまえに国道へ出ると、中の刀自が人目につく心配があるから、やつらそこで時間待ちしとったわけか」

係官たちはうなって顔を見合わせた。

「つまり、吉村紀美を逃がしても、発覚までにはまだ充分間がある、と計算していたわけだ」

「それにしたって、現場からたった一時間だぜ。そんな目と鼻のとこで、悠々とアクビなんかしとるとは、本部長、こいつら、タダの鼠じゃありませんね」

……そして、それが確実な足どりの最後だった。以後も山のような情報は集まっているが、分析してゆくと、どれも見当違いだったり不確実だったりで、これというものは、何ひとつ浮かんで来ない。ここで手がかりはぷっつり切れてしまっているのである。

アジト捜査の方も状況は大同小異だった。有望らしい情報はいくつかあって、中でも和歌山市の郊外に小さなアパートを持っている家主からの通報がもたらされたときは、「うん、そいつだ」とひざを打った係官もあったほどだ。約一カ月まえ、一人の男に二つ並びの部屋を、二カ月分の部屋代前払いで貸したが、あまり使っている様子がない。しかも、その男は、二十三、四の小柄な若者で、会ったときはいつも白マスクをかけていた、というから、状況も風貌もぴったり符合するのである。

さっそく現地へ飛んで調べると、部屋は両方ともカギがかかっていて、人のいる様子はない。家主に立会ってもらって中を調べると、一方の部屋には布団が二組敷放しになっていて、どちらもほこりを冠っていた。その様子から見ると、ここ一週間ぐらいは使った形跡がない。ほかには家具ひとつ見当らない。もう一つの部屋はもっとさっぱりしていて、押入れにはやはり布団が二組しまってあるだけだった。布団は全部、隣町の貸布団屋のものである。

ついでその貸布団屋を調べると、電話で月極めで借りたいという注文があって届けたといい、そのとき会ったのは、家主の証言と同じ若者で、それも代金は一カ月分前払いで受け取っている。

ほかにも、借手の名が木村太郎とあって、いかにも偽名じみていること、ドアの把手が拭ってあったらしくて指紋がついていないことなど、疑わしい点はいろいろあって、クサいことはクサいが、このときは事件発生からもう一昼夜も経っている。それが寄りついた様子もないのでは話にならない。

念のために監視要員を残して引きあげたが、他の情報も似たり寄ったりで、本命らしいものはついに浮かんで来なかった。

足どりは全く不明。そして鎌田らが手ぐすね引いている柳川家には、夜に入っても犯人からの接触はない。

「なあに、どこに潜ろうと、きっといぶり出してみせるさ」

夜十時の記者会見に臨んだ井狩の強気の一言だが、実質的には何の進展もないままで、捜査の第二日は慌しく過ぎて行った。

2

健次たちの朝は、正義ショックに始まった。

彼と平太は夜中に見張り当番を交代して、その朝、納屋の二階で健次とわらの寝床にもぐっていたのは平太だが、母屋のガタピシという気配で、寝ぼけ眼をこすりながら、中庭を見下したとたん、キャッと悲鳴をあげた。

「兄さん、えらいこっちゃ。風の兄ちゃん、素顔で出て来よったわ」

「何やと」

驚いて、はね起きて、窓へ顔を出すと、なるほど今母屋から中庭を歩いてくる正義は、サングラスも白マスクもかけていない。

「あいつ、気でもふれおったんか。誘拐犯たるもんが……」

カッとなって、急いで二階から下りかけたところへ、正義が大きな手を振って何やら合図しながら、のっそり納屋へ入って来た。

これからは梯子の中段の健次と、下の正義との問答だ。

「どないしたんや、おまえ」

「おれも驚いたわ。自然とこういうことになってしもうたんや」

「だから、なんでやと聞いとるんやないか」

「朝、起きてな。おばあちゃんとおばさん、食事始めよったもんで、おれこのあいだに顔洗っとこう思うて、裏の井戸端へ行ったんや」

「それがどないした」

「兄さんの前やけど、グラスとマスクかけとったら、顔洗えんわな」

「当りまえや」

「それでおれ、グラスとマスク外して、ジャンパーのポケットに入れて、顔洗いよったんや。そしたら、何か気配がしよるんで、ひょいと顔を上げたら、驚いたわ、兄さん。目の前に若い女の子が立っとるんや。自転車引いてな」

「何やって？」

「裏の畑の方から入って来たんやな。水のバシャバシャいう音で、全然聞こえんかったんや」

「…………」

「目を丸くしておれを見とって、お早よう、いうから、おれもお早よういうた。そしたら、おれの方ちょいちょい見ながら、家へ入って行きよった。わッ、大変や、思うたけど、もう間に合わんやないか」

「それで？　どないした？」

「おれも顔拭いて、あとから家へ入った。メガネとマスク、どないしようと思うたんやけど、これからかけたらおかしなもんや思うて、そのままでな」

「それよりおばあちゃんや。おばあちゃんはどないしたんや」

「入ったらな。女の子、入口の縁に腰かけて、おばさんと話しよった。おばあちゃんは見えなんだ。声聞いて、さっと奥に隠れたんやな。食べかけたお膳、おばさんが背中でかばいよったわ」

「……そうか。ほな、おばあちゃんは見つからなんだんやな」

「やと思う。女の子、何にも言わなんだもんな。おばさんと話しよったのはおれのことや。あの人、どこの人やって」

「うン？」

「兄さん、あのくーちゃんは役者やで。素顔のおれ見て驚いたはずやけど、全然色にも出さんで、ああ、これか。これは遠縁のもんで、畑の手伝いに来てくれたんや。平気でそういうんやさかいな。それから女の子のこと、この人はな、隣村のもんで、私が一人で寂しかろう、いうて、時々こうして来てくれるんや、とおれに話すんや。けさもそろそろ早生《わせ》の刈り入れや思うて来たらしいんやな。……そこまではまだよかったわ。あとが困ったわ」

「うン？」

「そしたら女の子、邦子言います。邦はホウという字です、とおれにあいさつするんや。向うが名乗ったんやさかい、こっちも黙っとるわけにいかへん。……兄さん、おれほんまに弱ったわ」

「……おまえ、まさか、本名を名乗ったわけやないやろな」

「そやかてなあ、兄さん。うその名いうもんはそう急に出てくるもんやあらへんで。それに風太郎なんておかしな名、言うわけにもいかんしなあ」

「本名言うたんか」

「しゃあないやないか。自分の名を言うのに、そう考えとったらへんなもんやし。そやけど半分だけやで。姓はいわなんだもんな。……そや、そや、おれあまりぐずぐずしておられんのや。そないなことになったもんやから、これから三人で稲刈りに行かんならん。おれ今、鎌探しに来とることになってんのや……」

言っているうちに中庭から、

「正義、何してんのや。鎌まだ見つからんか」とくーちゃんの大きな声がした。

「あった。あった。すぐ行くわ」正義も大声で答えて、健次にウインクした。

「ほんとは在り場所、教わって来たんや。……えーと、兄さんたちのめし、母屋に用意してあるよってな。それから……ほかのことはおばあちゃんが知っとるわ」

急いで、真新しい柄の鎌を壁から外して、納屋をとび出してゆく。

二階へ戻って窓からのぞくと、三人は上機嫌のくーちゃんを真中にして、ぞろぞろ庭の入口へ向かうところだった。

邦子という女の子は、色白のふっくらした顔立ちで、体つきもすらりとしたなかなかのカワイ子ちゃんだ。明るい笑顔で、しきりにくーちゃんに話しかけている。かいがいしい野良着姿の赤い帯が、清楚な中に少女らしい初々しい色気を漂わせて、目にしみるようである。

三人がいちいの生垣の向うへ消えるのを見送って、健次は思わずがっくり肩を落す。

「誘拐犯が稲刈りの手伝いかいな。世の中変わったもんや。こっちの調子まで狂ってくるがな」

「そやけどなあ、兄さん」一緒にのぞいていた平太がほっとした声で、

「これぐらいで済んでよかったわ。おばあちゃんがうまいこと隠れてくれなんだら、それこそ一大事やったやないか。ようお礼言うといてや」

「何をいうねん。おれたちも、ちゃんと約束は守っとる。お互いっこやないか」

「そらそやけど……」

「そういうことなんや。おばあちゃんも約束したとおりのことをしたまでや。それどころやあらへん。きょうはこれから大仕事やで。風の分まで二人でやらんならんのやからな」

……だが、そう気合を入れながら、健次は初めて胸の中に、不安のようなものが萌《きざ》したのを感ずる。こう第一歩からレールが外れてきて、「これからの大仕事」が目論見どおり進むだろうかという不安である。

あるいは虫の知らせというものかもしれなかった。母屋で健次たちを待っていたのは、さらにケタ外れに大きい刀自ショックだったのだ。

刀自はきのうと同様につつましく礼儀正しかった。二人の食事がすむのを奥の部屋で待っていて、サングラスと白マスクに戻る頃合いを見計らって、「よろしゅうおますか」と声をかけてから、静かにふすまを開けて入ってきて、自分用の上等な座布団にキチンと正座した。

「くーちゃんから聞きましたんですがなあ」と断って、ここは一軒ポツンと離れているので配り手がなくて新聞を取っていないこと、来るのは郵便の集配員と隣組の回覧ぐらいだが、それも五日か十日に一ぺん程度で、黙っていれば郵便箱に入れて帰ってしまうから、だれが来ても返事をしなければいいことなど、留守中の注意を手短かに伝えてから、穏やかな声で、「ところでなあ」と言った。

「あんたらもご存知やろけど、ラジオで聞きますと大変な騒ぎになっておるようですなあ。井狩はんは県下の全警官を動員して、絶対あんたらを追いつめて見せる、と見得を切ってはるし、一般の方々も、お隣の奈良や三重の県警も、よう協力してはるようでしてなあ。そこで私も当事者やから、あんたらがこれからどないな手順と方法でお進めになるつもりか、大体のところを伺っておくと好都合や思いますんやけど、どうでっしゃろ、差支えない範囲でお話ししてもらえまへんやろか」

「そうやなあ」と健次は腕を組んだ。しばらく考えて、

「おばあちゃんにはこんな隠れ家を世話してもろうた義理もあるさかい、そないに下手に出て頼まれると、まんざらツンボ桟敷においとくわけにもいかへんやろな。おばあちゃんが知りたいいうんは、どんなことや？」

「そうですなあ」と刀自も首をかしげて、

「さし当っては身代金の額と、それを家のもんに伝える方法でしょうかなあ」

「額はともかく、方法いうたら電話に決っとるやないか。それぐらい秘密でも何でもないわ」

健次は何を聞くのかという顔をした。

「むろん赤電話やで。マークIIは使えんけど、バイクがあるさかい、夜になったらどこか近くの町に出て、赤電話でかけるつもりや。昼は人目に立つ心配があるよってな」

「ほう。……近くの町で……赤電話で……」

刀自は、じっと健次の目を見つめて、わきの平太に目を移して、また健次に戻す。

いぶかしそうな言い方も気になるし、そうじいっと見ていられては、何だか尻の穴がこそばゆくなってくる。

こらえ性のない平太の方が、つい先に口を出した。

「おばあちゃん。ちょっとおかしなものの言いようやな。赤電話使うたらいかんわけでもある言わはるんか」

刀自は平太に柔らかい微笑を見せて、

「そないなことあらしまへん。あんたらが考えはることやし、最も常識的な方法ですしなあ。……ただ、なあ」

「ただ……何やね」

「ただなあ……最も常識的いうことは、警察もそう考えることやないかと思いましてなあ。柳川家には当然、逆探知の用意がある思いますんやけど……そのへんがなあ」

「それぐらいわかっとるがな」と健次も黙っていられなくなった。

「そんな幼稚なヘマするおれたちやないわ。用件だけいうたら、ガチャッと切って、はい、さよならや。サツも突き止めるヒマなんぞあらへんがな」

「それでもなあ。かけた場所は確実にわかりますわなあ。一方が切っても先方が切らなんだら、電話線はつながったままの状態ですよってなあ。……それになあ。身代金の交渉は複雑ですよって、一遍きりというわけにいかしまへんやろ。度々、場所は変えなはっても、何遍もかけてはるうちに、およその隠れ家の見当はついて来ますわなあ。そうなると、いくらここでも、まるきり安全いうわけにいかんようにならしまへんか。……それからなあ」

「うン？」

「声も残りますわなあ。向うには当然録音の用意もありますよってなあ。そらあんたらのことやから、口に何か含むなり、ハンカチを当てるなりして、抜け目なく声を変えはる思いますけど、声紋いうんでしたかいな、高低とか音域とか発音とかサイクル数とか、人間の声の本質いうもんは、そないな工夫ぐらいでは変えようがないんやそうですわなあ。録音を専門家が分析すればすぐわかることやから、随分危い証拠を残すことになりますわなあ。……そしてなあ」

「う？　まだあるんかいな」

「これが一番大事なことですけどなあ。こうして事件が知れ渡った以上は、偽電話いうこともありますよって、向うでは先ず第一に、あんたらが犯人やいう証拠を示せ言いますわなあ。当然の要求やから、あんたらもそれに答えんならん。ところで、どないして証明します？　むろん、あんたのことやから、お考えはある、とは思いますけどなあ」

「う、うーン」

「私を電話口へ出せば、一番ええわけですわなあ。録音テープなんぞでは、いま元気やいう証拠になりまへんよってなあ。でも、それには私を、どこぞの赤電話まで連れて行かななりませんわなあ。バイクのお尻へ乗っけて、いうたら、只今犯人通行中いうPRするようなもんやさかい、あの危いマークIIいうのん使うほかありませんなあ。そないな車、赤電話の前へ止めて、電話かけよったら、さぞ人目につくことでっしゃろなあ。それやったら、車は離れたところへ止めて、赤電話までトコトコ歩く、いうのんも……これはもっといけませんわなあ。あんたはそのサングラスに白マスク。私も素顔いうわけにはいかんから黒マスクでもかけて、そないな二人が道中しよったら、どんな小さな町でも、赤電話へ着くまでに回りは人の山になってしまいますよってなあ」

「わ、わかったわ」と健次はついに悲鳴を挙げた。そんな情景を想像するだけで冷汗がわいて来そうだ。

「電話が危いうことは、もともと百も承知の上やったんや。そうやな。電話はやめや。手紙に切りかえや。これなら文句ないやろ。集配局のスタンプだけやったら、電話の逆探知と違うて、そう簡単にあとをたどるというわけにいかへんからな」

刀自は優しくうなずいた。

「それも大きな局ほどなあ。……で、どないな？」

「どないいうて、あ、さよか。筆跡とか指紋の心配か。そんなことに抜かりはあらへんわ。中も封筒も、手袋はめて指紋なんぞつけんようにするし、筆跡は……そやな、いくらでも工夫はあるわ。定規使うて線引いてもええし、新聞の活字、切り抜いて張ってもええし」

「手間がかかりまんな。新聞利用するんやったら、いま学生さんがよう使うてはるマークペンが宜しいわ。上へ塗って、下の字がよう見えるインクでな。黄色が一番鮮やかでええか知れませんな。……でも、偽電話と同じで偽手紙もあることやから、手紙いうても犯人いう証明は必要ですわな。その工夫はどないにしはる？　私の持物でも入れまっか？　あいにく山歩きの途中やったもんで、これというもの何も持合わせがないのやけどな」

「うーん。犯人の証明か」

健次はうなって考えこんだ。

そのうちに浮かんで来たのが、さっきの刀自の言葉だった。電話なら刀自を電話口へ出せばいい。では手紙だったら……？

「そや」と指をポキンと鳴らした。

「ええこと思いついたわ。おばあちゃんに書いてもらうんや」

「え？」と刀自はふしぎそうな顔をする。

「つまりやな、おれたちの要求を、おばあちゃんが代筆するわけや。犯人はこうこう言うています、いうてな。これなら指紋も筆跡の工夫もへったくれもないわ。定規も新聞も要らん。それに持物も要らん。おばあちゃんが書いたいうこと自体が、おれたちが犯人いう何よりの証明やさかいな。どや、名案やろ」

「ほう」と刀自は賛嘆の声を発した。

「なるほどなあ。それなら間違いありませんなあ。あとに残るのは私が書いた手紙だけやから、あんたらは何一つ物証を残さんで済むわけですしなあ。ほんま、一石三鳥の名案やわ。さすがボスだけのことはありますなあ」

つくづくと見つめられて、

「いや、それほどでもないがな」健次もちょっと照れ加減で、

「これも、おばあちゃんが、いろいろヒント出してくれたからや」と花を持たせると、

「そや。ついでのことに、あんたらもひとつ名前をつけたらどうでっしゃろ」と刀自が言い出した。

「名前を？」

「さいな。一々犯人、犯人いうのもおかしなもんやし、誘拐団いうのも殺風景やし……武装ゲリラのまねやないけど、通りのいい名を作っておいたら、何かと重宝やないやろか」

「そやなあ。代筆してもらうにも、さっそく名は要るわけやなあ」

「それで一度聞きたい思うとったんやけど、あんたら、今の暗号名どこで思いつかはった？ボスが雷、正義はんが風、平太はんが雨いうのん」

「ちょっと待ってや」健次は驚いて、平太をにらみつけて、「雨！　おまえいつ本名をしゃべくったんや」

「あのな、それがな」平太は大あわてだ。「兄さんにも言うとかな、思うとったんやけど……ゆうべ、兄さんらが納屋へ行ったあとで、一人では寂しかろいうて、おばあちゃんが起きて来はって、いろいろ身の上話しとるうちについ……」

「ま、ええやないの」と刀自がとりなした。

「わざと聞き出したんやなし、名前聞いたかてくーちゃんにも漏らすことないさかい、何ちゅうことあらへんし。それより暗号の由来はどないなん？」

「そやな。もう言うてしもたもの、しょうないわ」健次も渋々妥協して、

「由来いうても大したことあらへんのや。大阪のどこのデパートやったか、今度の必要品買いに入ったら、何とかいう人の画の個展があってな。何気なく見よったら、そん中に、雷と風と雨と、三人の童子が黒い雲に乗って、空から突込んでくる絵があったんや。大きな太鼓やうちわ担いで、雨童子は水桶ひっさげて、その勢いがすごいんや。ちょうど暗号名考えとったときやから、向うも三人、こっちも三人、これにしょういうて、その場で決めたわけや。それだけのことや」

「でもそれも一つの縁やわなあ。さよか。三人の童子か。おもろいわなあ。何かそれに因んだ名が欲しいわなあ。……こうっと、ええ名ないかなあ」

考えに沈んだ刀自が、ややあって、トンとひざを叩いた。

「思いついたわ。虹の童子いうんはどうや。三人の童子はつまり暴風雨や。嵐のあとでカラッと晴れた空に、美しい虹がかかる、という趣向や。きれいやし、それに迫力もあって、あんたらにぴったりやないか」

「虹の童子……虹の童子か」

つぶやいてみて、健次は思わずニッコリした。

「ええ名やなあ。気に入ったわ。さすがはおばあちゃんやわ。平太はどうや」

平太もニコニコうなずいている。

「ええなあ。何やらちょぃとえろうなった気分や」

「お二人とも賛成か」刀自もうれしそうだった。「そやったら、そう決めよ。正義はんも異議ないやろ。ほな、お手を拝借」

刀自が音頭を取って、景気のいい拍手が鳴って、友好ムードは高潮一方だった。その直後に、足元で地雷が爆発しようなどとは夢にも思っていなかった。

きっかけは、「これで名も決ったことやし、あとは手紙書くだけやな。さっき聞きはぐったけど、身代金はなんぼにするねん」と刀自に聞かれたことだった。

「これだけや」健次は片手を開いて突き出した。

「指五本か。五本いうてもいろいろあるわな。その指、一本なんぼや」

「一千万や。五本で五千万。前から決めとったんや」

健次がそう答えた瞬間、局面はくるッと一転したのである。

刀自の顔にさっと朱がさして、小さな体が石のように固くなり、それまでの和やかさは吹っ飛んで、ひとみにまだ見たことのない、異様な光があらわれた。

「なんぼいわはった？」言った声まで変わっていた。刀自の口から出たとは思えない、氷のように冷たい、ぞっとするような声だった。

〈おいでなはったかいな〉

健次はぐいと緊張する。どんなにお互いを信用しようと、所詮は敵と味方である。五千万と聞いて顔色を変えられても、おいそれとは引っ込めない。これだけは何としても貫徹しなくてはならない額なのだ。

気合をこめて、体を乗り出した。

「五千万いうたんや。そらおばあちゃんには世話になったわ。そやけどな、それとこれとは話が別や。五千万や。ビタ一文負けるわけにはいかへんで」

……そして、その次の瞬間に、ショックが来た。

刀自は、健次のことばには耳もかさないで、いっそう冷たい、こっちまで凍りついてしまいそうな声で言ったのだ。

「あんた、この私を何と思うてはる。やせても枯れても大柳川家の当主やで。見損のうてもろうたら困るがな。私はそない安うはないわ」

「え？」

「端たは面倒やから、きりよく百億や。それより下で取引きされたら、末代までの恥さらしや。ええな。百億やで。ビタ一文負からんで」

すっくと立った。

茫然と見上げている二人に、無表情な一べつをくれると、背を向けて、奥の居間へ入って行って、ピシッとふすまをしめ切った。

4

呑気なのは正義だった。

午後の四時ごろ、くーちゃんと邦子という娘と、賑やかに話しながら帰ってくると、そのまま母屋に居座って、納屋へ戻ったのはもう七時すぎていた。

「ただいま」とそっと端っこに座りこむと、プンと酒の匂いがした。

「悪いけど、さきにめし食うて、風呂もろうて来たわ。ご苦労申しやいうて、一杯出されたもんで、ついでにご馳走になってな。しかし何やな。たまにお日さまの下で、サングラスもマスクもかけんと、のうのう動き回るいうのはええもんやな。寿命が一年ぐらい延びる気がしたわ。

……そや、そや、おれが居らなんだ分、忙しかったやろ。仕事のほうはどないな具合や」

やっと二人に目を向ける。もっとも二階の明かりというのは車の非常用ライトだけで、それも外に漏れないようにわらの中に向けて、上に布を冠せてあるから、見えるのは二人の黒い影だけである。

「どうもこうもないわ。えらいことになったんやがな」

健次がむっつり黙りこんでいるので、平太が相手になる。

「ほう、何がや」

「身代金や。おばあちゃん、五千万聞いたらカンカンに怒り出したんや」

「さよか。おれも少し高いかな思うとったんや。そいでいくらに値切るいうんや」

「その逆や。安すぎるから、もっと高うせいいうんや。ああいうおばあちゃんとなると、見識いうもんがあるんやな」

「へえ。人質のほうが値上げ交渉か。変わっとるな。そいでなんぼにした？　一億か」

「いやいや。とにかく柳川家の当主たるもんを見損のうたら困る。安い値で取引きされたら末代までの名折れや、いうさかいな」

「ははあ。ほな、一人一億の三億と吹っかけたんか。……ちょいと待ってや。一億いうたら一千万の十倍か。一千万の十倍いうと……そら大金やな。ちょっとやそっとでは使い切れんわ。その三倍もいうたら、いくらおばあちゃんでもびっくりしたやろ」

「いやいや」

「いやいや言うて、もっと上か。まさかそないなことないやろな」

「上や」

「上？　三億のもっと上？　四億？」

「いやいや」

「こら、人をアホにするのもいい加減にせい。兄さん、ほんとのとこ、なんぼや」

「…………」

「ふーん。兄さんが言わんとこ見ると、まんざらでたらめでもないんやな。こら、平太。じらさんと、早ういえ。なんぼいうことになったんや」

「そやな。当てっこしとったら夜が明けてしまうわ。正解はやな、百億や」

「な……なん言うた？　ヒャク……ヒャクの次は何や」

「億や」

「オク？　ヒャクのオク？　ほな、百……。この野郎、ふざけおって」

正義がむっくり起き直ったので、健次が言った。

「ほんまや。百億や」

「ヘッ？　ほな……ほんまの……？」

「ああ、百億や」

「そない……そないアホな」

正義は、ずしんと音を立てて、座りこんでしまって、

「兄さん。なんぼなんでも、そら無理や」

「おれたちもそう思うた」

「そいで？……そないなアホな値、呑みなはったんか」

「呑んだわけやない。そないでかいもん、呑め言われたって、そう簡単に呑めるもんやあらへん。……正義。百億いうたら、いったいどれぐらいのもんや思う？」

「そやな。一億が一千万の十倍やから、百億いうたら、一千万の十倍の……そのまた百倍の……なんぼになるねん？」

「あまり考えんほうがええで」と平太が言った。「そないして考えてゆくとな。頭の中がこんがらがって、しまいに何が何やら、わからんようになってくるがな」

「それが考えんわけにはいかんのやな」と健次は嘆息した。

「おばあちゃんは、口で百億いえばすむ。おれたちは、現実に取引きせんならんのやからな。五千万やったらアタッシェケース一つで間に合うし、ケース使わんで三人で体につけてもええ。百億と来よるとそうはいかん。いつかテレビで見たんやが、九州の何とかいうネズミ講が三十七億かの追徴金を税務署に取られよったとき、銀行で金の留め具がついた大きなトランクに札束つめて、現金輸送車に積み込んどった。トランク一つに二億円入るそうや。百億やったらトランク五十個や。そんな大荷物、どこでどう受取って、どこへ何で運ぶんや。それもサツの目をかすめながらやで。……おばあちゃんも途方もない難題言い出したもんや」

「おばあちゃんに、そう言うてやったらどうや」

「ああ、言うてやった。はじめ百億聞いたときは、おまえと同じにポーとなって、そこまで頭が回らなんだが、二人して相談して、どないしても無理やいうて談判に行った。も少し手ごろな金額考えてくれまへんか、いうてな」

「おばあちゃん、どう言うた？」

「てんで受けつけへん。だれにもできることをやったかて自慢にならん。無理や思うこと、やってのけてこそ男やないか。私を狙うほどのもんが、それぐらいの工夫がでけへんのか、いうて、逆にハッパかけられたわ」

「ふーん」

「それからこないに言わはった。あんたら自分の生活いう水準で考えるさかい、百億いうたら途方もない大金に感じるんや。ちょいと頭を切り替えてみい。そないに驚くほどの金やない、いうことがわかるはずや、とな」

「へえ。どないに切り替えるんや」

「おれもそういうて聞いた。そしたら、百億で手に入るもんを物の形にしてみたら、はっきりするやないか、言わはった」

「百億いうたら何でも買えるやないか。ラーメン一袋、スーパーで四十三円やろ。ええと、百億円のラーメンいうたら……」

「そこやがな。ラーメン単位で考えるからあかんのや。もっとでかいもん単位で考えたらどや。たとえばロッキードのトライスターや、とおばあちゃんは言うんや」

「トライスターいうたら……」

「あの日本じゅうを騒がせた旅客機や。あれ一機がいま素渡しで五十五億。予備のエンジンなどつけよったら六十億では買えへんそうや。もっと高いいうたら軍用機やな。いま自衛隊で騒いどるE2Cいう警戒機、あれなんぞは一機でなんと九十四億や。ほれみい。百億いうたかて、トライスター二機にもならへん。E2C一機がやっとの端た金やないか、とおばあちゃんは言わはった」

「ちょいと待ちいな、兄さん。おれなんぼ金があったかて、あないなもん買わへんで。第一、置くとこがあらへんやないか」

「ものの例えや。百億を物の形にしたら、そないなもんや、いうことや。おまえらの五千万いうたら、尻っ尾の羽がせいぜいや。その程度のもんに、三人もの大の男が命をかける気か、とおばあちゃんは言わはるんや」

「うーん、トライスターの尻っ尾なあ」

……実際、刀自にそう言われたとき、健次の目には、テレビか何かで見た、銀色に輝く旅客機の姿が鮮明に浮かんだものだった。

何もかも巨大だ。その中でも、ぴんと押っ立てた尾翼は、ばかばかしいほどに一際でっかい。よくこんなもんを人間が作った、とあきれるぐらいである。

しかし、いくら巨大でも尻っ尾は尻っ尾である。要するにプラモデルを引き伸ばしただけのもので、それ自体は冷たい金属の塊にすぎない。

そうだ。人間の目で見るから、巨大に威圧的に見えるのだ。人間の数百倍もの巨人の目で見下したら、あんなものはただのごみくずだ。現に成田《なりた》には毎日そんなのが何十機もウジャウジャしているではないか。百億だ、千億だといったところで、つまりはそれだけのことなのだ……。

一瞬の幻影かもしれなかった。はっと気がつくと、刀自のふんわりとしたまなざしが、柔らかく彼に当てられていた。

「どやね。トライスター単位で、ものを考えるいう気にはならへんか」

そう聞かれた。

「そやなあ。急には無理やなあ。今までがラーメン単位やったさかいな。右から左へいうわけにはいかへんわ。そやけど……」

「そやけど？」

「そないな考え方もある、いうことはわかるような気もするわ」

「それでええんや」と刀自は厳粛に言った。

「お金いうもんは怖いもんや。おまえたち、まだお金は物を買うためのもんや思うとる。お金は力や。人を生かしも殺しもでける力や、いうことがわかっとらへん。それがわかってくると、もっと怖うなる。それからやな、千円も百億も同じ金や、いうことがほんまにわかってくるのは。いまんとこはその第一歩や。お金を考えるのに、ラーメン単位もあるし、トライスター単位もある……それがわかっただけでも、一歩前進や」

……結局は、煙に巻かれたような気持で、イエスともノーとも言えずに引下って来たのだが。

「うーん。驚いたおばあちゃんやな。さっきもおれたちが帰るとな。邦子さんいるうちは、奥でコソともいわんと隠れよったけど、邦子さん帰ったら、すぐ出て来て、くーちゃんとアハハ笑っておしゃべりしとるんや。そないな気配、これぽっちも見せなんだけどな」

「あたりまえや。おくびにも出されたら困るのはこっちやないか」

「そらそやけど……で、どないするねん？　あしたまた談判する気か」

「このままでは埒明かんよって、何とかせんならんが……それがなあ」

「どないなん？」

「きょうもなあ。もしおれたちが吞まなんだら、これからは一切協力せん、いう気配をちょいちょい見せるんや。あしたまた同じことを言いに行きよったら、あのおばあちゃんのことやからなあ……」

「ガツンと来よるやろか」

「そのおそれ、なきにしも非ずやなあ」

「弱ったなあ」

正義はとうに酔いもさめ果てた感じで、げっそりと腕を組んだが、不意にパッと目を輝かせた。

「兄さんや。アホも百に一つはすばらしいこと言う、てことば知ってはるか」

「知らんな」

「おれ、ええこと思いついたんや。おばあちゃんは、そとでおれたちが何やろうとわからんわけやろ。そやから、おばあちゃんにはあんじょう言うといて、実は初めの五千万で向うとは手を打つんや。それでずらかってしもうたら、あとでおばあちゃんがどないむくれようと、知ったことやあらへんやないか」

「あかんわ」

「あン？」

「いろいろ検討したあげく、おれたちの要求は、おばあちゃんに手紙に書いてもろうて、向うへ連絡する、いうことに決っとるんや。それ以外の方法では、おれたちが本物の犯人いうことが証明でけへんし、他にも危険があって、実行不可能という結論やな。こないにしてぎゅっと首根っ子つかまれとるんやから、勝手なこと、したくてもでけへんのや」

「ふーん。やっぱりだめなようになっとるんか。まるで不動金縛りやなあ」

「そや。この難題の答がみつからんうちはなあ」

今夜は健次と正義が見張り当番の順だったが、こういうことになってはそれどころではなかった。ゆうべと同じに平太に代わってもらって、思案投首のうちに夜が更けた。

今までも何べんか、もう絶望やという壁にぶつかったことはある。だが、今度という今度は何としてもモノが大きすぎる。うとうととまどろむと、夢に出てくるのは銀色の大きなトランクばかりである。

〈二億いうたら、どれぐらいの目方があるもんやろな〉

ネズミ講のテレビで、銀行員がいかにも重そうにトランクを運んでいた姿が浮かぶ。

〈四キロ、五キロやないな。十キロかもっとありそうやな。正義やったら両手でぶらさげて運べるやろうけど、おれたちは一ぺんに一つが精々や〉

そんなことを考えながら、ちょっとまどろんだら、無数の金箱に押しつぶされて脂汗を流してもがいている夢を見た。自分のうなされる声で目がさめると、正義の大きな脚が腹の上に乗っていた。体は夢のとおりに汗びっしょりだ。

「やれやれ、仲間にも踏んだり蹴ったりや。かなわんなあ……。そやけど、何とかせな。ここでおばあちゃん怒らせて、うち追ん出されたら、一巻の終わりやもんなあ」

……健次たちにも、苦しい、多難な第二日であった。

5

捜査第三日は、第二日と同じように始まって、同じように過ぎていった。本部では係官たちが殺到する情報の点検・整理に忙殺され、町でも村でも数千の警官と、おそらく数百万にものぼる民衆の目が、犯人たちの姿を追っていた。

柳川家には悪質な電話が一つかかった。

「おばあちゃんを預かっとるもんや。無事に帰してほしかったら、現金三百万円を持って串本《くしもと》の無量寺いうお寺へ来い。お寺の裏手に良栄丸いう船の遭難記念碑が建っとるよって、その碑のうしろの台に置いとくんや。時間は今夜七時。サツに話したらあかんで。こっちは大勢おって見張っとるんやから、デカが尾行しよったら、すぐわかるさかいな。持ってくるもんは家のもん一人だけや。いまいうたこと、どれ一つでも守らなんだら、おばあちゃんは帰らんもん思え」という電話で、若い男の声だった。

「お母ちゃんを誘拐して、三百万やと？　ほんなのニセモンに決っとるわ。人の不幸につけこんで憎いやっちゃ。ええわ。わたしがその役つとめるわ」

末娘の英子が憤慨して届け役を買って出て、指定の時間に現地へ赴いた。

無量寺は円山応挙《まるやまおうきよ》の高弟、蘆雪《ろせつ》の絵を大量に蔵していて、「絵の寺」ともいわれる有名な寺だが、夜となると人の出入りもなく、裏の遭難碑の周辺はほとんど真の闇だ。

当局ではむろん寺の回りの道路全体に隠密の見張りを配したが、犯人の目につくのを警戒して、寺の中へは入っていない。それを承知で、たった一人で「犯人」が現われるのを待ち構えていたのだから、気丈なクリスチャンである。

「犯人」は三十分ほど経ってから現われた。さすがに工夫して、寺僧の服装をしていたので、堂々と寺の門から入って来たのだが、当局もつい見落したのである。

英子がいるのを懐中電灯の明かりで見て驚いたが、すぐ「金を渡せ」と迫った。

「お母さんはどこや。お母さんの姿見たら、いつでも渡すわ」英子が抗って、押し問答になったが、面倒と見て、金の入ったハトロン紙の袋を奪って逃げようとした。その指を英子がとらえて、逆手にねじ上げた。刀自直伝の護身術だったが、腹が立っていたので、力余って男の指が二本折れてしまった。

男の悲鳴で警官がとびこんで行くと、英子は「基督者《キリストしゃ》にあるまじき振舞です」と神妙に頭を下げたそうで、「犯人」はこの辺を縄張りにしている暴力団のちんぴらだった。

この報告が本部に届くと、井狩は警備陣の失態を激怒して、直ちに責任者の厳罰を命じたが、英子には腹を抱えざるを得なかった。

刀自にはこういう武勇伝はないが、小作争議が盛んだったころ、津ノ谷村でも小作人が大挙して柳川家に押し寄せたことがあって、そのときの刀自の女丈夫ぶりは、今でも伝説的に有名だ。

今の英子よりずっと若い、まだ二十代のことだったが、名目上の主人に当たる婿が恐れをなして奥へ逃げこんでしまったので、自分で応対に出て、そのときもたった一人で、広い庭内を埋めた五十人余りもの群衆を相手に、聞くべきは聞き、拒むべきは拒んで、毅然とした中に柔らかみもある、実にみごとな応接ぶりを示したので、群衆もついには納得して引きあげた。それまでは、ただの苦労知らずの若奥さまぐらいにしか見られていなかった刀自の信望が一気に高まったのは、これが契機だったという。

「やっぱり親の娘だよ。神様の下僕になっても気性は変わらんと見える」……井狩が自宅へ帰ってから夫人に漏らした寸感である。

ほかにも、ちょっと気になることがあった。犯人に対してある種の好感を示す発言がちらほら出て来たことだ。

ある地元紙は朝刊のコラムで、「この犯人は、人命無視の武装ゲリラはいうまでもなく、今までの誘拐犯とは違って、一種のけじめを持っているように見える。それは不利を承知で刀自の随伴者の少女には手も触れずに見逃しているところに、よく現われているように思われる。こうした犯人に対しては、一方的な追及だけでなく、勇気ある説得工作も必要ではなかろうか」と書いていたし、地元テレビの街頭レポでも、「意外と話のわかるやつやないやろか。少くとも凶悪犯という感じはせえへんな」という声が聞かれた。

今のところ捜査の士気に影響するような心配はないが、世論の動員を大きな武器にしている井狩ら当局としては、やはり一つの要注意の兆候にはちがいなかった。

こうした小波はあったが、捜査の主流には何の変化もないまま、また一日が過ぎた。あとから考えれば、嵐のまえの静けさというべき二日間だった。


明けて九月十八日。事件発生から四日目。

捜査本部にその衝撃的な第一報が入ったのは午後二時のことだ。

津ノ谷村の前進本部との直通電話がけたたましく鳴って、送受器を取った係官が、「一課長からの緊急連絡であります」と井狩に渡した。その一声で、広い本部室は一瞬のうちにシンとなった。だれしもが「ついに犯人接触」と直感したのだ。

「うん」とうなずいて、送受器を受けた井狩の耳に、果たして鎌田の緊張した声がとびこんだ。

「犯人からの接触がありました」

「そうか。電話は何時だ？」

「それが電話ではありません。刀自自身のお手紙であります」

「何？　刀自からの手紙？」

「はい。全文を今読みます」

「ちょっと待て。刀自のお手紙というのは確かか」

「はい。家族の方々……ここにいる国二郎、可奈子、英子のお三方が、封筒も中身もいずれも刀自の筆跡にまちがいないと確認されました。配達になったのは午後一時ごろのことでありますが、現在当家には毎日四、五十通もの見舞いの書信が寄せられておりまして、それにまさか手紙とは思いませんでしたので、英子さんが整理しておられて、発見されたのが、つい今し方のことであります。発見が遅れたことはおわびいたします」

「うん。それはよろしい。今、スピーカーとレコーダーをセットするからちょっと待て」

重要情報を即刻、全員に周知させるために、この電話機にも柳川家と同じメカニズムが装置されているのだ。井狩は係官がＯＫのサインをするのをたしかめて、

「よし。では全文を読んでくれたまえ」

メモ用紙を引き寄せて、鉛筆を握って待ちかまえる。

「はい。では読みます。発信局、和歌山。日付、本日〇八〇〇―一二〇〇。封筒の宛名は国二郎氏。裏の発信人は、住所がなく、署名は柳川内。うちそとのうちです。……本文」

鎌田一課長が読み上げていったその手紙は、聞いたもの悉《ことごと》くに大きなショックを与えて、紀伊の片田舎に起こったこの事件を、世界的大事件に発展させた直接の引き金だった。もっと端的にいえば、ある外人記者が書いているように、日本だけではなく、世界のあらゆる国の人人の心臓に投下された爆弾だった。

「はじめに……」と刀自は書いている。

はじめに。この手紙は、犯人の要求で、犯人が口述する通りに書いたものです。ですから、「我々」とあるのは、犯人たち誘拐団を指しています。この断り書きは、この手紙に限って、私、柳川とし子が犯人に頼んで書かせてもらいました。次の行からが、犯人の口述する本文です。

我々が柳川とし子刀自を誘拐した犯人グループであることは、この手紙が刀自自身の手で書かれていることから、確実に了解してもらえると考える。

我々が刀自を誘拐した目的は他にない。我々が必要とする資金を入手するために、これが唯一の手段と信じたからである。

従って、我々には、刀自に危害を加える意思は毛頭ない。刀自は安全に、そして快適に、我々に保護されている。しかし、身代金が支払われない限り、刀自の身柄を解放することができないことは、その目的からいって当然である。

我々の要求する身代金は百億円である。この数字が誤記でないことを、念のために次に算用数字で記す。

￥10,000,000,000

更に確認しておくが、右の数字の零の数は拾個である。

これで、我々が刀自を誘拐した理由が了解されたと考える。世界広しといえども、また世に大富豪は多しといえども、家族がそのために、この巨額の身代金を支払うであろうような人質は、我々が知る限り、柳川とし子刀自を措いては他にないからである。

我々はもちろん、柳川家がいかに紀州有数の富豪であっても、百億円という現金を調達するのは容易でないことは知っている。従って、そのための準備期間として、この手紙が到着してから二週間——即ち十月一日までの十四日間の時日を与えることとする。授受の方法については後日連絡する。

なお、昨今の郵便事情に鑑みて、我々の書信が予想した時日内に到達しないケースも十分に考えられるので、受領したときは、次の時間、次の方法で、次の代表者によって、我我に連絡することを要求する。以後の連絡法についても、特に指示する場合以外は同様とする。

一、時間　各日一二・一五
一、方法　和歌山テレビ、和歌山ラジオによる生放送
一、代表者　和歌山県警本部長井狩大五郎氏

代表者に家人ではなく、県警本部長を煩わすこととしたのは、つとめてビジネスライクに事を運ぶためと、本部長ならば公の場において虚偽の言を弄するはずがない、という我我の当局に対する信頼に基くものであることを付言する。

虹の童子

柳川一族各位

第五章　童子虹に立つ

1

　午後四時、井狩は本部の記者会見で、犯人の手紙の全文を公表した。「うォーッ」と潮のようにどよめいた記者団から、質問が雨のように乱れ飛んだ。初めに集中したのは「百億円」だった。

問――こういう巨額な身代金は、個人としては前例がないのではないか。
答――前例は調べていないのでわからない。しかし、常識としてその通りと思う。
問――この要求を真剣なものと考えるか。
答――資料は今発表した書信一通だけだから、率直にいって本部でも判断に迷っている。しかし、犯人がその金額をくり返し強調していることと、前後の文面からいって、少くとも真剣な意思ではない……ただのハッタリであると見なす理由は薄いように思う。要求額は百億円そのものでなくても、それに近い線ではないか。我々としては、一応そのように受け止めて対処すべきである、と考える。
問——かりに犯人が真剣として、柳川家にそんな巨額の支払い能力があるのか。
答——これから家族と協議する。それ以前はノーコメントだ。
問——犯人は現在刀自を手中にしているのだから、支払い能力についても刀自から情報を引き出しているのではないか。その結果、可能性があると思ったから、要求して来たのではないか。
答——刀自が自分からそのような情報を与えたとは考えられない。今いえるのはこれだけだ。
問——脅迫されて言わされた、とは考えられないか。
答——これもノーコメントだ。
問——この額を聞いて、本部長は驚いたか。
答——驚かないやつがいたら面が見たい。（笑声）
問——これまでは単なる営利誘拐と考えていたようだが、個人グループとすると要求が過大すぎる、とは思わないか。背後に、たとえば日本赤軍のような団体が動いているのではないか。
答——たしかに過大だが、過激派との関連は目下のところ考えられない。
問——理由は？
答——犯罪者の性格は、犯行の手口に正確に反映する。今回の手口は、日本赤軍などの武装ゲリラとは全く別種のものだ。

問——過激派以外に、巨額な資金を必要とする団体は考えられないか。

答——一つの可能性として検討している。

問——百億でなくても、たとえば二、三十億でも、柳川家が支払う、といったら、当局では認めるのか。

答——極めてむつかしい問題だ。これも率直にいうが、実は柳川家にある程度の金額は用意してもらっていた。むろん犯人に屈伏するつもりではなく、刀自の身柄の安全を確保した上で、徹底的に追及するための前段作戦だ。この方針は、基本的には今も変わりはないが、十億台もの大金となると、結果のいかんは別として、人心に与える影響が大きいから、捜査レベルの判断だけでは決めかねる面が出てくる。一度でもうまくいったとなると、模倣犯罪が続出して、日本が第二のイタリアになる危険もある。……とはいえ、金額と関係なく、刀自の救出が至上命令ということはもちろんだが。（ここで記者席は一時シンとした。こう言ったときの井狩の面には、まざまざと苦渋の色がにじみ出ていたからである。）

問——質問を変える。さっき犯人の性格は手口に現われる、と言ったが、この手紙からどんな犯人像が感じられるか。

答——したたかなやつだ。（笑声。いかにも実感がこもっていたのだ。）内容といい、書きぶりといい……ではなくて口述の口ぶりといい、ふてぶてしいと言うか、憎々しいと言うか、これが二十代の若者とは思えないぐらいだ。諸君もご存知のように、これだけの一般の協力と大捜査にもかかわらず、現在までやつらは全然尻尾を出していない。並大抵のやつじゃないとはわかっていたが、この手紙を見ると想像以上だ。我々もよほどふんどしをしめ直してかからなければならん、と思っている。

問――この手紙の用語を見ると、「措いてはない」とか、「虚偽の言を弄する」とか、今の大学生には読めないような字がある。犯人は相当の教養がある人間ではないか。

答――それはどうかな。刀自は一言一句をおろそかにされない方だから、たとえ代筆とはいえ、犯人があまり粗雑な言い方をしたら、こうしたほうがいいではないか、ぐらいのことは言われるかもしれない。記録に残る文書ということはご承知のはずだから。用語自体が犯人の人柄を反映しているとは言えないと思う。

問――犯人は、柳川家の回答期限を、二週間後の十月一日にしている。調達する手間からいえば当然のようだが、この種の事件としては異例の長期間だ。そのあいだ絶対に当局の手に落ちない、という自信があるわけだが、この点をどう思うか。

答――こんど最も頭に来たのもそれだ。犯人はほんとうに大胆不敵なのか、それとも単に独善無知なのか。我々は事実でその答を出す覚悟だ。

問――犯人の指定によると、あす零時十五分に、本部長の答を、テレビ・ラジオで同時放送せよ、となっている。この指示は実行するか。

答――犯人に意思を伝える唯一の手段だから、実行せざるを得ない、と思う。両局へは連絡ずみで、どちらからもOKを得ている。特に和歌山テレビの東社長、中沢報道局長の両君は、これも諸君がご存知のとおり、私と同様に刀自の恩顧を受けた門下生だから、今回に限らず、テレビが役に立つならいつでも使ってくれ、と熱心な協力ぶりだ。零時十五分という時間は、両方とも正午の一般ニュースのあとでローカルを流す時間に当っているから、番組上の支障もないわけで、こういうところは犯人も心得ている。

問——終わりに、犯人から「代表」に指名された感想はどうか。

答——私の名が出て来たときは、正直いってぎょっともしたし、こん畜生と腹も立った。だが、こう正面切って挑戦されては、あとへは引けない。堂々と受けて立つつもりだ。問題は最後に笑うのはどっちかだ。

会見を終えると、井狩はすぐに本部を出て、津ノ谷村へ直行した。夕食をとるひまがないので、車中で夫人が差入れたおにぎりをかじって、柳川邸へ入ったのが夜の七時。

庭内には各社のテントが林立していて、大事件特有の異常なムードが漲《みなぎ》っている。ここでも記者団の包囲攻撃に会ったが、いっさいノーコメントで押し通して、家族が待ち受ける奥の居間へ向う。

家族側は、英子の夫の田宮牧師が、そう長く教会を空けておけないのでけさ大津へ帰ったそうで、国二郎、可奈子の両夫妻に大作と英子の六人。当局側は井狩と鎌田の二人。

家族たちが思わぬ新事態に度を失って、お互いのあいだでも激しい言い争いをしていたらしいのが一目でわかった。

特に目立ったのは国二郎で、髪はくしゃくしゃになり、顔色は紙のようで、ネクタイはだらしなくゆるみ、目ばかりぎょろぎょろしている。

「ああ、井狩はん」彼の姿を見るなり、食いつくような声で、

「なんぼなんでも、こんな無茶な要求がありますかいな。犯人ども、いったい正気なんやろか。また、お母さんもお母さんや。いくら人質やいうたかて、できもせんことを、犯人の言うがままに書く、いう法がありますかいな。できんことはできん、はっきり言うてくれたら宜しいのや」刀自にまで八つ当りである。

「そのご相談なんですがね」と井狩は受けて、

「ご存知のように、あすひる、犯人に対して、こちらの意向を伝えんならんわけです。もう十分討議を尽されたようですが、どう答えたらよろしいか、皆さんの正式なご意見を伺いたいと思います」

「正式も何もあらへんわ。できんもんはできん。それだけや」と国二郎はまるで駄々っ子だ。

「お兄さん。取り乱したらみっともないやないの」可奈子が叱って、

「テレビ、ラジオで放送するんよ。こない大事件になったんやから、局はローカルでも、ネッネットワークのキー局通して全国放送になるんは決ってるわ。ひる言うたら、また皆見る時間や。日本中の人が見とるまえで、柳川家では、できんもんはできん言うとります、それで済むわけないやないの」

……なるほど、それがあったか、と井狩は負うた子に教えられる思いだ。つい捜査官根性で、テレビ、ラジオなら、どこにいても聴視できる、という便宜性しか考えなかった。

やつらの狙いはそれだけではなかったのだ。柳川家のような名家に、命から二番目に大事なのは「面子《メンツ》」だ。テレビの前に引っ張り出せば、こちらにこうした心理的プレッシャーがかかって、自分が労せずして有利な立場を占めることになるのを、ちゃんと見通した上での作戦だったのだ。わざわざ「生放送」と指定したのはおそらくそのためだ。

〈ふン。そうはいかんぞ。おあいにくだが、このおれは、ただの柳川家のロボットとして、テレビの前へ出るわけじゃないんだからな〉

口の中でつぶやきながら見ると、きょうだいのあいだでは言い争いがつづいている。

「ほな、どないしたらええんや」国二郎が可奈子に食ってかかって、

「だから、さっきから言うてるやないの」可奈子も甲高い声で応じている。「百億はむろんできへん相談やけど、こちらとしてはできるだけの誠意を示す用意はあるということは、はっきり言うとかんと」

「いうだけなら簡単や。誠意いうのは金にしてなんぼや言われたら、どないするんや」

「それは兄さんの肚やないの」

「ほな、用意してあるとおり、二億いうか」

「あほらし。五億いうのを二億に値切るんならわかるけど、百億いうとるのに、ただの二億やなんていうたら、それこそ日本中の物笑いやわ」

「そやから、何ぼにしたらええか、言うとるやないか」

「そないなこと、家を出たもんにはわからん、言うてるやないの」

議論はどうやらそのへんを堂々めぐりしているようであった。

頃合いを見て、井狩は仲介に入る。

「あしたの回答で、金額までいうことはないでしょう。交渉の初めにこっちの手の内見せることはありませんからね。可奈子さんのいわれた、できるだけの誠意を示す、という線を中心に、私から適当に言っておくことにしましょう。……それより」と鎌田を顧みて、

「おれは、まだ刀自が書かれた現物を見とらんのだが」

「は。現物は指紋等の精密鑑識のため本部へ送りました。本部長とはちょうど行き違いになったと思います。ゼロックスでコピーは取ってあります」

鎌田は答えて、カバンからコピーをとり出して渡す。

一目で井狩にも刀自とわかった。毛筆の細字で、便箋五枚に一行おきにきっちりと書かれている。何流というのか知らないが、実に自然で、なだらかで、くせのない読み易い字だ。刀自とは年賀状のやりとりぐらいしかしていないが、几帳面な刀自は必ず宛名まで自分で書いて、人任せにしなかったから、今どき珍しい毛筆ということもあって、井狩の脳裏にも、その美しい、丁寧な筆跡は鮮明に焼きついているのである。

慎重に調べて、顔を上げる。

「しっかりした字ですな。しかし、これだけではわからん」

「え？　何が？」国二郎たちはけげんな面持だ。

「お母さんが、今も安全、快適にしておられるかどうか、がですよ。……そうですな。それを

一つ武器に使ってやりましょう」

「……武器とおっしゃると？」

「やつらをあぶり出す武器にですよ」

「は？」

「やつら、この挑戦で、我々を被告にしたつもりでしょう。その逆手を取ってやるんですよ。英子さんがちんぴらをねじ上げたみたいにね」

「…………？」

「おわかりにならん？　ま、いいです。私に任せておいてください」

井狩は豪快に言い切る。このときすでに胸中には確固とした一つの目論見が熟していたのだ。彼の計算では、こんど被告の座に坐るのは犯人の番であった。

2

県警本部からテレビ、ラジオ局が同居している和歌山放送会館までは、車で二、三分の目と鼻だ。

翌十九日、正午きっかり。井狩は正面玄関で車を降りる。東テレビ、吉井ラジオ両社長と、中沢テレビ報道局長の三人が出迎えていて、案内をしながら、中沢が予定の説明をする。

「スタジオは、報道番組用の小スタジオを使います。正午からの一般ニュースは、零時十二分に終わって、三分間コマーシャル番組が入ります。正十五分に、臨時特別放送のチャイムが鳴りまして、画面に字幕が映ります。はじめにアナウンサーが井狩さんの紹介をします。時間は一分三十秒。そのあと、正面カメラが井狩さんの方を向いて、ディレクターが手を挙げて合図しますので、それをきっかけにしてお話を始めて下さい。時間は五分以内でしたら、ご自由です。ご予定は、そうはかからないとか？」

「ええ。かからんつもりです」

「時間が余りましたら、刀自救出のためのキャンペーン番組を用意してありますから、その点のご心配は要りません。……他に何か？」と両社長の方を見て、吉井が「ラジオも同時放送になります」と一言。東が「すごい視聴率が予想されますので、スポンサーが殺到しましたが、以後は別として、この放送に限っては両方とも自主放送です。刀自のご恩顧ということもありますが、民放がこういう公共性第一の放送を独占するのはめったにないことですから。むろんキー局を通じて全国放送になりますが、この点は徹底してもらっています。従ってコマーシャルのご懸念はなく」と、どちらも秒刻みの職業人らしくひとことの無駄もない。

案内されたスタジオは、ON　AIRのランプがついていて、定時ニュースの放送中だった。中沢は井狩を席へ導くと、「あの白い手袋をしたのがディレクターの小島。アナウンサーは長沼です」と耳もとでささやいて、すっと消えた。ディレクターとアナウンサーがそれぞれ目礼をする。ディレクターはともかく、原稿を読んでいるアナウンサーが目礼したのは、視聴者に、「あ、来たな」と思わせる演出にちがいなかった。

井狩は内心苦笑しながら、スタジオを見回す。前のデスクにマイクが二本。ほぼ座高の口の高さに調節されている。カメラが正面と左右一台ずつの三台。カメラマンと助手たちがより添って影のようにひっそりと立っている。画面では見慣れた放送風景だが、こうして画面中の人物としてスタジオに入ったのは井狩も初めてだ。

「あなた、あがらないでね」と出がけに夫人が言ったのを思い出す。記者会見などでライトやフラッシュを浴びるのは屁でもなかったが、なるほどスタジオの雰囲気というのは一種独特だ。「あがるもんか。このおれが」と自分に言って聞かせても、何となく体がふわふわ浮いてくるような気がすること妙である。

〈こんなとこであがって、とちったりしたら醜態だな〉思うそばから、原稿をポケットに入れたまま出し忘れているのに気がついた。アナウンサーの声は耳に入っているが、何のニュースか中身はさっぱりわからない。

〈これはいかん。ほんとにあがりかけとるぞ〉

かすかに狼狽しながら、またまわりに目を走らせて、

〈そうか〉……いいことを思いついた。

巨人の目玉のようなカメラは、いかにも無気味だ。その向うに何百万かの目があると思うとなおさら空恐ろしくなってくる。

カメラと思うからいけないのである。犯人だと思えばいいのだ。数もちょうど三台、犯人も

話してやろう〉

〈よし、中央のやつが主犯だ。右がノッポ、左がチビの共犯。この主犯のやつをにらみつけて

三人だ。

そう決めると、気持がスーッと落ちついた。チャイムが鳴ったとき、井狩は完全にいつもの自分をとり戻して、爛々とした眼を正面に据えていた。

健次たちは、奥の部屋でラジオを囲んでいた。きょうも正義は弁当持ちで、くーちゃんに畑へ連れて行かれてしまったので、刀自と健次と平太の三人だ。

初めてこの部屋へ入ったとき、テレビが見えないので、どこに置いてあるのか不審だったが、きょう刀自からテレビはないと聞いて驚いた。いくら山家でも、今どきテレビがない家があるとは思わなかったし、例の手紙のこともあった。

「回りをぐるっと山に囲まれとるから、難視聴区域なんや。四キロほど向うでは、四、五軒固まっとるから、山の上に共同アンテナ立てたそうやけど、ここは一軒やし、くーちゃんのことやから、話があっても首を縦に振るかどうか疑問やな」時間待ちのあいだの刀自の説明である。

「一人暮しで、ようそれで辛抱でけるなあ。新聞もなし、テレビもなしか」

「それに車もバイクも炊飯器もや。あるもんは冷蔵庫と洗濯機ぐらいのもんやろ」

「不便やないのかなあ」

「不便は通り越しとるわなあ。でも、くーちゃんに言わせたら、人間いうもんは何代もそない

なもんのうても暮して来たんやから、今さら不便いうことない、と言うかもしれんなあ」

「変わっとるなあ」

「そやろか」刀自は微笑した。

「二つ目があるもんが、一つ目玉の国へ行ったら、こいつは化物やいうて、目を一つえぐられてしもうた、いう話があるわなあ。私、くーちゃんのこと考えると、いつもどっちが二つ目玉で、どっちが一つ目玉の人間か、わからんようになってくるんや。変わっとるいうあんたのほうが変わっとって、くーちゃんのほうが案外ほんとかもしれんなあ。……欲も得もない。一日働いて、ああ、きょうもこれで無事やった思うて、ぐっすり眠って、厄介もんが四人転げこんでも気にもせんで、どこの馬の骨かわからんもんを平気で連れて、家は開けっ放しで、さっさと畑へ行ってしもて……こんなお人のそばにおったら、すこし心を洗われるような気、せえへんか」

「おれとは育ちが違うよってなあ。……ところでなあ、おばあちゃん。ここにテレビないのに、なんでテレビ放送せい、いうて手紙書きはったんや」

「ここにないのが、どうして向うにわかるんや」

「あん？」

「向うは、犯人は当然見とるもん思うておる。それだけでええやないか。同じことがラジオで聞けるんやから、こっちに損はあらへんし……そろそろ、時間やないかいな」

正零時十五分。チャイムが鳴って放送が始まった。

3

「全国の皆さま」と初めにアナウンサーの声が流れた。アナウンサーである以上は一度は言ってみたい、しかし一ローカル局では、これが最初で最後になるかもしれない呼びかけだ。緊張のあまりか、声が上ずっている。

「全国いうたぞ」平太がささやく。

「当りまえや。あのニュース、東京でも社会面トップやいうとったやないか」健次がささやき返す。ラジオの声が続く。

「けさから繰り返しお伝えしましたとおり、ただいまから、柳川とし子刀自略取事件の犯人に対する、和歌山県警察本部長、井狩大五郎氏の放送を、特別臨時番組としてお送りします。一県の警察本部長が、捜査中の事件の犯人に対して、民放を通じてこうした放送を行うことは、民放のテレビ、ラジオの歴史に、かつて例がないことであります。放送局としましても、その公共性が極めて重大であることを考えまして、この放送に限って、営業放送ではなく、当和歌山テレビならびにラジオの自主番組としてお届けすることになりました。これは当和歌山テレビならびにラジオだけでなく、いまごらんの全国ネットワーク各局でも同様であります……」

「なんや。てめえの宣伝しとるわ」と平太。

「書入れどきやからな。何べんてめえの名言うか、数えとってみい」と健次。しかし、耳は一心に聞き入っている。

「柳川刀自略取事件につきましては、今さら申しあげるまでもございませんが、刀自が和歌山県津ノ谷村において、三名の男性犯人によって略取、誘拐されましてから、きょうでもう五日になります。当和歌山テレビならびにラジオでは、事件の推移につれて、その都度詳しく報道して参りましたが、昨日になって犯人から柳川家あてに手紙がありまして、しかもその内容が、身代金として百億円を要求するという空前のものでありましたことも、当和歌山テレビならびにラジオが、全国にさきがけてお伝えしたとおりであります」

横目で見ると平太は正直に指を折って数えている。今その指は四本目だ。

「この放送は……」持時間が切れかけたのか、アナウンサーの口調はちょっと急ぎ足になった。「犯人の要求に対する柳川家の正式の回答であります。犯人はこの回答を、当和歌山テレビならびにラジオを通じて、また柳川家に代わって井狩本部長が答えることを求めております。県警本部では検討の結果、まことに異例のことではあるけれども、他に犯人に連絡する方法がない以上、止むを得ないとの結論に達して、犯人の要求どおり、本部長自身が回答することとなったわけであります。……では、井狩本部長であります」

数秒の間があった。テレビなら画面に本部長が大写しになるところだ。

「さ。いよいよやで」健次は掌に汗がにじむのを感じる。名も、顔も写真で知っている。しかし、実際に声を聞くのはこれが初めてだ。……やがて、ゆっくりとその声が流れた。

「虹の童子と名乗る誘拐団に告げる。私が和歌山県、警察本部長、井狩大五郎である」

いかにもその人を思わせる、堂々とした、力強い声だ。一語一語メリハリがはっきりとして、寸分のたるみもない。

「諸君の手紙は、きのう確かに受領した。よって柳川家と協議の結果、諸君の指定により、私が代わって、柳川家の家族全員一致の意向を伝える」

一呼吸おいて、びしりと言った。

「諸君の要求は法外である」

平太が、先生に叱られた生徒のように、ひくっと首をすくめて、刀自を盗み見る。片手は五本の指を折ったままだ。刀自は黙然とラジオに耳を傾けている。

「柳川家では、諸君の要求に備えて、あらかじめ相当金額を用意してあった。数字はここでは言えないが、過去の例からみて、最高額に近いものだった、と考えてもらって結構である。家族一同は、刀自のためならば、そうした犠牲は止むを得ない、と覚悟していたのである」

「…………」

「然るに、諸君の要求が度外れに莫大だったため、家族全員が困惑している。当然のことである。このような巨額の金を、おいそれとＯＫできるものが世界にいるはずがない。要求を出すほうが無茶なのである」

回答と言うよりは反撃であった。ことばの端々にも闘志があらわににじみ出ている。

「よって、私は家族に代わって、まず諸君に求める。こうした額を決めるには、あるいは諸君なりの理由はあったかもしれない。しかし、そういう行きがかりや経緯はいさぎよくご破算にして出直しなさい。常識的におよその限度というものはわかるはずである。まず共通の土俵を作りなさい。話し合いはそれからである。……これが第一の答である」

また一呼吸の間があった。

「第一言うたな」平太が不安そうに言った。

「ほな、第二があるんやろか」

「…………」健次は答えない。答えるゆとりがなかったのだ。知らず知らず、コブシを握りしめてラジオを睨みつけている。予想どおりの……いや、予想以上の強敵であった。人質を手中にしている誘拐団に、だれにしたって、こんな高圧的な言い方ができるものではない。

「次に」と井狩は言った。「諸君は、刀自は安全かつ快適に保護されている、と書いている。果してそうか。我々には納得ができない」

「わッ、あないこと言い出しおった」平太が目をむいた。

「証拠がこの要求額である」追いかぶせるように井狩は言う。「刀自は柳川家の当主であり、実権者である。柳川家の財政、経済状態はだれよりもよくご存知である。諸君に普通の思慮があったとしたら、要求を出すまえに、柳川家にこのような支払い能力があるか、まず刀自に聞くはずだ。諸君は聞こうともしなかった。聞いていたら、刀自が認めるはずがない、こんな要求を出すわけがないからだ。こうした状態で、刀自がどのようにして、安全、快適であり得るのか、我々は等しく不安を感じている」

「言いがかりや」平太がわめいた。「あんたは知らんのやさかい……」

「しっ」と健次は制して、「だったらどないや言うねん」

これも言った相手はラジオだ。くーちゃんのラジオは旧式の大きなやつで、四角のワクの中に布を張った丸形のスピーカーがとりつけてある。にらんでいると、あごの張った、目と口の大きい、井狩の顔そっくりに見えてくる。

「よって」と井狩は言う。これがこの回答のヤマと言うことは明白だった。声に一段と力がこもった。

「諸君は、我々に対して、刀自が健在である、という実際の証拠を示してもらいたい。姿を見せよ、というのが無理ならば、せめて声を聞かせてもらいたい。録音ではいけない。ナマの声をだ。そしてそのあいだは刀自に制約を加えることなく、自由に話をさせてもらいたい。そうして刀自が無事でお元気であることが確認できたなら、我々も安んじて諸君との交渉に入ることができるというものである……」

「ワナや。こらワナや」平太が叫ぶ。「こないなこと言うて、おれたちの隠れ家を探し出す気や」

「もし諸君が」と井狩は続ける。「この申し出を、諸君の所在を探知するためのワナである、と考えるなら、それは誤りだ。諸君も書いている。本部長なら公の場で虚偽の発言をするはずがないと。そのとおりである。我々には一点の下心もない。刀自の略取以来、家族の心痛のさまは、まことに見るに忍びないものがある。ただ刀自の無事を知りたい……それだけの気持から出た願いである。諸君も人間であるならば、この家族の願いに応える義務があるはずである」

「……兄さん」平太が健次を振り向く間に、

「要約する」と井狩の声が続く。

「第一。百億の要求は法外であるから、出直してもらいたい。第二。我々に刀自の安全、無事を確認させてもらいたい。……このふたつが我々の回答である。諸君がそうして誠意を示すならば、柳川家としても今後の交渉に最善を尽す。このことは私が保証する。最後に一言付言する。諸君は今回の手紙で、要求が聞かれなければ人質に危害を加える、という誘拐団の常套の文句を使用しなかった。かえってその逆の表現さえみられた。この点は私は高く評価している。今後もこの精神で我々との交渉に当ることを、強く希望するものである。……以上を以て、この放送を終わる」

きっかり五分。余っても三、四秒だった。

井狩が言い終わって、席を立ったとき、隠れ家では平太が、「ひゃあ」と頭をかかえて引っくり返っていた。

「どないするねん、おばあちゃん」

起き直るが早いか、平太はさっそく刀自に突っかかる。

はじめは借りて来た猫みたいだったが、度重なる宿直などで慣れるにつれて、今は健次の前だからちゃんとサングラスとマスクをつけているが、刀自と二人のときは素顔になることもあるらしくて、その様子はまるで祖母にごねている孫のようだ。

もっとも彼にも言い分はある。

例の手紙でかれらが頭を悩ましたのは、投函の場所と方法だ。あとをたどられないために郵便数の多いところ、そして配達がその割には早いところ、という二点から、場所はまず和歌山駅前のポストと決った。この狙いは当って、当局は消印の和歌山に迷わされているし、彼らの速達は、予定どおり投函した翌日のひるに柳川家に着いている。

問題はそこまでの方法だった。研究の結果、暗くなったらバイクで最寄りの駅へ出て、電車で往復するのが、時間的にも最善、ということになったが、くーちゃんの紀宮村からでは最寄りといっても、和歌山線の畝傍《うねび》駅までが百二十キロ、紀勢《きせい》本線の有井《ありい》駅まで百キロだ。

後者は電車の時間がどうにもならず、結局畝傍まで山中百二十キロを飛ばして、その夜のうちに戻らなくてはならない。往きは危険な証拠物件を持っているし、おまけにバイクの免許証はなし、検問にかかったら一コロで、しかも電車では、サングラスと白マスクがすごく有名になってしまったので、素顔で通さなくてはならない。電車の時間もギリギリ一杯で、和歌山駅で五分の間しかない。

どこから見ても危険いっぱいのこの役を、「作戦上必要いうんなら、おれやるわ」と買って出て、みごとにやってのけた陰のヒーローがこの平太なのだ。そんな苦労のあげくが、手紙の文句を楯にこうして逆ねじを食わされたのでは、納まらないのも無理がない。

「何がやね」刀自は泰然としたものだ。

「よう、そんなにのほほんとしていられるもんや。おばあちゃん、百億言い出したのはあんたやで。手紙書いたのもあんたやで。百億はあきらめてもええわ。声を聞かせい、いう注文をどうするんや。いまの本部長の言うこと、ちゃんと筋が通っとるわ。あれ聞かなんだら、皆こっちが悪いいうことになってまうやないか。せっかく虹の童子いういい名つけてもろても、これではしょっぱなからめちゃくちゃや」

「平太。おまえ何か忘れとるんと違うか」刀自もこのごろは、正義も平太も呼び捨てだ。

「何かって、何をや」

「私は人質やで。おまえらは犯人やで。人質が何を言おうが、取り上げるも上げんも犯人の権利やないか。百億言い出したのはたしかに私やけど、OKしたのはおまえらや。私の手紙読んで、よう書きなはるわ、言うて感心したのはどこのだれやったかいな。いちゃもんつけられたかて、人に文句いわんと自分で始末をつけたらどうや」

「兄さん。聞いたか。あんなこと言わはるわ」と平太はすぐ助け舟だ。

「そのとおりやな」健次は考えこんでいた顔を上げる。

「決めた以上は犯人の責任や。おれたちで処置するんがほんとうや」

「さよか」平太はほっとして、

「ほな、百億はどないする？　もともと無理なんやから引っ込めはるか」

「引っ込めん。言い出した以上は、無理でも何でも押し通すわ。そない簡単に引っ込めるぐらいやったら、決めるまでに二日二晩考えたりせえへんわ」

「ふーん。あんな法外言われても？」

「法外言うことは初めから承知や。わかり切っとることを、ああ物々しく言われたら、意地でもやったるいう気になるやないか」

「ほな、声聞かせい、いうほうは？」

「それやがな、おばあちゃん」健次は刀自に、

「相手があることやさかい、一つ蹴ったら、一つは色つけな、いう気もするんやがな。相談やないで。意見を聞くだけやで。本部長はああ言いよったけど、電話使うたら、平太の言うように、ワナに首突っ込むようなもんや。電話を使わんと、声だけ聞かすいう方法はないやろか。それともほかに、おばあちゃんが元気やいうこと、相手に知らせる方法があるやろか」

　刀自はニッコリとする。

「そないにおとなしゅう言われると、私も無い知恵、絞らんならん気がしてくるなあ。……そやなあ。……無いこともないかもなあ」

「うン？」

「ちょっと、あんたらのことばで言うたら、ヤバいかもしれんけどなあ……」

「うン？」

「そのかわりには、うまく行ったら、これ以上の答はないやろがなあ」

「どんなことや？」

「家族のもんだけやのうて……」と刀自は考え、考え言った。「もっと多くのもんに、私の元気なところ、見せることになるよってなあ。……もしかしたら、一千万か二千万の人になあ」

4

井狩の放送は、ある新聞が「毅然として、しかも情理兼ね備えた名放送」と評したように、一般に圧倒的な好感で迎えられた。テレビの視聴率は、地元で八十パーセント、全国ネットで平均二十パーセントに達した。

国内だけでなく、外国の反響も日一日と増大して、東京丸の内のプレスセンターを根城にしている各国の特派員たちは目が回るほど忙しくなった。

原因の第一は、言うまでもなく「法外」に巨額な身代金である。

かれらによると、この額は五千四百三十四万七千八百ドルあまりに当り、今までの諸外国のどの例よりも高額だった。誘拐天国のイタリアでも、最高はファイアット社長の三百万ドルだったし、例のミセス・ハーストの実価格もそれ以上ではなかった。

日本政府の顔色を失わせた赤軍ハイジャックにしてからが六百万ドル。当時の円で十六億二千万。個人の刀自の六分の一にも及ばない。

ある記者はこうしたデータを中心にして次のような記事を送っている。

「日本における人命の価格は、交通事故の補償金を例とすると、平均七千万円である。こんどの身代金は実にその百四十倍だ。人命の価格そのものが突如として急暴騰した、とは考えにくいから、これは一種の反動現象ではあるまいか。多少逆説的だが、平均価格があまり安すぎる国だからこそ、こうした壮大な犯人も現われるのだ。その意味からは、かれらは人命の国際水準価格への是正をめざす愛国的な抗議者たちかもしれないのである」

いずれにしても、別の記者が打電しているように、「成田空港事件以来、日本という国がこれほど多くの世界の視聴を集めたことはなかった」し、「その中心が、数千の過激派に代わって、虹の童子というファンタスティックな名を名乗る三人の若者たち」ということもまちがいなかった。

井狩の声明はかれらの間でも好評で、ある英人記者は、「犯人の猛サーブに対して日本の警察がフォアハンドで報いた強ドライブ」と評して、「さて次は、犯人たちがこの強烈な返球をどう打ち返すかだ」と書いている。

この声明以後、プレスセンターのかれらは、ほとんど終日、国内ニュースを叩いてくる共同通信のテレタイプから目を離すことができなかったし、顔を合わせると、

「Any new attack？（犯人の新しい動きはないか）」があいさつ代わりだった。

犯人たちは沈黙していた。

井狩の放送の翌日から、全国的に天候が崩れて、紀和地方では三日間雨が降り続いた。ごくあたりまえのことだが、この雨と、犯人たちの沈黙とを、結びつけて考えるものは、だれ一人としていなかった。ただ、いかにも無気味な沈黙ではあった。

二十三日、紀和地方の雨が上って、秋晴れのバイク日和になった。

翌二十四日、午後三時すぎ。プレスセンターのテレタイプがけたたましく鳴り出した。日本と、そして世界は、井狩の反撃に輪をかけた、犯人たちのバックハンドの強返球を知った……。


こんどの速達も、封筒の表記、体裁が第一便とそっくり同じだったので、津ノ谷郵便局へ郵袋が着いた三分後に発見されて、局長が自分でバイクを飛ばして柳川家へ届けた。

柳川家では鎌田一課長が受領して、家族一同のまえで開封して、ピンセットで中身を取り出して、前便同様に刀自の筆跡にまちがいないのを確認すると、コピーをとって、現物は封筒と一緒にハトロン紙の袋に入れて密封して本部の鑑識へ直送した。

前便は、家族がさきに発見して、奪い合って読んだので、鑑識にはかなり苦労したが、こんどは中身は第三者が全く手を触れなかったので、結果は明瞭に出た。結論をさきに言えば、刀自以外の指紋は全くついていなかった。

封筒のほうは刀自のほか、三人の指紋が検出されたが、調査の結果、いずれも集配局員のものと判明した。これも前回と同様で、犯人たちが素手で手紙に触れるような初歩ミスを犯す手合ではないことが、はっきり確認されたわけである。

この第二便では、犯人は前おき抜きに、冒頭から「井狩本部長の……」と刀自の筆跡で書き出している。

井狩本部長の放送はたしかに聴取した。慎重に検討の結果、我々の回答ならびに要求を確定したので、柳川家の各位と当局へ通告する。

第一点の身代金変更の件は拒否する。これは最終決定であって、この点について今後一切の交渉は無用、無益である。

我々は百億円を必要とするから、対象に刀自を選んだのである。そのためには周知のようにあらゆる辛苦を辞さなかった。

本部長のいう常識の線で満足するようなら、初めから便宜の多い都会地で、別の対象——もっと平凡な名士や富豪を選んでいる。刀自を選んだこと自体が、その回答に外ならないことは前便に明記したとおりである。

ただし、家族がこの額に困惑していることは我々も理解できるし、また本部長放送の第二点、刀自の健在を実証せよ、という要請も、家族として当然であると考える。

よって我々は、我々にとって極めて大きな危険を冒すことになるのはあえて承知の上で、この二点を同時に解決する一石二鳥の方法を案出した。

その方法とは、刀自自身をテレビ、ラジオを通じて家族と対面させて、その席上で身代金調達の方法を刀自の口から明示させることである。

このテレビ対面が実施されれば、家族は自分の目と耳で直接に刀自の健在な姿をたしかめることができるのであるし、交渉上の最難点が根本的に除去されることになるのだから、家族ならびに警察当局は、何等反対する理由はないはずである。またこれによって、身代金の決定が、刀自の自由を圧伏、無視している証拠である、という本部長の主張が、故のない言いがかりだったことが明らかになるであろう。

もちろん、このテレビ対面は、我々にとって重大な危険を伴うものだから、我々の完全な主導下に実施されなくてはならない。

我々はこのために、次の実施細目を決定した。この細目は一点たりとも変更、訂正は許されず、厳密に、また完全に実行されることを要する。もし家族または当局に、この警告に背く行為があった場合は、我々は即座に計画を中止して、二度と再びこの種の提案を行うことはないであろう。

実施細目

一、日時　来る九月二十七日、午後九時から十時までの一時間とする。

二、場所　和歌山テレビ、ラジオ局の局がえらぶスタジオを、家族の集合場所とする。井狩本部長は責任者として必ず同席すること。放送要員（アナウンサーを含む）は別として、右以外の何人もスタジオに立ち入ってはならない。

三、放送　和歌山テレビ、ラジオ局は、右の時間を全部、このための特別放送に当てること。前回の本部長放送と同様に、両局当事者が進んでこの提案を受諾することを確信する。
四、放送車　両局は刀自および我々の放送を担当する放送車を、次の諸点を厳守して、現地へ派遣すること。
1、放送開始の二時間まえ、すなわち二十七日午後七時、和歌山の局前を出発すること。この出発の状況は、テレビ、ラジオによって放送すること。
2、コースは紀伊海岸を周回する国道四二号線とする。すなわち、和歌山↓田辺↓串本↓新宮のハイウェイである。
3、放送車の時速は平均五十キロとする。九時の放送開始時には、ほぼ田辺付近を通過中のはずである。夜間のことだから交通渋滞は考えられないが、万一何等かの事故で予定が二十分以上狂う場合は、即刻その旨をラジオで放送すること。
4、我々は、任意の時間に放送車に接触して、トランシーバーによって、以後のコース等を指示する。放送車はその受信設備（FM受信機）を用意して、忠実にその指示に従わねばならない。接触する時間は、出発以後―放送終了時の二十分まえまで、すなわち午後七時―九時四十分の間とする。
5、放送車は、我々が接触するまで一切外部と通信してはならない。
6、放送車に警官を同乗させてはならない。

7、放送車は、一切の標識をガムテープ等で覆って、放送車であることを、一見しただけでは外部に知られないようにしなくてはならない。
五、警察当局は、ヘリコプター、パトカーなどいかなる方法によっても、放送車を尾行してはならない。万一いわゆる覆面パトカー等を尾行させた場合は、即時計画を打ち切ることはいうまでもない。
六、予備責任者 不測の事態が生じて、実行が不可能となった場合は、電話で緊急連絡する。このため和歌山テレビ社長ならびに報道局長は、予備責任者として放送車の出発以後、社長室で待機すること。この部屋には余人を同室させてはならない。
以上が実施の細目であって、当局の裁量にもよるが、我々としては全部を公表されても一向に差支えない。しかし次の最後の項目だけは、厳重に秘匿してもらわなくてはならない。
七、この計画中で使用する電波周波数は二七メガヘルツ、我々の暗号名は次の五字とする。
RCCOR
放送車に接触するときもこの暗号名を用いる。すでに便乗犯罪が発生している折りでもあるから、どんないたずら者が飛び出して計画の妨害にならないとも限らない。当事者の入念な注意を要望する。
最後に、本部長が、前便で我々が脅迫的言辞を弄しなかったのを高く評価してくれたことを感謝しておく。

たしかに我々は、刀自に危害を加える意思は全くない。だが、ここで一言しておかなくてはならないが、それは必ずしも刀自の身に危険が及ぶことが絶無であるという保証を意味しない。

我々はこの「虹の童子」作戦に文字通り命をかけている。もし事が失敗に帰するときは、全員いさぎよく自爆する覚悟である。その際、望むことではないが、緊急の場合で刀自を避難させるひまがない、ということも考えられないではない。

以後、我々に対応するに当って、当事者はこの事実を念頭にとどめておくことを希望する。

この手紙は、すでに強調したように、一点の変改も許さないものであるから、前便とは違い、たとえば記者会見等において、本部長が「受領した」ことを公表して、それがテレビ、ラジオの定時ニュースで放送されれば十分である。我々としては、そのニュース放送を以て、柳川家ならびに当局が、この提案を受諾して、指示通り実行することを公約したものとみなすものである。以上。

虹の童子

柳川家各位
井狩本部長殿

この連絡を受けたときの本部の情景は、そのまま日本じゅうの会社や茶の間や、あるいは世界のそれの縮図だった、といえようか。

最初の「百億」では、「やっぱりな」とうなずく顔が多かった。第一便当時は半信半疑……駆引きのためのハッタリではないか、という感じが、多少ともだれの胸にもあったのだが、ここへ来ると、これが犯人の真剣な、頑強な要求に相違ないということは、もう一点の疑いもなかった。

係官の中の数人は「極左以外の団体？　密輸？　右翼？　麻薬？　暴力団？」などとメモ用紙に走り書きしていた。犯人の背後に、何等かの集団が潜んでいるに違いない、という判断だ。だが、どんな団体かとなると、手口にもこうした文書にも全く匂うものがなくて、皆目見当がつかない。これもこの事件の奇妙な性格の一つだった。

第二点の「テレビ対面」では、

「何だって？　そんなばかな」

「また途方もないことを」

全員が耳を疑って、呆れ顔を見合わせた。

テレビに出す、というからには、犯人は刀自を連れて、放送車の前に現われなくてはならない。当然、警察の厳重な警備網が予想されるのに、そのど真中にノコノコ顔を出すばかがあろうか、と思いはだれも同じだ。

だが、そのための微に入り、細を穿った犯人の指示が、次々に明らかになって行くにつれて、初めの驚きは消えて、どの顔にも半ばは感嘆の、半ばは苦渋の色がにじみ出てきた。

人質と家族をテレビで対面させる――一見突飛なアイデアに見えて、実はその根底にはしっかりとした深い読みがあることが、だんだんわかってきたのである。

犯人が放送車の行先に出てくるなら、放送車の回りを包囲して、出て来たところをつかまえてしまえばいい、というのはシロウト考えだ。プロのかれらには、それがどんなに難題かがカンでわかるのだ。

犯人は、放送車を時速五十キロで、二時間四十分走らせろ、と指示している。単純計算で百三十キロ余りである。接触以後、スピードを七十や八十に上げさせることは十分予想されるから、確実性を見込めばこの幅は百八十キロから二百キロに拡大しなくてはならない。

一口に二百キロという。しかし、一ぺんでも犯人の指定する紀伊半島の海岸道路を走ったことがあるものなら、その全体にわたって警備網を布くことが、警察力の限界をはるかに越えた至難事ということは直感でわかるはずだった。

紀伊海岸。天下の絶勝である。右は果てしなく広がる紺碧の海。左は峨々と連なる緑の山なみ。気候温暖、空気清澄。春夏秋冬の四季、それぞれの装いを新たにして、行楽の人足が絶えることがない。

だが、それはこの際、犯人にとって無数の潜伏地点を約束していることだった。

和歌山から二百キロ。四二号線が通過する都市だけで、海南《かいなん》、御坊《ごぼう》、田辺、串本、古座《こざ》、新宮等の十数市、町。交差する主要道路が五十余本。その他クルマが入れる程度の道といったらこれまた限りがない。そして、犯人たちは、どの海岸のかげ、どの山間の窪みを放送車の終点と予定しているのか、全く察知のしようがないのだ。

沿線警備で今も警察界の語り草になっているのは、五十三年三月、鹿島《かしま》の石油コンビナートから成田空港への燃料輸送の警備陣だ。鹿島―成田線七十キロの区間に配備した警官は七千五百名。平均に並べるとすると、十メートルに一人という徹底した警備態勢だった。このため、千葉、茨城の両県警では間に合わず、各県から応援部隊をかり集めて、中には長野、大阪などからはるばる参加した隊もある。

いわば当時の国策のためだから、こういう動員も可能だったのだが、こんどは井狩がどう力んだところで一私人の事件である。

和歌山県警千六百のうち、この作戦に投入できるのは最大限半数の八百。隣接府県からの応援もせいぜいが二、三百。わずか一千名そこそこの部隊で、成田の三倍近い広い地域をカバーしなくてはならない。

しかも過激派の襲撃に備えるという成田の単純明快なのに比べて、任務は極めて複雑だ。一切が隠密行動でなくてはならないし、犯人を発見しても、大事な人質を伴っているのだから、その対応には慎重かつ敏速な判断が必要だ。

こういう高度な判断力と機動力を備えた部隊を、いったいどれだけ編成して、またこの広域にどう配備できるというのか。当局の内情を知るものには、これは至難というよりも不可能を強いるものだった。

では、何とかして放送車を尾行するか。

犯人もむろん抜かりはなく、他のことはすべて度外視して、尾行と通信の二カ条を厳禁しているが、そうした警告に待つまでもなく、これは危険という以上に暴挙であった。

時刻は夜間。道路は険しい地形を切り開いて造成した国道で、都市部周辺のごく小地域を除いては並行路線一本もない。こんな条件で隠密尾行などできるものではないし、無理に決行して、もしかあったかもしれない犯人逮捕――事件解決のチャンスをつぶしてしまったら、当局は社会に顔向けならないことになる。

といって、このまま犯人の計画どおり、テレビ対面が実施されたらどうなるか。

視聴者は、現にブラウン管に映っている人質や犯人を、どうして当局が手をこまねいて見ているのか、ということになるのは必然だし、内情を説明したところで、無能の言いわけぐらいに頭から笑殺されるのが関の山だ。

進むも難、退くも難。犯人のこの不敵な挑戦で、自らが追い込まれた窮地を最も痛切に知るものは当局者自身であった。

「えらいことになりましたな」本部の実質上の責任者、佐久間刑事部長は元来正直な性格で、憂慮の色を隠そうともしない。

「うーん。手ひどいしっぺ返しが来よったなあ。……まあ、これで犯人がこの周辺に潜伏しとることだけは確実と見ていいと思うが……それにしても相当なやつだ。なあ、佐久間君」

と剛毅な井狩が、めったに言いそうもないことばを吐いたのもこのときだ。

「もしかしたら、このやつら、わが生涯の最大の敵、いうことになるかもしらんなあ。このテレビ・ショーがぬけぬけと実演されたらだ。くそッ、そんなばかなことにしてたまるか」

止めは最後の「自爆云々」の句だった。

脅しではあろう。だが、こいつらならやるかもしれん――そう思わせるだけの迫力は十分だ。

「ふン、命がけか。負けるもんか。こっちだって命がけだ。三人の命がけと、千六百の命がけと、どっちが強いのか、目にもの見せてくれるわ」

あくまで強気のことばを吐きながら、井狩も心中に一脈の不安の情がゆらぐのをどうすることもできない。

もし、あの敬愛してやまない刀自が、この「自爆」の巻きぞえになったとしたら、百人の犯人を捕えたところで勝負は負けなのだ。

彼の鬼の目に、うっすらと、はたにはわからない涙が浮かんだのは、その「万が一」の情景が頭をかすめたからだ。

だが、表面はふだんと何の変わりもない井狩だった。

「で、きょうの記者会見ではどうしましょうか。この書簡の内容、発表しますか」と刑事部長が伺いを立てたのに、言下に言ったのもそのあらわれだ。

「もちろんさ。向うがせっかくお出まし下さる言うとるのに、歓迎してやらん手はないだろう。暗号名とコースは伏せるんだな。野次馬カーなんぞに殺到されたんじゃ、せっかくの大芝居もぶちこわしだからな」

午後三時。井狩は記者会見で、右の二点を除いた書簡の全文を公表した。

記者団からの集中豪雨のような質問に、ただ一言こう言って肩をゆすっただけだった。

「この挑戦に答えるものは、ことばではない。行動があるのみさ」

5

「人質と家族のテレビ対面　犯人が約束」……このニュースが地球をかけ回ってから三日目、その日、九月二十七日がやって来た。

「ほんとにやる気かねえ。そんな危いことをさ」

「やる気だろ。犯人のほうでも必要なんだもの」

「そやろか。ただの人騒がせやないやろか」

「そないことない思うわ。人騒がせしたかて、犯人に何の得もあらへんもん」

「そうとは限らんですたい。わしの考えでは、終わりのほうの予備責任者いう項目が曲者でごわすな。いよいよとなったら、やーめた、いうための伏線に違いなか。さもなきゃ、こんな項目作った意味がなかばってん」

「すると、犯人は異常に自己顕示欲が強いやつらいうことか。百億といい、テレビ対面といい、人騒がせ自体が目的いうわけか」

「それじゃ今までの行動と矛盾してるわ。かれら、きっと知的で行動的な若者たちよ。やるといったらやる気だわよ」

「……ま、今夜のテレビ見たらわかることだべよ」

あちこちのオフィスで、学校で、電車で、田圃道で、数限りなくくり返された会話である。


午後六時。ヘルメットに鼠色の乱闘服の千二百名の警官と、同じ鼠色の警備車百十台が、四二号線沿道の配備についた。

捜査本部では、寄せ集めたテーブルの上に、空中写真を合成した紀伊半島の二万五千分の一の大地図を広げて、係官が部隊の暗号名と配備地点を記入していた。

総指揮官は佐久間刑事部長。作戦主任は津ノ谷村から引き揚げた鎌田捜査一課長。英子の武勇伝事件では、かれも初めからガセネタとにらんで、警備を地元署に任せたため思わぬ失態を招いたのだが、広い意味ではかれにも責任の一端はあるわけで、こんどは名誉回復の意味もあって、青白い顔を闘志で燃やしていた。情勢が一変したので津ノ谷村の前進本部は解散して、かれの麾下《きか》の精鋭は一緒に本部に引きあげて、今の柳川家には二人の連絡官が残っているだけだった。

同じころから、テレビ、ラジオ局のある和歌山放送会館のまえの道路に人だかりがし始めた。放送車の出発を見ようとする野次馬たちだ。

いま最も有卦《うけ》に入っているのはテレビ局だった。金曜の夜九時からの一時間といえば、推理名作などの人気番組が並ぶゴールデン・アワーだが、どのスポンサーも時間帯の変更に異議を唱えるどころか、この特別番組で局が予定した五—十秒のスポットCMに、先を争って殺到して、割り込みをねらう他のスポンサーとすさまじい争奪戦を展開していた。営業局ではこの放送を餌に少くとも半年分の契約を確保するつもりで、きょうばかりは売手市場の営業局員とかれらとの裏の取引も激烈だった。キー局をはじめ、全国のどのネット局でも同じような光景が見られたはずだ。

七時間近には、道路は黒山の人にふくれあがった。

五分まえ、大きな標識をつけた放送車が、ゆっくり車庫から出てきて、玄関まえに停車した。テレビのライトが車を照らし出し、カメラマンのフラッシュがひらめき、玄関からの人の出入りがにわかに慌しくなった。その中には東社長や中沢報道局長ら首脳部の顔も見える。みな真剣な表情で、車や群衆のほうを指さしたりしながら、何かささやきあっている。

玄関わきでカメラを構えていた一人のカメラマンが、「へんやな」と同僚を振り向いた。

「犯人の指定じゃ、標識は皆隠せ、いうことやなかったかいな」

「あんなもん」と同僚は問題にしなかった。

「ガムテープでも貼っつけりゃ、一分もかからんやろ。ご指定どおりやっとります、いうこと果して玄関から、文字板と同じくらいの大きさの板を持って作業服姿の二人の男が出てきた。階段を下りて、板を車に立てかけて、「和歌山テレビ」と大書した前面の標識を見上げて、身振りを交えながら相談をしている。

「何やっとるんや。早うせんと間に合わんやないか」群衆の中から野次が飛んだ。

実際、時計の針はもう七時の寸前だった。

正七時。チャイムが鳴って、ブラウン管に「特別報道番組」の字幕が映った。

「全国の皆さま」と例のチーフ・アナウンサーの声が流れる。もうすっかり落ちついたものである。

「すでにお知らせしましたように、ただ今から、柳川刀自誘拐事件の、犯人がわの放送を担当する、実況中継車の出発の情況を、テレビ、ラジオ同時放送によってお送りします。そのいきさつにつきましては今さら申し上げるまでもありません。ただ一言申しそえますと、この放送は当局の要請によることももちろんでありますが、テレビ、ラジオの公共性に対する当和歌山テレビならびにラジオ局の強い使命感から出たものであることを、皆さまにもよくご理解いただきたい、と存じます。これは全国ネット局でも全く同様であります。……これが実況中継の放送車であります」

野次馬の中には、人波に押されて、仕方なく近くの茶房へ入って、テレビを見ていた客もいた。彼等は一斉に「あれッ」と叫んで、画面を見、そとの騒ぎを見、また画面を見た。

ブラウン管に映った放送車は、いま群衆の好奇の目に囲まれているそとの車とは全然別の車だった。和歌山テレビの標識は、注意深くカバーで覆われていて、ちょっと見たところ、ただのトラックのようだった。

背景も全く別だった。街路もなく、群衆もなく、どこかのひっそりした裏庭だった。

「ここがどこかは、和歌山市のある場所、という以上に申し上げるわけには参りません」

ライトを浴びたアナウンサーが、マイクを片手に車へ歩く。車のわきに四人の男が緊張した顔で並んでいる。

「ご紹介いたします。実況担当の片岡アナウンサー、撮影担当の松井カメラマン、技術担当の吉田技師、ならびに高橋運転手、以上の四名であります。今夜の実況は、この四名によって放送いたします。車をごらん下さい」

彼はドアを開いた。カメラがズームアップする。複雑な機器がつまった内部。人は一人もいない。

「ごらんのように警官はどこにも隠れておりません。これはこの放送を実現するための基本条件の一つでありますから、我々としましても厳守する必要を認め、また当局も快く承認された次第であります。この四人が警官の変装ではないか、と疑われる向きもあろうかと思われますが、そのようなことは絶対ありません。当和歌山テレビならびにラジオ局の名誉にかけて断言いたします。では、すでに時間でありますから、直ちに出発いたします」

彼は片岡アナウンサーに握手を求めて、「成功を祈ります」と言った。言ったとたん、犯人の成功を祈るみたいでおかしいな、と思ったらしくて、急いで「放送の」と言いそえた。

片岡アナウンサーは「がんばります」と答えて、ほかの三人も一斉にうなずいた。

四人が乗車して、ドアがしまった。運転手が片手をあげて会釈して、車はスタートした。

カメラがチーフ・アナウンサーに戻る。

「なぜ、このような出発をしたか、と申しますと、この画面をごらん下さればおわかりいただけると存じます」

場面が玄関まえの街路に切り変って、ごうごうとした騒音とともに、押しあいへしあいしている群衆と、長蛇の列を作っている野次馬カーを映し出す。

「この中には同業のマスコミ関係者も多数おられますので、申しわけないのでありますが、この騒ぎの中を出発いたしましては、どんなハプニングが起きるかわかりませんし、コースを秘匿することもできない相談でありますので、やむを得ず、囮の車を出しまして注意を引いておきまして、本物は別の箇所から出発した、という次第であります。では全国の皆さま、九時からの本放送をお待ち下さい……」

茶房の客は、そとへ飛び出して、

「おおい、あの車は囮やで」とどなった。「本物はもう出かけよったわ。あれが囮やいうの、まだわからんのかいな」

近くの五、六人が、へんな男が出てきたぞ、という顔で振り向いたが、相手にしないですぐ放送車へ視線を返す。

その囮車では、作業員が屋根へ登って、もったいらしくプラカードをなでたり、叩いたりしているところである。

玄関さきから東と中沢の姿がいつの間にか消えていた。さっきのカメラマンが気がついて、また「おや」と思ったのはかなり経ってからだった。

放送車はとうに和歌山を離れて海南市に近い海岸道路を走っていた。野次馬カー一台の追尾も受けなかったし、対向車でもそれと気がつくものはいなかった。

七時十五分。海南市通過。

その三分後。

「よし。出発」低い命令と同時に、市の郊外の山間部に潜伏していた一群の車が動き出した。どれも白ナンバーの一般車を装った覆面パトカーが十二台。鎌田一課長が自ら指揮する追走部隊だった。

直接の追尾はできない。広域警備には手が足りない。となればこれしかない、と衆知を集めて編み出されたのが、この追走作戦だ。

今夜の計画で犯人がわの泣きどころは、途中ではどう通信管制を強いようと、最後には放送車から電波を出さなくてはならない点である。電波を出せばその時点で所在は確定する。しかも刀自に資金の調達方法を説明させる、というのだから、少なく見積っても二、三分は放送を続けなくてはならないはずである。

当局の狙いもその一点に絞られた。

放送車と追走部隊の間隔は時間で三分。五十キロの時速なら距離で約二キロ半。これだけの間を置けば、平素もその程度の通行量はあるのだから、犯人の目に立つ憂いはないし、しかもこの距離なら、電波をキャッチすると同時にフルスピードで突走れば、二分そこそこで現場付近に到達する。

放送車の行動を確認して、追走部隊に連絡する監視要員は、四二号線を中心に約二百個所。追走部隊に呼応して直ちに作戦に参加する機動部隊をそれぞれ二、三両の編成で、要所要所に約四十個所。機動部隊は、放送車が事もなく通過した場合は、なるべく並行路線を利用して逐次進行方向に移動するようにあらかじめ命令を受けている。

図上演習の結果によると、どの地点で放送が開始されても、常に二、三の機動部隊がその周辺にあって、追走部隊とともに、五分以内には現場を完全に包囲することが可能であった。

これが当局の用意した作戦の根幹で、文字どおり県警の総力を挙げた、そして考えられる限りの最善の布陣だった。

……だが、いざ追走を開始してみて、指揮車の鎌田の胸の中には、不吉な予感がうずき始めている。

予感というより、カンのようなものだったかも知れない。

虹の童子。ふざけた名の誘拐団だが、並の知能の連中でないことは、これまでの一々当局の意表に出たやり口でわかっている。そういう連中がまんまとこの罠にはまるだろうか。これが最善の作戦という自信はあるが、最善ということは、当然ある程度はかれらにも察しがつくとでもあるまいか。やつらのことだ。またぞろ、途方もない奇策を考え出して、この作戦の一切が画餅に帰してしまうおそれがないとも言えないのではないか……。

「ばかな」思わず口走った。

そんな奇策があるぐらいなら、こっちでもだれかが考えついている。だれからもそうした意見が出なかった、ということは奇策なんてない証拠だ。おれらしくもない弱気だ。

強いて自分を叱って、車の時計へ目を落とした。

あとから考えると意地の悪い偶然の一致であった。時計の針は七時半を少し回ったところだった。

七時半。

放送会館まえは、いつもの静かさに戻っている。

テレビカメラもライトも、二人の作業服とかれらの板もとうに引っ込んでいたし、囮車も運転手がニヤニヤしながら会館わきの駐車場へ入れてしまったので、一杯くわされたのがわかった群衆や野次馬カーもぼやいたり、苦笑いしたりで退散して、あとは時たまタレントや局員たちが出入りするだけの平素の風景である。

半を数分すぎたとき、この風景の中にちょっとした動きが起こった。駐車場へ通じる裏口から、数人の男たちが若い一人の女性を中に囲んで、人目を忍ぶようにこっそりと出てくると、急いでさっきしまったばかりの囮車に乗り込んだのだ。車はすぐに発車した。

カメラマンたちがまだ残っていて、男たちを見たら、もう一度おやと思ったにちがいない。その中に東と中沢の顔が混っていたからだ。

だが、そのとき表を通っていた通行人には駐車場の奥は見えなかったし、かりに見えたとしてもかれらの顔を知らない一般市民だった。車が出て来る音で振返った目に映ったのは、助手席のサングラスをかけた若い女性と、運転手である。運転手の顔はもうニヤついてはいなかった。

「女連れのロケか。あの女性タレント、だれだったかいな」

通行人は軽い好奇心を感じながら通りすぎて行った。これもテレビ局のまえではよく見る風景の一つだった。

大きなプラカードを掲げた放送車は、市の繁華街を走り抜けて、紀ノ川の手まえで右へ折れて、国道二四号線へ入って行く。さっきの中継車とは正反対の方角である。

無数の市民たちがその車を見た。中に最初に茶房から飛び出して、「あれは囮やで」とどなった男もいた。彼は中之島の商店主で、あれから家に戻って間もなく、そとにいた家人から「父さん。テレビの車が来よるで」と教えられたのである。

「どれや」と彼はこんども家を飛んで出たが、一目見ると「ふン」と鼻を鳴らして、さっさと引っ込んだ。

「あれ、中継車と違うのん？」

「今話したばっかやないか。おまえたちもテレビで見たやろ。本物はあんなでっかい看板かけとりゃせんわ。あいつがさっきの囮車や」

「囮車が何で今ごろ、こないなとこ走りよるん？」

「そんなこと知るかいな。どこぞで火事でもあったんやろ。中継の仕事いろいろあるさかいな。ふン、こっちは忙しい身や。そない細かいことに一々付き合うておられへんわ」

他の市民たちも彼と同じだった。だれもこの放送車には無関心だった。派出所の警官たちも例外ではなかった。

6

九時五分まえ。井狩は放送会館に入った。時間ギリギリまで本部で情報に耳を傾けていたためである。柳川家の家族は全員、一時間近く前に局へ着いた、と報告を受けていた。

犯人からの接触はまだなかった。それを除けば、事態の進行はほぼ予定どおりである。放送車はいま田辺市にかかるところだったし、追走部隊は正確に二キロ半の間隔をとって放送車を追っている。

犯人が通告の中で、わざわざ放送開始の九時の放送車の位置を指定しているのは、当局の注意をそれ以後に引きつけておいて、実は九時まえに接触する魂胆ではないか、という見方が本部では圧倒的だったが、これはどうやら考え過ぎで、犯人は初めから九時からの四十分に勝負をかけているらしい。

地形を見ても、四二号線は田辺をすぎると間もなく国道三一一号線と合流していて、コースは大きく二つに分かれるし、さらにそのさき三十数キロの地点では古座街道が分派している。当然、警備力の分散を狙うはずの犯人にとって好適の条件を備えているのである。

井狩の出発直前、本部ではこれらの点から考えて、放送車が通過した田辺以北の部隊には支道を抜けて国道三一一号線へ先回りするように、また串本以東に待機している部隊には、古座街道、四二号線の両コースの封鎖をめざして直ちに進発するように、命令を発したところだった。この移動が順調に運べば、三十分後には放送車——即ち犯人グループは、前後左右から二重、三重の包囲網の中に、すっぽりと包みこまれてしまうわけだ。

「犯人としては、ここまでの百キロで、何か手を打つべきだったんですな。もうだいじょうぶ。やつら完全に袋の鼠です。……出て来ているとしたら、ですな」

係官たちの表情は九分の自信に、一分の不安といったところだった。

一分の不安——犯人があの通告の中で留保しているように、理由を設けて中止するケースである。今夜は当局の警備状況をテストするためのリハーサルで、本番は次の機会ではないかという見方が初めからあったぐらいで、理由などはどうにでもつけようがあるのだ。

「そんなことはおれがさせんさ。また、されてたまるか」

吐きすてるように言った井狩の胸にも、係官たちの腹の中にも、共通してうずいているのは、こういう緊迫した勝負を前にして情ない話だが、カネの問題だ。金の生る木でも持っているみたいにふんだんに機密費が使える国の公安機関とは天地の差で、一般捜査に使える地方警察の年間予算などは、お恥ずかしくて公開もできないくらいだ。一ぺんこうした大がかりな警備態勢をとると、その△△パーセントかは忽ち吹っ飛んでしまう。ここできょうはまずいから、またあした、などと出られては、実際問題として対処して行けるだけの余力が当局にはないのである。

放送会館の玄関には、吉井ラジオ社長と北原チーフ・ディレクターが出迎えていた。

「東君と中沢君は？」

「社長室で待機しております」

「では、犯人からは？」

「万一連絡があれば、スタジオに急報することになっておりますから。それで、早速ですが、本部長。番組の初めにアナウンサーに質問させますので、犯人たちにその旨、まず呼びかけていただきたいんですが」

「私もそのつもりです。では、そのへんはよろしく」

思いはテレビ局も同じことだ。こちらの責任ではない、と言いながら、これだけ回りを騒がせて、対面ついに実現せず、では引っこみがつかない。かれらとしては、逮捕は二の次に、とにかくこのショーだけは、と祈るような気持でいるのが、こちらが気恥ずかしいぐらい、体全体にあらわだった。

スタジオはもう馴染の報道局スタジオである。井狩が入ったのは三分まえ。一斉に目を向けた家族たちの緊張し切った顔の中で、一際目についたのは、きょうかけつけて来たという英子の夫のうしろえり、黒服の牧師姿だ。国二郎、可奈子両夫妻は負けず劣らず第一級の盛装、大作は例の無造作なおしゃれ姿、ふだん着とほとんど変わらないのは英子だけである。

アナウンサーが急いでかけ寄った。

「問題は、対面までの時間なんですが、刀自が昔、施設を訪問されたときの十六ミリフィルムが見つかりまして、それとか、皆さんのお話とか、事件のビデオとかで、何とかつないでいきたいと思いますので。それときょうは、一分間ずつ、六回ほどCMが入ります。対面中はむろんセーブしますが、あらかじめご了解を。それから、ディレクターからお願いした件ですが……」

「わかっております。いろいろご苦労さまです」

ねぎらって、席につく。

カメラはきょうも三台だ。

〈ふん。三びきの虹の童子どもか。胸くその悪い野郎どもだ。人をこんなさらしものにしおって。たっぷりお礼はさせてもらうからな〉

きょうは完全に落ち着いているのが自分でもわかる。腹の中のそんな悪態も表面には全く出ていないはずである。

井狩は端然として時間を待つ。

やがて九時。フロア・ディレクターが手を挙げた。

マークIIのカーラジオは、ガーガーキーキー奇音を発していて、はじめのチャイムもアナウンサーの前おきも、まるで聞き取れなかった。

「車がポンコツやから、ラジオまでポンコツや。くそ、何とかならんかいな」

平太がけんめいにいじくり回していて、アナウンサーと井狩の問答が始まるころ、やっと調子が合ってきた。

くーちゃんに切火を切ってもらって、紀宮村を出てから約一時間。対向車などがあるとライトを消してわき道へ逃げこんで、極力用心しながらの潜行だから、ずい分よけいな時間を食っているが、それでもそろそろ県境に近いころであった。

「はじめに井狩本部長にお伺いしたいのですが」とアナウンサーが聞いている。「今夜の放送で、全国の視聴者が一番気をもんでいるのは、果して犯人が約束を実行するかどうか、ということだと思います。我々のあいだでも、実のところ、あれだけ大見得を切っているんだから、必ず実行する、というものと、いや、いざとなったら怖気をふるって、何か口実を設けて中止するんじゃないか、というものと、半々ぐらいの割なんですが、当局の最高責任者として、本部長は、その点をどう考えていらっしゃるでしょうか」

井狩は、「さァ、犯人ではないからわからないが」とだれでも言いそうな逃げ口上は気配にも見せなかった。

「実行するはずですな」言下に、端的に、明快に言い切った。

「理由は簡単ですよ。実行しなければ困るのはかれら自身だからです。この計画は、かれらが言い出したことで、だれから強制されたわけでもない。それに、今までのやり口から見て、犯人たちは決してばかではない。そういう犯人なら、自分から言い出したことを実行しなかったら、どういうことになるかぐらいはわかっていなければならない……ではありませんか」

「とおっしゃいますと？」

「もし、ここまで来て、どんな口実をつけようと、計画を中止するようなら、これから以後、かれらが何を言おうと、だれも相手にしない、ということですよ。まず、肝心の身代金です。そんなことになったら、百億はおろか、一千万が百万だろうと、我々としては受けつけるわけにいかない。これはごく当然のことでしょう。そんな当てにもクソにもならん人間に、金を払うものはおりませんからな。これは柳川家に代わって、私からはっきり言っておきます。……それだけじゃありませんな」

「はあ？」

「彼らがそんな口先だけの連中だったとなると、今まで言ってきたことも全部でたらめだった、ということになってしまう。百億円もウソ。その他何やら立派そうなことを言っているが、それもみんなウソ。ちょっといいかっこうしてみせたけど、それは単なるハッタリで、実はああいう社会から尊敬されているお年寄と引かえに、いくらかのあぶく銭にありつこうとした薄汚ないドブネズミにすぎなかったのを、自分ではっきり認めるのと同然です。実際のところ、そんな連中ではあるんでしょう。しかし、だからといって、公然と自ら認めるとなると話は別です。ツメのアカほどもプライドというものがあったら、そんなこと絶対にできるもんではない。……私がかれらがきっと実行する、と見ているのは、以上の理由からです。したくてするわけではないかも知れん。しかし自分で自分をそういう立場に追いこんだんだから、実行せざるを得ないんです」

井狩の語気が予想以上にきびしかったので、アナウンサーのほうがあわてたように、

「しかし」と言った。「当局がそう硬化されるのはわかりますが、刀自という人質はかれらが握っているわけですね。しかも、事件から十日余りのきょうまで彼らの足どりは、ほとんどわかっていない。それなのに金は一切払わない、となると、刀自の救出はいよいよ難しくなるのでありませんか」

「長期戦になりましょうな」と井狩はあっさり言った。

「それは覚悟のうえですよ。おっしゃるとおり、これまで八方努力はして来ましたが、まだかれらの所在は発見していない。弁解ではないが、われわれの努力が足りないというより、ここまでの彼らのやり方がそれだけ巧妙だったからです。これだけは認めざるを得ません。しかし、かれらも生身の人間です。虹の童子などと名乗っていますが、天の虹ならともかく、現に誘拐現場に片脚を残しているのだから、もう一方の脚……つまり隠れ家も必ずこの地上にあるはずです。地上にある以上は、われわれは絶対に発見してごらんに入れる。そのあいだ、刀自にご

不自由をおかけするのは忍びないものがありますけれども、これは止むを得ない、とお許し願うほかはありません」

声が一時とぎれた。耳をすませていた正義と平太が、はっと顔を見合わせたのは、その沈黙の中から、かすかな忍び泣きがきこえてきたからだ。

「おばあちゃん」と正義が遠慮がちに、うしろの刀自に声をかける。「どないしはる？　このままずっと聞いてはるか」

アナウンサーの声がそのあいだに入った。

「全国の視聴者の皆さま」と得意のせりふを言っている。「当局の見解はいまお聞きになったとおりです。万が一、犯人が今夜の計画を中止するようであれば、今後一切の身代金等の交渉に応じない。一方的な追及に終始する決意である、とのことであります。これからの四十分ないし五十分間に、犯人は果してどう出ますでしょうか。これからご家族の方々にいろいろ伺ってみたいと思いますが、そのまえにお知らせを少々……」

「もうええわ」と刀自の言った声が意外に明るかったので、正義はホッとしながらラジオのスイッチを切る。

「今の泣き声は英子やったなあ」と刀自はちゃんと聞いていたようだ。「あの子には心配かけるの、可哀そうやと思うてたけど、それももう間もなくの辛抱や。……よかったなア、風と雨」いつもの屈託のない声だ。

「へ？」

「へ、言うて、おまえたち何を聞いてたんや」

「何をいうて、井狩はんの話やないか」

「そいで？」

「そいで？　ああ、おれたちを薄汚ないドブネズミいうたことか。そら頭に来るがな。ドブネズミならドブネズミだけでええやないか。何も薄汚ないなんて、よけいなこということあらへん」

「それだけか」

「虹の片脚ともいうとったな。うまいこと言いよるわ。たしかに片脚はこっちにあるんやさかいな」

「おばあちゃんの言わはるの、そんなこととちがいますねんやろ」平太がたしなめた。

「ふン。ほな、おまえにはわかるんか」正義は相手が平太だとすぐそっくり返る。

「わかるがな。今の本部長の話聞いとると、おれたちがやるか、やらんかいうことに頭を痛めとる。何も知らん、いう証拠やないか。なあ、おばあちゃん、そういうことやろ」

「何や、そんなことか。それぐらいなら、おれだってとうにわかっとるわ。わかりすぎとるから言わなんだだけや」

「なあ、おばあちゃん」と平太はわざと刀自にいう。

「正義兄さん、このごろ少し人が変わって来たと思えへんか」

「ふン。どないに変わったいうんや」

「第一に、目が活き活きして来たわ。前は居眠りしとる象みたいやったけど、このごろは起きとるときは起きてるように見えるわ」

「こいつ、言いにくいことを言いよるな。まだあるんか」

「口が減らなくなったわ。今も、まえなら、ああさよか、いうとこを、すぐわかっとるような顔して言い返すさかいな」

「ふン、ナマ言いよるわ。そういえば、平太、おまえも少し変わって来よったで」

「ほう、どないに？」

「ムショのころはドブネズミそっくりやったな。今の本部長の話聞いて、あのころのおまえ思い出したぐらいや」

「ヒャー、きびしーい」

「この仕事始めたころは、家なしの猫みたいやった。それでもネズミから猫に出世しただけ、まだましや、思うとったもんや」

「おおきに。今はどやねん」

「そやな。ときどき人らしゅう見えてくることがあるな。おかしなもんや」

「これやもんな。人が一言いえば、十倍にして言い返すんやから、近所迷惑や。おばあちゃん。正義兄さんがこない活き活き変わりはったのは、邦子はんの影響と違うやろか」

「何い？　おまえいま何言うた？」

「何も……何も言えへんわ」

「そうやろな。今みたいに、何も言えへんことぬかしよったら、今度はただではすまへんで」

「そやけど、あの人、ほんまええ人やな」

「そら、ええ人に……こら、何をいうねん」

正義が柄にもなく狼狽して、大きな顔を赤くしたころ、県境の標識がライトに浮かんで車窓をかすめ過ぎた。

女装して単身放送会館へ乗り込んだ健次が誘導してくるはずの、放送車とのランデブー地点はもうそう遠くはなかった。

7

九時半を過ぎた。タイムリミットは十分を切った。犯人からの接触はまだなかった。

当局のあいだでは動揺が起こっていた。

「どうして？　まだ予告時間には間がある」

「おかしいじゃないか」

「そんなギリギリまで延ばしていることがさ。時間がつまれば、動く幅が狭くなって、それだけ苦しくなるのはわかり切ってる。この利口な犯人が、そんな自分の首を絞めるようなことをするかね」

「というと？」

「どこかにトリックがあるんじゃないか。例えば時間だ。犯人は接触を四十分まで、放送時間を十時まで、と指定している。我々も無意識にそれを鵜呑みにして、十時以後は接触はないもの、と思いこんでいる。現にそういう配備をしている。この裏をかかれたらどうなる？」

「………」

「十時を過ぎた。放送は終わった。この野郎、と思って気を抜いたところを狙って接触する……そういう可能性もあるんじゃないか。放送車も我々も、十時以後の時程は全然組んでいないんだ」

「だって、それじゃ放送ができない」

「ナマ放送はね。でもビデオは取れる。犯人はそれで公約を実行したことにならないかね」

「……ないとはいえんな。じゃ、そのための手も打っとかにゃならんな」

九時半現在、放送車は日置川町《ひきがわちょう》を通過して、最後の大きな分岐点、古座街道とのインター・チェンジへ向っている。

この動きに合わせて、半島東部の海岸線に沿って待機していた部隊は、四二号線は串本から以西に、古座街道は入口の古座町から四二号線とのインター・チェンジへかけて、全部新地点への移動を終わっている。

ということは、古座町からさきはガラガラで、一台の警備車も一人の警官もいないということとであった。なるほどこの虚を衝かれたら一たまりもない。

「畜生、どこまでも手を焼かせやがるな」

急遽、移動を終わったばかりの約二十部隊へ、前の地点への復帰命令が出された。「なんやね。来たと思ったらまた戻れか。本部ではいったい何してんのや」と隊員たちのぶつくさいう顔が目に見えるようだが、一点のミスも許されないこの作戦では、そういう文句や不満にかまっているひまはなかった。

淡い月が出ていた。夜霧が屋根に白い玉を結びはじめた警備車の一群が、また移動を開始したころ、時計の針は四十分に迫っていた。


スタジオの壁には大きな電子時計がかかっていた。ブラウン管に映るときは、コントロール・ルームの増幅装置で、拡大された秒音を茶の間へ送りこむ仕組である。

アナウンサーが時計を見上げて、

「もう間もなく、四十分ですが……」と言った。

スタジオは死んだように静まり返った。

家族たちは、緊張に青ざめながら、手を握りしめて局内テレビに目を凝らしていた。

テレビは二基並んでいる。一つには自分たちが映っている。もう一つはまだ灰色のままだった。

田宮牧師の唇が動いていた。声は隣の英子にもきこえなかった。

「もう間もなく、四十分ですが……」という声は、マークIIのラジオにも入った。

「いよいよやで」と平太が身震いをして言った。

「いよいよや」正義も震えながら言った。

「ほな、そろそろ覆面せんならんな」

「そや、テレビに映るんやさかいな」

「例の海坊主か」とうしろの刀自が言った。

「あれ、なかなかようできとったなあ。どないしてやるんや」

「簡単なんや」二人は同時にジャンパーのポケットから一組のストッキングを取り出した。

「アメリカの強盗映画見とると、こいつをすっぽり頭から冠るやろ。おれたちも初め試してみたんやが、あれはあかんわ。顔は引っつるし、メガネかけると冠れんし、というて冠ったあとからメガネかけようと思うと耳が隠れとるよってかけようないし、それに先っぽがひらひらして、木の枝なんぞに引っかかったら困るよってな。やっぱり暴力ばかりで知恵のない連中がやることや。そこで兄さんが考えたんや」

正義は黒、平太は白のストッキングの一方で、頭まで隠れるように鉢巻をして、もう一方で目から下を覆って、うしろで結んで、サングラスをかける。

「これで出来上りや。しとっても楽やし、するのも取るのも簡単やし、効果満点やろ。覆面の特許いうもんがあったら取りたいぐらいやて、兄さん言うとったわ」

二人が振り向いて見せるのを、車内灯の明かりで検分して、

「なるほどなあ」と刀自が感心した。「それならテレビに映っても大事ないわ。あとは雷が来るのを待つだけやな」

「それやがな、おばあちゃん」正義が不安そうに、

「おれ、今んなって心配になって来たんやが、雷兄さん、無事来るやろか」

「来る」刀自はきっぱりと言う。

「あの子、度胸のええ子やし、何より魔法のお守りを持っとるよってな」

「あん？」

「それを持っとったら、だれでも言うこと聞かんならんという魔法のお守りや。……それ、あの光がそやないか」

右手の夜空を、さっと一条の光芒が薙《な》いだのだ。ちょっとおいて、こんどは後光の中に山の稜線がくっきりと浮かんだ。

まだ音はきこえなかった。しかし、光は右に長い線を引いては消え、左の空を明るくしては消え、次第に強さを増してくる。

「まちがいないわ。今ごろこんな山道通る車ないよってな。やったわ。さすが兄さんや」

二人は小躍りして、車内灯を消して車を飛び出す。刀自は正義が開けたドアから、非常ランプで足もとを照らしてもらいながら、ゆっくりと車を下りる。

前を谷川が流れている。ふちからのぞきこむと、月明かりでときおり小波が白く砕けてみえ

る水面に、一本黒い線が引いているのは、ゆうべ正義たちが渡した丸木橋である。

ヴォリュームを一杯に上げたカーラジオから、アナウンサーの悲愴な声がした。

「ついにタイムリミットは切れました。まだ犯人の接触はありません。しかし、中止の連絡もありません。そして放送時間はあと二十分あります。私たちはこの時間一杯待ちたいと思います。果して犯人は現われますか。私たちは刀自の元気なお姿を見ることができますか。犯人たちは今どこでこの放送を聞き、また観ているのでしょうか……」

健次の放送車にも同じ声が流れている。そしてバックミラーに、アナウンサーを大写しにした車内テレビが映っている。

「おい、きみ」とうしろの中沢がいら立った声で、「まだか。もう四十分は過ぎたんだぞ。わかってんだろうな。まだだいぶあるのか」

健次は終わりのことばに首を横に振る。

「もう近いんだな？ ほんとだな？ あとどれぐらいだ。三分か、五分か」

健次はうなずいてみせる。

「三分か五分。それぐらいなんだな？ まちがいないな」

「…………」健次はもう答えない。ちらと盗み見た運転手にサングラスをかけた冷たい横顔を見せて、じっと前方を見つめたままだ。

「ふン」と中沢が舌打ちしている。「またむっつり右門か。……果して犯人はどこでこの放送を聞き、また観ているのでしょう。まさか当の放送車でとはお釈迦様でも気がつくめえか。全くふといタマだよ」

何とか怒らせて、口を利かせようとしているのだろうか。さっきから何べんとなく浴びせかけてくる毒舌だ。

だが健次は相手にしない。挑発に乗るまいという計算からではなくて、中沢あたりにどう言われようと全然気にならないのだ。

いまの彼は、不思議なくらい、水のように澄んだ自分を感じている。ついさっきまでのことを考えるとまるでうそのようである。

こんどの囮作戦を考え出したのは刀自だが、もう一台の放送車を引っ張り出すのに、刀自が私が電話で言えばいいだろう、と言ったのを、それではどう裏をかかれるかわからないから、おれが直接乗り込む、と主張して譲らなかったのは彼だ。

「兄さん、そらヤバいわ。おばあちゃんはちょっとヤバい言わはったけど、ちょいヤバどこやのうて大ヤバやわ」と正義たちも目の色を変えて反対したが、

「人間死ぬ気になれば何でもできるもんや。大ヤバもちょいヤバもないわ」と押し通した。

口さきだけではなかったつもりだが、いざ現場へ臨んだら、体も心も現金にいうことをきかなかった。

乗り込むとしたら男の姿ではそれこそ大ヤバだから女装がいい、とアドバイスしてくれたのは刀自だった。刀自はそのために、くーちゃんの娘時代の服やら端布やらを材料に、自分でミ

シンを踏んで、ちょっとしゃれたフレアがついた現代的なすその長いドレスを仕立ててくれたし、髪も女性風にとかし直してくれたし、日に三度ずつコールドクリームをなすりこんで、顔色もどうにか小麦色に近いところまで色あげさせてくれた。靴だけはどうにもならなかったので、くーちゃんのよそ行きのサンダルを借りて間に合わせた。胸のパッドは小学校のころ図工だけは得意だったという平太の苦心の力作だ。

前の晩、平太のこれも危険なマークIIに送らせて、紀勢線の有田駅の近くに出た。マークIIはすぐ引き返して、彼は公園のなるべく人目のない場所をえらんで、ときどき移動しながら夜明けまでの数時間を過して、通勤、通学者たちにまぎれこんで電車で和歌山へ向った。電車を乗り継いで和歌山へ着いたのが午後二時。ここまでは女装姿が刀自をはじめ全員の折り紙つきだったので、格別のことはなかったが、現場の下見に行って、放送会館を初めて見たときは、自分でも気がつかないうちに鼓動が高まって息苦しいほどだった。時間つぶしに映画館へ入ったが、何を見たのか全く覚えていない。すこしでも眠っておこうとも思ったが、それもできなかった。血が頭に上っていた証拠だ。かつてないことだが耳がガンガン鳴っていた。

午後七時。彼は放送会館のまえの茶房にいた。テレビで放送車の出発も見たし、会館まえの囮車騒動も見た。茶房から飛び出して行った男の声も聞いた。

平素の彼なら、「実は本物が囮で、囮が本物なんだよ」とニンマリしたことだろうが、気を落ちつけようとしてのぞいたコンパクトのミラーに映った顔は、緊張で引きつっていて、そんな余裕のかけらもなかった。

放送が終わると店を出た。文句を言われなかったのをみると、ちゃんと勘定は払ったのだろうが、何を注文してどうしたのか記憶にない。

それからの十数分、街を歩き回った。さっぱり時間が経たなかった。時計をのぞいて、また気になってのぞいて、針が動いていない気がしたので、止まっているのかと思って耳に当ててみたこともある。

乗り込む予定は七時半である。もうよかろうと思って、会館まえに戻ってくると、まだ二、三分まえだった。だがそれ以上は待てなかった。何かに押されるように階段をのぼった。足が宙を踏むようで、のどがカラカラになっていた。サングラスはドアを開ける直前にかけた。

刀自から会館の地理は詳しく聞いている。テレビ社長室は三階だからリフトを使いなさいと言われていて、ドアを入ったとたんにそのリフトが降りて来た。中から一人の男が出てきて彼のほうを見た。

本能的に顔をそむけて、リフトのわきの階段をのぼった。男は彼を見送っているようであった。声をかけられはしまいか、と生きた心地がしなかった。

「テレビ局いうとこはな。どないなかっこうで歩いていようと、だれも気にせえへんところや。あんたやったら、ちょいと背の高いタレントか何かいうとこやな。いかにも事情を知っとるもんのようにずんずん動くことや。ちょっとでもぐずぐずしたり、キョロキョロしたりは禁物やで」と刀自にいわれていて、そうではあろうと頭ではわかっているのだが、実際にはそのときの彼は恐怖心のかたまりだった。「もし、もし」とでも言われたら、思わずかけ出したかも知れなかった。

三階までの階段では、事務員らしい藤色の服の女の子と、頭の禿げた男とすれ違った。目を伏せて通り抜けた。大股にならないようにだけは気をつけた。

三階の廊下には人かげがなかった。いくらかホッとした次の瞬間、すぐ社長室の標札が目に入って、こんどこそ心臓がどうしようもなくドッキン、ドッキン鳴り出した。白のレースの手袋をはめた手に汗がにじんで来た。目を落すとフレアのドレスのすそが波立っている。脚がガクガクふるえているのである。

〈えーい、時間勝負や。ふるえるぐらいかもうておれんわ〉

半ば夢中でドアを開けて踏みこんだ。

中の二人の男が同時に彼を見た。

「部屋をまちがえたな。ここは社長室だよ」と一人が言った。

「出入禁止なんだ。札がかけてあるはずだがね」ともう一人が言った。

うしろ手でドアをしめて、ツカツカと二人の前へ進んで、ハンドバッグから刀自の手紙をとり出して、ペタンと音を立ててデスクに置いた。

「何だい、これは」

怒った声で言って、二人が手紙を見て、同時に目が飛び出しそうになった。

封筒の上書に、「東様　中沢様　とし」と墨書してある。

「柳川家の……すると、きみ……」

信じられない声で叫んで、二人はイスを立とうとした。健次は左手を挙げて制して、右手をのばして手紙を指した。

二人は一瞬ためらって、急いで手紙を封筒から出して、顔をよせ合った。

……手紙の全文を健次は暗記している。刀自はあの筆跡でこう書いている。

この者は虹の童子の使者です。口の中に毒薬入りのカプセルを含んでいます。あなた方が、この指令を実行しなければ、いつでもカプセルをかみ砕いて死ぬ覚悟です。私を助けたかったら、そして今夜の放送を実現させたかったら、この指令どおりにして下さい。一点の違背も許されません。また時間はギリギリです。一分一秒の無駄もできません。

一、直ちに予備の放送車を用意して、この使者の指示どおりに走らせること。

一、絶対に警察へ知らせてはならない。

一、放送車の乗員は、使者、あなた方お二人、カメラマン、放送技師、運転手の六名とする。

一、乗員以外の何人にもこのことを知られてはならない。

一、待合せ地点では、私を伴った虹の童子の一員が、懐中電灯で輪を描いて所在を示す。その合図を認めた時点から撮影、放送を開始してよい。

ただし、使者が脱出を完了するまでは、撮影用のライトを使用してはならない。またテレビカメラはもちろん、普通カメラでも、使者を撮影してはならない。

脱出の完了は、懐中電灯をX形に交差して合図する。

一、使者の脱出に当って、長さ二十メートルのコードをつけたマイクを手渡すこと。私の放送はそのマイクを使用して行なう。

一、その他、使者が許可しないことは一切行ってはならない。諾否の合図は身振りによって示す。口を利くとカプセルを損傷する危険があるからである。

以上の諸点です。

東様、中沢様。お二人の責任において、この指令を厳密に実行して下さい。私の命と、今夜の放送のすべてがかかっているのです。

お二人の誠意を信じております。

柳川とし

東様

中沢様

手紙を読んでいるとき、読み終わったときの二人の様子は見物であった。顔色は赤くなり、青くなり、驚き、怒り、怖れ、疑い、迷い……あらゆる表情が入り乱れ、ひしめき合った。

読み終わって二人が顔を上げたとき、健次は口を開いて、舌先をまるめてその下に含んでいるカプセルを示した。中に入れてあるのはアーモンドの粉末だが、そのベージュ色の色彩はただ白い粉より威嚇的な効果を二人にもたらしたはずだった。

この一分足らずのあいだに、かれらの頭をどんな考えがかけめぐって、その内のどれが決め手になったのか、健次には知る由もないし、また知る必要もない。現にこの指令どおりに事が運んでいる事実で十分だ。

ただ、つくづくと目を開かれた思いがしたのは刀自の聡明さである。

まず責任者を二人にしたことだ。単身で乗り込む健次としたら一対一より危険ははるかに大きい。なぜこんな指定をしたのか、意味がつかみかねていたのだが、この場に臨んではじめてはっきりわかった。

事情はともかく、現実に当局を裏切らなくてはならないのだ。かれらだけでなく、テレビ局自体の社会的信頼を直接左右するそんな重大決定をどんなワンマンでも独断で下せるものではない。二人だからできた。責任を分ち合う仲間がいることで。この決断が正しいということの客観性を、お互いの中に認め合うことで。

刀自はその上に、そのための口実を用意してやった。最後の一行の殺し文句だ。

その効果はかれらのことばが端的に証明している。

東らしい一人がうめくように言った。「刀自はこんなに我々を信じておられる」

中沢らしい一人が、同じように沈痛に言った。「全くです。何をおいても、このお気持にお応えしなくては。……放送はともかくとして」

全くの口実というのは酷かもしれなかった。そう言ったときの二人の目には、申し合わせたように実際に涙が浮かんでいたのだから。

だが、人情人間から実務人間への転換はいかにも素早かった。

東がとたんに険しい目になって聞いた。

「時間はギリギリとあるな。するとここから車で二時間もかかるのか」

健次は首をかしげてみせた。

中沢が鋭く聞いた。

「どういう意味だ。二時間では危い。もっとかかるということか」

健次はうなずいた。

二人は火がついたようにあわて出した。技師たちの人選は数秒で済んだ。三人への命令も数十秒で終わった。健次が社長室へ乗り込んでから、一行が裏口から抜け出すまで、ものの四分と経っていなかった。

……あの数分が自分を変えたように健次は思うのだ。

どこがどう変わったか、といわれても困る。説明のしようがないのだが、変わったことはたしかなようだ。

はじめは緊張して黙々としていた中沢たちは、だんだん犯人の言うままに動いているのが忌忌しくなったらしくて、いろんなことを言い出した。「毒薬なんてウソだろう。ザラメ砂糖か何かだろう」に始まって、いまの「ふといタマだよ」まで数知れずといったところだが、犬の遠吠のように耳をかすめて過ぎるだけで、胸の中にはさざなみ一つ起こらない。

何かがっしりしたもの、人がどう言おうと動かないものが、体の中にずっしりと据っている気がするのである。

〈あとでおばあちゃんに聞いてみよ。これ、どういうことなんやろって。おばあちゃんならうまいこと教えてくれるやろ。そや、そや、きょうの放送でも、おばあちゃんに話さんならんことがあったわ……〉

思い出していて、健次ははっと前方の闇に目をこらす。

一瞬に雑念が消えた。

クルッ……クルッ……遠く、小さく回る光の輪が見えたのだ。正義が描いているシグナルの輪だった。

8

数秒後、光の輪は全国のブラウン管に映し出された。数秒間——健次に指さされて技師があわててスイッチを入れ、カメラマンがこれまた大あわてでレンズにとらえるまでの所要タイムである。

コントロール・ルームが受信と同時に電波に乗せて、それからフロア・ディレクターに指示したのが、結果としてこの上ない劇的な演出になった。

何の前ぶれもなく、いきなり画面がまっくらになって、中にチラチラ動く光が映って、そのあとを興奮したアナウンサーの叫びが追っかけたのだ。

「ただいま、放送車から電波が入りました。いま映っておりますのがその画面であります。説明はまだありません。……放送車！　放送車！　これは何ですか。……放送車！」

この声に合わせて日本中の茶の間であがった歓声を、もし合成することができたとしたら、文字どおり天地をどよもす大音響となったに違いない。この番組の視聴率は、後日の調べでは六十八パーセント。四千万人以上ものひとみが息をのんでブラウン管をみつめていたのである。

走行中の車からの放送ということは明白だった。タイヤのきしむ音がひびき、画面は右に、左に大きく揺れて、光の輪はあっちへ飛んだり、こっちへ飛んだり、ときには画面から切れたりする。しかし焦点がそのシグナルに間違いないのは、切れてもすぐ中心に戻るのでもわかる。そして光はだんだん近く、大きくなってくる。

放送車から声が入ったのは、それからまた数秒後だった。マイクを握っているのは中沢だ。自分の一語一語が、どんなに雷撃のようなショックを、特に当局に与えるかを思うと、心臓が人の皮を冠っているみたいな彼も、切り出しは舌が縮む思いを禁じ得ない。

「こちらは第二放送車であります。……車はただいま、犯人の誘導で、刀自との会合地点に近付きつつあります。……画面に映っておりますのは、刀自の所在を示す犯人一味の合図です。あの懐中電灯の灯のところに、柳川とし子刀自がおられるはずであります。……私は和歌山テレビ報道局長の中沢です。社長の東もこの第二放送車に乗車しております」

「何を？　第二放送車？」

井狩が怒号して突っ立った。

「いつそんなものを出した？　なぜ我々に無断で出した？」

その声は放送車にもびーんと入ったはずだ。中沢の声は苦しげで、けんめいだった。

「当局が激昂されるのは当然であります。我々は当局には全く無断で、我々の考えだけでこの車を出しました。テレビ、ラジオ局内部のものも知りません。責任は全部、東と私の両名にあります。……しかし、事情はまことに止むを得なかったのであります。ここに犯人が持参した刀自のお手紙があります。お聞き下さい。刀自はこう書いておられます」

画面に、カメラの前に差し出した手紙が映った。ページを繰って、刀自の筆跡にちがいないのを示してから、中沢は朗読を始める。

……犯人の一人が直接放送局に乗り込んだ……刀自の手紙で第二放送車の出動を強要した……いまもその放送車に乗っている！

井狩も、本部員も、指揮車の鎌田も、出動中の全隊員も、心臓が凍る思いでその放送を聞いた。この大動員、大配備は全部無駄骨だった！　犯人はいま当局の警備網と全く無関係の別の地点で、テレビ対面を実現しようとしている！

「場所はどこだ！　放送車はいまどこにいる？」井狩がまた怒号した。

放送車では健次がきびしく首を横へ振る。

車のスピードは落ちていた。正義が振り回すライトの明かりで人かげらしいものがぼんやり見えてきた。ランデブーの直前だ。

中沢は脂汗を浮かべて答える。

「申しわけありません。今は申せません。犯人が脱出次第ご報告します。……もう、もうすぐであります。……いま、車は止まりました。シグナルのまんまえです。犯人はいまドアを開けました。マイクを持って車を降ります。いま降りました。走り出しました……」

「畜生……みすみす……何ちゅうこっちゃ」

本部ではイスにのめりこむ係官がいた。出動部隊では声をあげて男泣きに泣く隊員もいた。

「ライトを照らせ！　いつまでバカ正直に指示を守っとる！」耐えかねて井狩が叫ぶ。

「いけません！」中沢も声をふりしぼる。「ここまで来て九仞《じん》の功を一簣《いっき》に虧《か》いては、今までの辛抱も水の泡です。こちらは五人、向うは一人。何べん取り押えようと思ったか知れませんが、万一刀自に累が及んでは、と必死に我慢して来たのです。合図があるまでお待ち下さい……」

声をうしろに聞きながら、健次は崖を這い降りて、丸木橋を渡る。幅は約三メートル。橋の途中から、こんどは前のマークIIのラジオの声がきこえて来た。中沢が叫んでいる。

「この間に場所を申します。犯人の指示で、裏街道を、裏街道をと走って来ましたので、正確な位置はわかりませんが、およその方向と走行距離からいって、津ノ谷村の一角ということはまちがいありません。それも大体中央部の東寄りのあたりです。至急電波探知器で調べて下さい。前を谷川が流れています。かなり高い山の中腹です……」

……津ノ谷村！

係官たちは唖然として顔を見合わせた。まさか当の刀自のおひざもとが狙われるとは夢想だにしなかったのだ。現にこの作戦で要員を全部引き揚げたばかりで、広い津ノ谷村に残っているのは、東西両地区の駐在警官が一人ずつ。それに柳川家に連絡役の事務官が二人。捜査官と名のつくものは新米刑事ひとりもいない。敵ながらあざやかというも愚かな思い切った奇襲作戦であった。

「しょうがないな。とにかく消防団でも動員して……」

一人が渋々電話機をとりあげるころ、健次は橋を渡り切って対岸に着く。ランプを平太に渡して崖を下りて来た正義と力を合わせて、用意しておいたテコで丸木橋を動かして川へ落し込む。こちらの側は周囲十キロに全く人家のない山道だが、対岸の放送車のがわは四キロ以内に五軒の民家がある。地元のことだからテレビで観れば場所もわかるだろうし、刀自のこととなれば何をおいてもかけつけてくるだろう。そういうかれらに川を渡らせない用心だ。

正義のあとから崖をよじ登って、ほこりまみれになったドレスを脱ぎ捨ててパッドを外して、ジャンパーとジーパンの男姿に戻る。市街地を抜けてからつけていたストッキングの覆面の下の顔も、アンダーシャツも汗でびっしょりだ。

「ええで」と平太にうなずいて、平太がランプをつけて大きく宙に×印を描く。

「合図の信号です。ライトを点けます」中沢の声と同時に、放送車のライトが明るく対岸を照し出す。

一、二度動いて対象をとらえた。

四千万のひとみが待ちに待った八十二歳の大ヒロインの登場であった。

翌日の内外各紙は、それぞれ特有の視点からこの「テレビ対面」の状況を描いている。これに個人の日記やメモの類まで加えたら、その全体は天文学的な巨大な量にのぼるだろう。ここではその中で、最も地道で、事実に即したいくつかの記録を拾ってみることにする。

▼午後九時四十八分十五秒。柳川とし子刀自の姿がブラウン管に現われた最初の瞬間である。このときから、世界のテレビにかつて例のない、生きたドラマが始まった。以後の十一分間あまり、日本の視聴者たちはテレビのまえに全く釘付けになった。今までのどんなヒロインでも、日本の例でいえば結婚式に臨むプリンセス・ミチコでさえも、これほど多くの、熱い凝視の的となったことはかつてなかった（UPI）。

▼刀自は真向からライトを浴びて、まぶしげに片手をひたいにかざしながら、マイクを片手に三人の犯人に囲まれてカメラの前に進み出た。服装は誘拐された当時の質素なかすりのもんぺ姿だったが、きれいに洗濯されているのが画面からもはっきり見てとれた。刀自の小ぶりの顔はさすがに緊張していたが、ほおには和やかな微笑のかげが見えた。これが誘拐されて二週間になる老婦人とは信じられない堂々とした、落着き払った姿だった。刀自を囲んでいる三人の犯人たちが、その異様な覆面姿にもかかわらず、女王につき従う家臣のように見えたほどだ（A紙）。

▼刀自の姿がブラウン管に映ると、スタジオの末娘の英子さんが、「お母さま」と絶叫して、テレビの下へかけ寄った。ほかの家族も総立ちになった。対象から目を離してはならないはずのカメラマンや助手たちまで、一時は目を画面に奪われた（M紙）。

▼「今の声は英子やね」と刀自は懐かしげに言った。その声を聞くと、家族たちはせきを切ったように一時に刀自に呼びかけた。刀自は敏感にその一人一人の声を聞き分けたようだった。やさしくうなずいて、「あいにくこっちはポータブル・テレビまで手が回らなんだもんやから、みなの顔見えへんのは残念やけど、声でようわかります」と一人一人の名を呼んで、「ほんまに皆に心配かけますねえ」としんみりと言った。スタジオの中は号泣の声に満ちた。四千万視聴者が思わず涙を誘われた瞬間だった（Y紙）。

▼この対面で最も明るく、最もしっかりしていたのは刀自だった。「可奈子も英子も、とき子はんも、そない泣かんといて」と娘や嫁を励まして、「ほら、こないにいい顔色してるやないの。私は元気や。ぴちぴちしておりますがな」と顔を突き出すようにして、ちょっとおどけて、手踊りのように手を舞わせてみせた。家族たちは涙の中で、ほっと微笑を浮かべた（S紙）。

▼それをきっかけに問答が始まった。

可奈子さん「お母さん、さぞ不便でお困りやろな。いったいどんな暮し、してはりますの」

刀自「それが、あんたらの思うほどやありまへんのや。まずお部屋から言いまひょか。私専用のトイレつきのお部屋でしてな。日当りがようて、健康的で、広さも十分ありますのや。テレビ、新聞も自由やよって、あんたらのこともようわかってます。そやそや、英子。おまえ女だてらに偽の犯人と一戦交えたそやないか。何でそない危いまねしなはるんや。生兵法は大けがのもというやないか。私が護身術教えたの、そんなことのためやあらへん。全くおちおち人質になってもおられへんやないの。ええな。今後はもう絶対に禁物やで。また国二郎も国二郎、大作も大作や。男が二人もおってからに、のこのこ英子を出してやるいう法がありますかいな」

英子さん「すんまへん。兄さんたちのせいやあらへん。私が悪かったんや。そいで、お母さん。お食事の具合はどないですのん」

刀自「そやな。一流のホテル並みとはいかへんけど、結構腕のいい料理人がおりましてな。よう私の口に合ったご馳走を作ってくれはりますわ」

英子さん「ほんまですか。犯人どもがそばにおるさかい、いいかげんなこと、いうてはんのと違いますか」

刀自「何を言うのや。こんな、人をさろうて金にしよういうもんに、何で私がおべんちゃら言わなならんのや。そないなことというたら、せっかく苦労して世話してくれとるもんが腹を立てるやないか」

英子さん「ほんまに憎い犯人どもや。こら、おまえら、よう聞け。お母さんに失礼なまねしよったら、この私がおまえらの面の皮ひんむいてくれるさかいな」

刀自「これ、これ、それがはしたない言うんや。この者どももな、今んとこは私には礼儀正しく、紳士らしゅう振舞っておりますんや。そら誘拐犯のことやから、見張りはせんならんし、戸外へ出るのも禁止やけど、それはまァ仕方がないわな。それ以外のことやったら、たとえば私がええ言わなんだら、絶対部屋へ入ることはあらへんし、退屈して話相手に呼べば、つまらない昔話もおとなしゅう聞きよるし、口の利きかたもこの者どもとしたらまずまず気をつけてる方やし……おまえたちが案ずるようなことはあらへんのや」

この母娘の対話は約三分間続けられた。物々しい張りつめたムードの中で、刀自一流のユーモアが一脈の和やかさを醸し出した対話だった（各紙）。

▼この夜の「対面」で、犯人が予告したのは、刀自の健在ぶりを事実で示すということ、それと「百億円」の調達法を刀自に説明させる、という二点だった。むろん犯人の眼目は後者にあるはずだ。いつ当局の攻撃を受けるかもしれない犯人としては、一秒でも早く本題に入りたかったにちがいない。しかし、テレビで見る限り、かれらは刀自の左右に黙々と立っているだけで、刀自に催促したり、指示したりする動きは全く見られなかった。当局の追及の手がのびるのはまだ時間があると自信を持っていたためか。テレビを意識して、犯人らしい威圧的な行動をとらないほうが得策だと考えていたためか。無気味な覆面の下の表情とともに、第三者には読みとることができない。事実としてかれらはどんな動きも必要がなかったようだ。刀自は第一段の生活状況の報告がすむと、極めて自然に眼目に移った（A紙）。

▼刀自「そこでおまえたちとの相談なんやが、はじめに言うとかないかんのは、この者どもの百億円いう要求が、ほんまに真剣なんや、いうことや」

国二郎氏「いったいそんな大金何に使おういうんです？」

刀自「それが、どないカマかけても、言いまへんのや。絶対の秘密やいうてな。そやけど、それで武器買うたり兵隊傭うたりいうような血なまぐさいことやない、とこれははっきり言いましたな。平和利用やいうことや。目的については、これ以上詮索するのムダやと、私思います。問題はこの者どもが、その資金獲得のために、ほんとうに命をかけていることや。……東はん、中沢はん。使者が毒薬入りのカプセル含んどるいうの、脅しやないか思いはったでしょうな。脅しやあらへん。あれ本物ですのや。ここで実験して見せるいうわけにいかへんけど、この者どもが試しとる現場は私も何べんか見ております。野良犬、野良猫が耳さじ一杯でコロリや。あのカプセル、象も殺せる分量やないやろか。ずいぶん悔しい思いしなはった思いますけど、よう辛抱してくれはりました。ほんま、ありがたくお礼申します。私がこうしていられるの、あなた方の我慢のおかげですわ」

(「刀自のあの一言で救われた」と東、中沢の両氏は帰還後涙を浮かべて語っている。)

国二郎氏「でもお母さん。そいつらがどれほど真剣であろうと、うちにそないな支払い能力のないこと、お母さんがだれよりもよくご存知じゃありませんか」

刀自「尋常の手段では、な」

国二郎氏「は?」

刀自「もし、おまえらが、柳川家の資産をそのまま温存して、私を助け出そう思うとったら、そらでけん相談や。その範囲やったら、ええとこ二億、せいぜいが三億というとこやさかいな。井狩はんが言わはった、おまえたちが用意した相当額いうんも、その程度のもんでっしゃろ。

しかし、今は非常の場合や。非常の場合を切り抜けるには、非常の覚悟が要りますのや。そこでおまえたちに改めて聞きますがの。私と、柳川家の資産いうもんと、どっちが大事や思いますか。すぐ答えるんやないで。ほんまに真剣に考えて、肚を決めてから答えるんや。国二郎から順に聞きます。肚が決ったら、ハイ言いなはれ」

（画面はスタジオに移る。以後は刀自と、ひとりひとりの家族とのカットバックだった。国二郎氏は苦悩している。カメラが、その表情を残酷なまでに冷たくとらえている。長い時間であった。）

国二郎氏「でもな、お母さん。私には責任がありますのや。四百の従業員を抱えた経営者としてのな。一個人のことやあらへんのや。いくらお母さんのためやからいうても、その責任を度外視していうわけにいかへん。これはお母さんもわかってくれな困りますがな」

刀自「わかっております。だからおまえから聞くんや。おまえの社会的責任を全うして、そして一方では百億円いう金を作り出す工夫があるか、と聞いているのや」

国二郎氏「それがあるぐらいなら、こない苦しんだりしまへんがな」

刀自「可奈子はどや」

可奈子さん「そらお母さんのためやったら、何を犠牲にしても、思います。でも私にはどないしたらそないな大金作れるもんか、全然見当がつきまへん。兄さんに答えられんことが、私に答えられるわけがありまへんがな」

刀自「大作はどや」

大作氏「ぼくも気持は姉さんと同じです。できることでしたら、お母さんの身代りになりたいぐらいです。しかし、ぼくの立場自体、その資産におんぶしてるようなもんですから、実際論となりますと……」

刀自「考えがつかん、いうのやな。英子はどや」

英子さん「私の答えはお母さんもご存知や思います。うちの全財産を投げ出しても、助けてあげたい……それだけですがな」

国二郎氏「英子。おまえ口ではそう簡単に言いよるが、実際にはどういうことになるか、考えたことあるんか。軽々しく全財産いうけど、全財産いうたら柳川家の全部やで。どこの馬の骨とも知れんもんに、由緒ある柳川家を乗っ取られてもええいうんか」

英子さん「しゃあないやないの。見込まれたんが因果や。それも日本一の因果や。百億払える家は、日本中でうち一軒と見込まれたんやさかいな。悪いいうたら、そないな大資産があることが悪いんや」

国二郎氏「英子。おまえいつからアカになったんや。それが神に仕えるもんのいうことかいな」

刀自「議論はお止め。もう時間がなんぼもないよってな（事実、放送時間はあと五分を余すだけだった）。ほな、みんなの気持は一つなんやな。どないな犠牲を払うても私を助けたい。ただ方法がみつからんだけ、いうんやな」

国二郎氏「それにしても、自ら限度いうもんがある思いますけど、……根本はそういうことですわ」

刀自「ありがたいことや。子として、また柳川家の一族として、そうのうてはならんことやけど、そないにはっきり皆の口から聞かされると、うれしゅうて涙が出ますがな。では言いますがの。おまえたちが支払う方法がみつからんいうのは当然のことや。国二郎関係の工場部門には手をつけるわけにいかへんし、私の林業部門も、農林省の林業白書でわかりますように、需給状勢がきびしゅうて、ここ四、五年、赤字かトントンかいう状態やから、到底そないな大金を作り出す余地はあらへん。事業としては、や。しかし、資産としては自ら話は別、いうもんですわの」

国二郎氏「お母さん、それはどういう……」

刀自「山林を処分した場合は、や。また、こんどの事件がのうても、いずれはその時期が来るわけや。相続という形での。相続の場合、事業としての収益性いうもんも当然条件にはなりますやろけど、主体は資産自体や。その意味では処分と変わりはあらへん。私もそのへんをよう考えましてん。これを機会に、私の名義になっておる山林全部をおまえたちに贈与することに決心しましたんや。相続も贈与も税率に変わりはないよってな。改めて申しますと、おまえたちも知ってのとおり、うちの山林は四万ヘクタールありますな。その全部を、おまえたちの共有財産として贈与します。至急、法律上の手続きを取ってください。このような形で贈与するのは異例のことや思いますけど、そこには井狩はんもいてはる。この放送は全国で何千万かのお人が見てはる。こないな公開の席上で公表するんやから、どこからも異議の出るはずはない思います。ええな。わかりましたな。これが対策の第一段や」
国二郎氏「でも、お母さん……」
刀自「まあお聞きなさい。その手続きがすみ次第、山林は法律上おまえたちのものになりますよって、どないに処分しようと、おまえたちの意思一つ、いうわけですわな。なかにはよう知らんもんもあるよって、資産の状況を詳しゅう申しますとな。いまの固定資産の評価額ではうちの土地は一ヘクタール平均十八万。立木《りゅうぼく》は種類、年生によって様々やし、山林の中には原生林や植林不能地や立木としての対象にならへん若木が三割方は含まれておりますよって、平均の算出はたいそうむつかしいのやけど、私の推算ではおよそ百七十万から八十万いうとこやと思います。評価額の合計は土地が七十二億、立木が七百億ということになりますな。贈与の場合の課税基準は、土地は一・五倍、立木は〇・八五倍やから、土地は百八億、立木は五百九十五億。総計は七百三億。税をかけるいうんは、お国がそれに相当する価値がある、と認めはることやからして、おまえたちは公認の価格でこれだけのものを手に入れることになりますんや。むろん贈与税は払わなりまへんけど、七千万以上の最高税率は七十五パーセントやから、全額を完済したとして、四分の一の百七十六億ほどのもんが残ることになりますな。基礎控除は六千万か七千万のものやから数に入れんとして、私の身代金には充分間に合う勘定ですのや。……もし、現金に換えることができたとしたら、ですけどもな」
「…………」（スタジオの家族たちは、しきりに意見を挟もうとしていた国二郎氏までも、刀自の口もとを見つめるばかりで、茫然としてことばがない。茶の間の市民たちはなおさらだった。その数字の巨大さもさることながら、こういう入りくんだ数字が淀みなく口から流れ出る刀自の計数力に、みんなが圧倒されてしまったのだ。のちの験算でも、刀自の挙げた数字に一つの誤りもなかった。)

刀自「実際には、この作業は大仕事や思いますなあ。国二郎の工場の原材用にある程度ののは保留せなならんし、処分の対象が決ったとして、さてどなたがお金を出してくれはるかや。個人ではまあおりまへんやろなあ。となると、金融機関にお願いするほかないわけやけど、土地といい立木といい、どちらも不動産やから、資金が焦げつくいうて、これぐらい銀行筋が毛嫌いしはるもんはないよってなあ。さあ、そこがおまえたちの誠意の見せどころや。どうせいつかは同じような苦労せなならんのやし、こんどは私いうもんがかかってるんやさかい、無理でも何でも、とにかく当座の百億円いうもんだけは、何としても用立てていただくんや。一つでは無理や言わはったら、いくつかの銀行の協力をお願いしてなあ。先走るようやけど、私の考えでいうたら、T銀行はん、F銀行はん、S銀行はん、それに地元のW銀行はん、この四つの銀行やったら、長いこと取引関係もあるよって、無下《むげ》にも首を横には振りなさらんとは思いますけど、何というても根本はおまえたちや。おまえたちも忘れてへんはずやけど、ただ用立てていただく、いうだけでのうて、その上に犯人の切った期限いうもんがありますさかいなあ。十月一日というあの期限は、これも理由はわからんのやけど、犯人としてはのっぴきならん日取りや、いうことでなあ。それまでにあと五日しかあらへん。これだけの融資やったら、ふつうひと月ふた月、長ければ一年半年、下準備にかかるところを、こないな短時日で決めていただかなならんのやから、それこそ犯人らに負けん死物狂いの気構えがのうては到底できることやない。おまえたちにとっても、これは一生一度の大仕事やで」

「はい」（国二郎氏がうなずいた。ついさっきまでの迷いが消えて、そのひとみには何かが乗り移ったかのような、強い決意の色が浮かんでいる。可奈子さんも、大作氏も、そして英子さんはいうまでもなく、すぐ「はい」と声をそろえた。刀自の決心がここまで具体的に固まっているとなれば、だれしもそう答えるほかになかったろう。刀自のことばに息を呑んで聞き入っていた視聴者たちも、何かホッとした瞬間であった。）

刀自「もう一つ、言うとかななりまへんな。それはな、こないに大きな話になりますと、ロッキードの何やらいう手合のように、中へ入って甘い汁吸おういうもんが、必ず出て来よるもんや、ということや。この放送を見ながら、もうムズムズしとる連中も何人かいるはずや。おまえたちは何というても世間知らずやから、念のために言うとくんやけど、どこの何人が、どないな親切ごかしにうまそうな話を持って来よっても、絶対耳を貸したらあきまへんで。銀行筋とも必ず直接交渉で、全部おまえたちの力でやり遂げるんや。そないなハイエナどもに、私らの血の出るようなお金、ビタ一文、ピンハネさせるわけにいきまへんのやからな」

家族「はい」（こんどの答えは一斉だった。刀自の面にほのかな微笑が浮いた。）

刀自「驚いたやろな、おまえたちも。私がそこまで覚悟しとるとは思わなんだやろさかいな。そやけど、辛いいうたら一番辛いのはこの私や。先々代の太右衛門はんが基礎を築かれはってから、三代の人々が心血を注いで造って来はった山林や。今のように紀州随一の美林いわれるようになったたんも、みなご先祖たちのご苦労のたまものや。それを私のために犠牲にしよう、いうんやさかいな。そやけど私も八十二年の生涯をかけて、山を守って、また育てて来ましたんや。山が私の命、私の命が山やった。二にして一つ、それが私と山や。いい気なようなもんやけど、私のためいうたら、ご先祖さまもお許し下さる思いますし、山も喜んで私の身代りになってくれる思いますんや。国二郎、可奈子、大作、英子。では頼みましたで」

刀自がそう言い終わるのと、スタジオの大時計が九時五十九分をさすのとほとんど同時だった（各紙）。

▼「テレビ対面」に刀自が登場すると、津ノ谷村は全村挙げて興奮のるつぼと化した。女性たちが涙を流しながら画面の刀自に見入る一方、家から家へ有線電話が飛び交い、男性たちは連絡に走り回った。その五分後の九時五十三分。現場は同村東部の小杉地区の高台らしいと判明して、地区の山中さん父子ら八人の村民がバイク、トラック等で直ちに同地点へ急行した。一行が放送車を発見したのは、刀自の最後の放送が終わる直前だった。山中さんたちは局員の制止も聞かず、対岸の犯人一味を捕えて刀自を救出しようと、あいだの渓谷へ滑り降りたが、幅三メートル近い急流に足を阻まれ、うち二人が飛び込んだが、数メートル下流に押し流されて、やっと岸に這い上ったときは、犯人一味は既に車で逃亡したあとだった。無念やる方ない村民たちは放送車の一行に詰め寄って、危く乱闘騒ぎになるところだった（Y紙）。

▼柳川刀自の放送の最後は、井狩県警本部長への呼びかけだった。放送時間は残り一分を切っており、しかも放送車の周辺には救援にかけつけた村民たちのバイク、トラックが続々と到着

して、ライトが交差し、怒号が渦巻いて、殺気立った空気に包まれた最中だっただけに、一際視聴者の胸を打つものがあった。またこのギリギリまで慌てる様子もなく、刀自の放送を許していた犯人たちの態度も別の意味で印象的だった。

刀自の呼びかけは次のとおりである。

「井狩はん。えらいご迷惑をおかけしますねえ。あんたはんのことやから、この二週間、どないに心を痛めはったか思いますと、私も胸がつぶれるようですわ。ほんま申しわけありまへん。あんたはんにも、部下の大勢の方々にもなあ。なあ、井狩はん。いまお聞きになったとおり、これからは柳川家対虹の童子のさしの勝負いうことになりますんや。百億円払えるか払えへんか、ただそれだけのプライヴェートなことですがな。言うても聞いてもらえへん思いますけど、私のことはもう家のもんに任せてくれまへんやろか。個人のことに大勢の公務員を使い、国費を使うてもらいますの、ほんまに心苦しい思いますのや。この童子ども、しゃあない者どもやけど、約束だけは守る思います。金さえ払えば、私を必ず無事帰します。それを信じて、これからのこと、目をつぶっていてくれへんやろか。心からお願いしますよってな。ではなあ、井狩はん、お体に気をつけはってなあ……」

スタジオの井狩本部長は、黙然と腕を組んで聴き入っていた。その双眸に光るものがみえたようである。一、二度唇が動いたが、ついに答のことばは出なかった（W紙）。

▼刀自はマイクを、わきに立っていた白覆面の小柄な犯人の一人に渡して、深々とカメラに向って日本人特有の丁重な礼をした。白覆面は渡されたマイクを用意していたビニール袋に入れ

てきっちり封をした。あとでわかったが、対岸からコードを手繰って回収すると、マイクが谷川に落ちて水をくぐることになるので、濡らさないための用心だった。百億円犯人が細かなところに気を使うものである。

そうして刀自と犯人たちがカメラに背を向けたとき、だれしもこれがこのドラマのラストシーンだと思った。スタジオでは家族たちのすすり泣きの声が起こった。

刀自と犯人たちは、会見場所から五、六メートル右手の木立のかげに姿を消した。エンジンの音がきこえた。カーラジオの声ははっきり聞えているのに、どこにあるのかわからなかった車がそこに隠してあったのだ。

残り時間は三秒。ライトとカメラはぎりぎりの瞬間までかれらのあとを追いつづけた。その結果、最後の一秒で、意外なほんとうのラストシーンを視聴者に提供することになった。時間切れの寸前、車が木かげから飛び出して次の木かげへ消えた。

ああ、何たるその姿!

記者には巨大な色彩のかたまりとしか見えなかった。日本の友人は山車《だし》が通ったのかと思ったと言った。山車というのは祭礼に出す飾り舞台のことである。

とにかく、めったやたらにいろんな色が塗りたくってあった。それも細かいモザイク模様で、それらがライトを浴びて一瞬きらめいたところは、狂人がなぐり描きしたパステル画だった。バランスもトーンもない色彩のお化けだった。

黒のマークIIというのがこの誘拐団の使用車のイメージである。かれらはこの特徴をくらますために色で変装させたにちがいないが、それにしてもかれららしいやり方だ。意図してかどうかまでわからないが、「虹の童子」という呼称にぴったりの感覚を、その一瞬で視聴者の心に残したのはまちがいなかったのだから。これがこの夜のドラマの幕切れだった（ル・モンド紙）。

第六章　童子霧に消える

1

「おばあちゃんや。おれ、どうしてもわからんのやけどな」

「何がやねん」

「おばあちゃんの気持や。いったい、何でこないにおれたちに協力してくれはるんや」

健次が言い出したのはその晩のことだ。今まで夜直は正義と平太の担当だったが、今夜はどうしてもそれが聞きたくて、自分から代わったのである。正義たちは、刀自の発案で偽装用に車にセロテープで張りつけた色紙をはがすという大仕事をすませると納屋へ引き揚げて、いろりの間に残ったのは彼ひとり。考えてみれば、刀自とこうして二人だけで対座するのはこれが初めてだ。隣の寝間からはくーちゃんの雷のようないびきが聞こえている。

「約束やないか」刀自はあっさりしたものだ。

「いや、いや、約束なんてもんやないな。初めのうちはたしかにそうやった。そやけど、このごろ、おばあちゃんのすること、なすこと、約束も服従も通り越してはるわ。今夜かって、段取りつけはったのは皆おばあちゃんやし、テレビ局へ乗り込むとき、魔法のお守りやいうて毒薬カプセルのアイデア出しはったんもその一つやし、テレビ対面は頭からしっぽまでおばあちゃんの独演やし……百億円言い出しはってからあと、おれたちはおばあちゃんの言わはるとおり動いとるだけみたいなもんや。正義も平太もだんだん誰が犯人かわからんようになって来たいうとる。それも、きのうきょうのことやあらへんで。おれ、さっき思い出したんやけど、初めてここへ来た晩、おばあちゃんは、当分厄介になるいうて、くーちゃんに繰り返して言うてはった。おれたちはかかっても二、三日でケリつけるつもりでおったのに、おかしなこと言わはると思うとったんやけど、あのときからおばあちゃんは、今みたいに長期戦になるのを見通していはったんやな。あのときいうたら、さらわれはったその日からや。……わからん。どない考えてもわからん。いったい、おばあちゃんは、どないな気持でいてはるんや」

「そないな勢いで食いつかれては困るわなあ」と刀自はやんわりと受けて、

「くーちゃんの考えも一理ある思うのやけど、あれでは答にならへんか」

……くーちゃん。このおばちゃんは全く天衣無縫だった。

一行が帰りつくと、飛び出して迎えて、

「ラジオに耳くっつけて聞いとりましたで。奥さま、ほんまに大芝居だしたなあ」と感嘆して、

「おまえたちもご苦労やった」と健次たちにも夜食にお銚子を一本ずつつけてくれて、

「あほなくらにも、奥さまの深いお考えがすこうし読めて来ましたわ」と得意そうに彼女の理論を展開してみせたのである。

「奥さまの今度の目論見は、百億円いうんはつけ足しで、それを口実にしてほんまのねらいは、お目の黒いうちに、柳川家の将来いうもんをきちっと決めておこ、いうことでっしゃろ。言うたら悪いみたいやけど、奥さまもラジオで言わはったとおり、お子様衆は温室育ちのもやし同然の世間知らずで、ふつうの相続やったら、どないなハイエナどもにうまいこと持ちかけられて、ボロボロに食い荒されん限りでもないよってな。実のところ、奥さまの居てはるうちはええけど、あとはどうなるやろいうて、案じとるもんが仰山いますのや。それにしても、不動産いうもんは右から左へさばけるもんやない。強いて売りに出したら、足もとを見られて、買い叩かれて、損の上に損をせんならん。そこで考え出しはったんが、この誘拐騒ぎと違いまっか。なるほどこれは名案や。奥さまのお命がかかっとるいうことになってるんやし、津々浦々まで事情が知れ渡っとるんやさかい、どないなえげつない者どもでも、足もとを見るいうことなんぞの阿漕な真似はでけえへん。それどころやないわ。ここで一丁俠気《おとこぎ》を見せたら、どないな人気取りになるかしれんというて、張り込むだけ張り込むもんも出て来よるかもしれん。控え目に見ても、奥さまが言わはった評価額を上回ることはあっても下回る気遣いはあらしまへんやろな。こうして資産の整理がきちんとついた上に百億円のつけ足しや。さすが奥さまやな。つけ足しにしても百億とは大きく出はったわ。いくら税務署がやかましいいうたかて、そないなわけで作ったお金を、金ができたら税金に回せ、いうわけにはいかへんよって、まるまるお手許に入りますわな。これだけのお金があったら、このさきどないなことが起ころうと屁の河童や。柳川家は末代まで安泰ですわ。……ひゃあ、驚きましたなあ。ようこないなことを考えはったわ。それにさっきのあのラジオ。あれ聞きよったら、だれかて誘拐騒ぎも、そのためのお金の工面も本気にしますがな。こんな胸算用はおくびにも出さんと、ようあないにほんまの人質みたいにしゃべりはったもんや。千両役者いうことばはありますけども、奥さまは千両どころやあらしまへんな。万両役者……いや億両役者や」

感心しきって、しゃべりまくって、昼の野良仕事の疲れに加えてめったにない夜更しをしたのが、いまの大いびきの原因だ。

「おばちゃんは別や」健次は苦笑いして、「おばあちゃんの大信者やもん。あないな感心の仕方もあるか思うて、こっちが感心したぐらいや。……そやけど、おれもちょいと似たようなことを考えたなあ」

「ほう。どないな？」

「子供衆とよっぽど仲が悪いんか。そやから財産をやりとうないんか、となあ。きょうの話でも、百億いうたら手取りの半分以上やしなあ。でも、それやったら、何もおれたちに呉れんでも他にいくらも方法はあるやろし、それより何より、さっきの話で、親子の情愛いうもんがようわかったわ。おばあちゃんは、温室のもやしか何か知らんが、子ども衆を大事に思うとるし、子ども衆もあないにおばあちゃんを慕うとるしなあ。……となると」

「となると？」

「おばあちゃんに、人には言えんお金の要るわけがあるんやないか、とも思うたなあ。これで無事に身代金が手に入ったら、半分は私の働きやから、割前よこせ、いうことになるんやないか、となあ。実際その通りなんやし、おれたちは五千万で御の字やったんやさかい、文句いう筋はあらへんもんな。そやけど、これもちょいとあほらしいわなあ。そんなら、おばあちゃんのことやから、初めからそう言わはるやろうし、第一おばあちゃんみたいに頭のええ人がおれたちみたいな人間のクズと手を組むわけがないよってなあ。これがほんまの下司のカングリや」

「ほな?」

「ほな、いうて、これでおれたちの考えは種切れやがな。お子と仲が悪いわけでもあらへん。身代金のピンハネでもあらへん。おれたちへ施しのつもりやったら百億はばかでかすぎるわ。何を考えてはるんか、わけがわからんのや」

「ただの気まぐれ、とは思えへんか」

「気まぐれ? ただの気まぐれ?」健次はサングラスの下の目をむいて、〈またか〉と気がついて、

「そないなすかみたいなことばかり言わんと、ほんまのところ、聞かしてくれへんか。これから本番の金の受け渡しとなるんやさかい、そこんとこがはっきりせんと、おれ落ち着いて眠りもでけへんのやがな」

「困った坊ややなあ。取るもん取ったら、わけがどないあろうとかめへん、とは思えへんのかいな」

「思えへん」

「そやかて、こんなわけやとはっきり言われへんもんをしゃあないやないか」と刀自はいろりに炭をつぎ足しながら、真面目になって、

「強いていうたら、そやなあ、猜疑心と虚栄心いうもんかいなあ」

「サイ……何やって？」

「疑いの心やな。おまえ、『忠直卿行状記』いう小説を読んだこと……あらへんわな」

「あらへんな」

「菊池寛いう人の小説でな。ある身分の高い殿様が、人間らしい触れ合いをしたい思うて、何とか家来との間の壁を破ろうとするんやが、家来の方も必死に壁を守って、どないしても崩れへん。ついには数々の乱暴を働いて暴君として処罰されてしまういう話や。世の中の名家とか金持とか言われる人たちは、これほど極端やないとしても、似たような気持を味わっとるんやないやろか。私もそうやった。子どもの頃から柳川家のお嬢はんと呼ばれて、回りからちやほやされて、それが当りまえみたいに思うとったもんや。そのうちに、だんだん、ちやほやされるんは自分という人間のせいやのうて、後ろにある家とか金のためやいうことがわかってくるわな。おかしなもんで、一度そう思ってしもたら、中にはそないな心のない人もいるんやろけど、ミソもクソもみんな一緒に、回りの人すべてが家の名と金に尻っ尾を振る犬みたいに見えてくるんや。しまいには自分の夫や子どもまでがな。このごろはだいぶ神経もすり切れて来よったさかい、多感なりし少女時代みたいなことはあらへんけど、今もこの猜疑心いうもんは私の中にでんと据っているんや。社会の人々は大奥さまいうて立ててくれはる。子どもや孫は、

お母さん、おばあちゃまいうてホイホイしよる。そのどこまでが私という人間に対してか。後ろの金のためやないやろか、いうことやな。こんど、おまえたちにさらわれたとき、私が真先に考えたんは、わが身のことやのうて、社会が、家族が、どないに反応するか、いうことやった。ほんまに私の身を案じてくれはるか、今までの義理で表向きは騒いでみせて、腹ん中では、さんざん威張りくさって今んなってこないなことになって、ええ気味や、と手を叩いとるか、見定めるんには絶好のチャンスや思うた。それには、ちょろちょろ片付いてしもうたら面白うない。事を大きくむつかしゅうせんことには、ほんまのとこの見定めはつかへん。……まあ、一つにはこんな気持があったんはたしかやなあ」

「ふーん、それが猜疑心いうんか。むつかしゅうて、ようわからへんけど、そんなとこがおれたちと違うんやな。おれたちは初めから世間のやつらがどない思おうとかまったことあらへんもんな。それともう一つが……」

「虚栄心いうんかいなあ。この年になっても、さすがは柳川家や、大奥さまや、いわれるとこを見せたいんやろうなあ。それには身代金のつり上げのほか、方法はないやないか。それも世間の人があっと驚くぐらいになあ。そやから、さっきおまえが言うたように、初めの日からおよその腹づもりはできとったんや。うちの財産で、どの程度まで払えるやろか、いう目安がなあ。その答が百億円や。吹っかけはしたがよう払えん、いうことになったんでは、逆に恥をさらすようなもんやから、放送で言うたとおり、計算には念を入れてなあ。それをおまえらは五千万いうんやさかい、ほんまに腹が立ったわ。せめて五億いうか思うとったのになあ」

「うーん、聞いてますますわからんようになって来よったわ」健次は音を上げて、

「だがな、おばあちゃんや。つり上げるまではええとして、ほんまにおれたちに呉れてしもうて、惜しいいう気持はあらへんのかいな」

「そう思うぐらいやったら、初めから言い出したりせえへんわ。百億のうなったかて、柳川家はつぶれたりせえへんし、かえって子どもたちの気が引き締まってええようなもんや。そや、ついでやから、今まで口にしたことはあらへんけど、子どもたちの話をしてみよか」

　刀自は打明け口調になって、

「上の国二郎は、もやしにしてはえらい太いもやしやけど、温室育ちに変わりはないんや。今の仕事を見ておっても、まだ裏の山から木《き》を伐って来て売るみたいな家内工業の気分でいよる。新しい販路を開拓するやなし、需要喚起の工夫をするやなし、ただ与えられたレールの上に乗っかっとるいうだけで、およそ真剣な企業努力いうもんに欠けとるんやな。形は経営者でも実体はご先祖様の貯金をなしくずしに食いつぶしとる利息生活者のようなもんや。国二郎一代はそれでも何とかなるやろ。何分もとが大きいさかいな。もとがどんどん細うなっていく孫の代となったらどないなことになりよるか、見通しも何もつかへん。一家の中心になるべき国二郎からしてこれや。下の大作と来ては、もう五十に手が届くいうのに、世のため、人のためはおろか、わが身の始末もようせん男や。きょうも人前やからして、私の身代りになりたいなどと殊勝なこと言いよったけど、あんなもん人質にしたかて三文の身代金払うもんもあらへんやろ。可奈子にしても似たようなもんや。女子の身やから無理はないようなものの、ご亭主の言うま

まに、家に来るたんびにするものは無心ばかりや。だいたい私はキャバレーいうような水商売は好かんのやけど、それも自分の力でするならばええ。嫁の実家を当てにして、一千万すべったの二千万ころんだの言わせる男の気が知れへん。末の英子は別やな。はじめから欲も得もない子やよって、私も財産の代わりに、あの子には小さい教会堂の一つも寄付したろか思うとったもんや。そやな。こんどの百億にツメのアカほどの未練もあらへんけど、こんな騒ぎのあとで教会堂いうわけにもいかへんよって、それがお流れになるいうんが心残りといえば心残りやな。もっともあの子のことやから、身代金代わりの教会なんぞに神様がおすまいになるわけがあらへん、そないなもん、呉れるいうてもこっちでお断わりや、いうに決っとるけどな。……これはやくたいもない繰言を聞かせたもんやな」刀自はちょっと恥ずかしげな笑みを浮かべて、

「そやからなあ、雷。この事件は子らに決してマイナスやあらへんのやで。子らの共通の欠陥は、これまでの境遇が境遇やったから、真剣勝負いうもんの味を知らんことや。こんどばかりはそうはいかへん。海千山千の手合いを相手に、百億の上にこれからの身の保証いうもんを戦いとらなならん。私の命と、自分たちの生活がかかっとるんやさかい、国二郎も大作も可奈子も、それに英子も、否が応でも必死になってぶつからんわけにいかへんのや。これだけでも百億の金に換えられん収穫とは思えへんか」

「……うーん、言われてみるとなあ」

「おまえたちは、それどころやあらへんな」

刀自はまたガラリと口調を変えて、

「ここまで来よったら、おまえたちも、百億いうもんの扱いに、しっかり肚を据えとかなあかんで。百億円いうたら、今までのラーメン単位の頭では、どないにも捌き切れん額や。そのかわりには、使いでがあるいうたら十分すぎるくらいあるお金や。取ったはええが、あとの始末がどもならんいうて、物笑いにならんよう、性根をはっきり決めとくんやで」

「うーん、性根なあ。とにかく今んとこ実感があらへんよって、決めたくても決めようがないんやけどなあ。……そや、おばあちゃん。おれからも一つ話があるんや」

健次は思い出したように話を変える。

いつかは言わなくては、と思っていた。それがこうして水入らずで話しているあいだに、今がそのチャンスだと決心がついたのである。

「ほう、何の？」

「きょうのテレビで、おばあちゃんが昔施設を訪問しはったときの映画いうの、映しとったんや。愛育園いう施設や。覚えてはるか」

「今でもあるがな。新宮の郊外やろ」

「そや。園長はどないな人や？」

「何の話やねん。そら、立派な人や。初代の園長いうんは施設を売名の道具にして、それを足場に市会に出よった、しょうない男やったけど、今の二代目は、もうそないなことがあってはならんいうて、私も委員の中へ入って、人選して来てもろうた人やさかいな。よう子どもたちの面倒みてはるわ。それがどないしたんや」

不審顔の刀自の目の前で、健次はマスクをはずして、それからサングラスを外した。仲間以外に素顔をさらすのは事件以来これが初めてであった。今までとは違った意味の緊張で心もち手が震えていた。

刀自のほうへ顔を突き出すようにして、かすれ気味の声で呼びかけた。

「おばあちゃんや。この顔、覚えがあらへんか」

「…………?」

刀自はふしぎそうに小首をかしげて、健次に見入る。

……どれぐらいか、くーちゃんのいびきと柱時計の音だけが聞こえる時間が流れた。

期待は初めからしていなかった。覚えているいないではなくて、わかるわけがないのだし、いくら刀自が頭が良くても、あれだけのヒントで察しがつくはずもない。第一、多忙な刀自にとって彼の存在などは、大海の中の泡粒の一つのようなものだ。思い出せないのが当然だ。

……とは思いながら、やはり胸がキリッといたまずにはいられない。

……だが。

「実はなあ……」と失望を押し隠して、話し出そうとしたとき、刀自の面が急にパッと輝いたのだ。

「おまえ、もしかして、あの登山ナイフの子やあらへんか」

「そや、そや。よう思い出してくれはったなあ」

じーんと目頭が熱くなった。

うれしかった。そして、ありがたかった。やっぱり、このおばあちゃんは見せかけの慈善家なんかではない。少年の心の痛みを自分でも感じて覚えていてくれる、ほんとうの優しい心の持主だったのだ。

「さよか。おまえがなあ。あの坊やとはなあ」

首を振り振り、感慨深そうに健次を眺めていて、また別のことを思い出した。

「ほな、ウンチの子いうんも、おまえやったんやな」

……ウンチの子。その翌年、健次が園を脱走したときのことである。

初代園長は全くしようのない悪党だった。社会事業に名を藉《か》りて、公私の金をかき集めて、施設費をちょろまかすのはもちろん、園児の食費、生活費までピンハネして、それを元手に選挙に打って出た。肩書を利用するぐらいは知ったことではなかったが、自分たちの空腹料が票に化けるのは、十四になっていた健次は我慢がならなかった。園で盛大な当選祝いの会が開かれた夜、名うての暴れん坊の一人と組んで、宴のあとの会場に忍び込んで、式壇に飾ってあったダルマの首と胴を切り離して、首は天井につるし、下の胴の中へウンコをしておいて、園から脱走した。

幸か不幸か、無事に大阪まで逃げおおせて、やがて暴れん坊の兄貴の不良の世話で、スリ師「大匠」に弟子入りしたのが今の健次の始まりである。

登山ナイフはうれしいが、そこまで覚えていられては、さすがに健次も面映《おもはゆ》い。

「そんなこともあったなあ。ま、若気の至りいうもんや」

「十三か四の子どもに若気はないやろ。そやそや。あのとき問題になったんやが、首の宙吊りはわかるわな。さらし首のつもりやろ。あのウンチは何やね。諸説紛々で、ついに結論は出んかったんやけどなあ」

「それほどの意味あらへんわ。おれたちあのころ、しょっちゅう腹を空かしとったもんやから、そんなクソしか出えへんいうデモンストレーションや」

「それがウンチか。あっは。おまえたちは真剣やったんやさかい、笑うたら悪いけど、あっは、そこまでは誰も気いつかなんだわ。あっは、おもろいこと考える子やなあ。あっは、あっは……」

刀自は目に涙をためて、ひとしきり笑い転げて、また真面目な顔に戻る。

「ほな、この誘拐は、登山ナイフの仇討ちか」

「まさか。おれもそないなアホやないわ。あのときおばあちゃんに悪態ついたんは、いままでは甘えやったんやなあ思うとる。あれまで人に甘えるいうことも知らなんだし、あないに優しゅう言われたんも初めてやったさかい。ただあないな言い方しかでけへんかった、いうことや」

刀自はやんわりとうなずいて、

「ほな、お礼代わりの誘拐か」

「そないな皮肉いわれたら困るわ。おれたちは初めから、目標は子どもや若い女やのうて、お年寄りの女の人に決めとった。それでお金持いうたら、おれの知っとる候補者は、おばあちゃんだけやったんや。もちろん、その人のためなら家のもんも金は惜しまん、いうことも条件や。

うっかり憎まれ婆さんなんぞ誘拐しよったら、ようさろうてくれたわ、あとの面倒もついでに頼むいうて、家のもんが大喜びするだけやさかい、それでは商売にならへんもんな。……そやな。もしおばあちゃんいう人を知らなんだら、この計画は初めから思いつかなんだかもしれへんな」

「さよか。なるほどなあ。山があるから登った……私がいるからさろうた……そういうことやったんか。世の中は不思議なもんやなあ」

刀自は感にうたれた風情で、しみじみとつぶやいていたが、次にキッと健次に当てた視線には、それまでにはない強い光があった。

「戸並健次君。……君の名はたしかそやったな」

ぎくっとはしたが、健次ももう悪びれない。

「そや。よう覚えてはったなあ」

「私がいま思い出さなんでも、愛育園の記録調べたらすぐにわかることや。戸並君。きみはなんで素姓を私に話す気になったんや。きょうの映画にきみも映っとったんで、何とのう話してみとうなったんか」

「おれが映っとったいうこと、何でわかったんや?」

「愛育園の記録映画いうたら、十周年記念のときや。昭和三十八年やったら、きみも園児でいたはずやないか。ウンチ事件はたしか四十年のことやったさかいな」

「参るなあ、おばあちゃんにはなあ」

まったく驚くべき記憶力であった。健次は思わずうなって、

「おれも映っとったんはほんまや。ほんのちらっとやったけどな。そやけど、それが原因いうわけではあらへん」

「そらそやろな。誘拐団の首領たるもんが、そないなことで素姓を打ち明けるはずがあらへんもんな。何でやね」

ぴしっと問われて、健次も正面から刀自に目を当てる。座高も健次のほうが一回り高いから、自然に見下す形になるが、気持の上ではずっと大きなものを仰いでいるような心地がするから不思議だった。

考え、考え、話し出す。

「何でや、いわれても、さっきのおばあちゃんやないけど、気分のもんやから、うまく言えんのやけどな。……おばあちゃんも見てはったように、おれ、おばあちゃんに負けまい、負けまい思うて突っ張って来たわなあ。正義も平太も、何日もせんうちに、ちょろりと手なずけられてしもうて、おばあちゃんの前では猫みたいになりよった。おれは違うで、いうとこ見せな、しめしがつかへん思たんや。……それがなあ、だんだんそないにして肩肘張って力んどるのが、あほらしいうか、空しいうか、おれだけの独り芝居で、何も意味ない気がしてきてなあ。きょうも思うたんやけど、今のおれも、あのときおばあちゃんに優しゅういわれて悪態ついたおれと、そっくり同じや。おばあちゃんは、そないなおれを首領としてちゃんと立てていてくれはる。正義たちからおれの素姓を聞き出そう思うたら、今のおばあちゃんやったら何でもな

いことやのに、そないな素振り一つ見せはらへん。きちんとけじめいうもん守ってはるんや。おれは、それをええことにして、ふんぞり返っとるだけのことや。ほんまは、おばあちゃんに優しゅうあやされとる子どもみたいなもんやのになあ。……あっさり言うたら、おばあちゃんの前で、芝居しとるのもいや、サングラスやマスクかけとるのもいや、雷て呼ばれるんもいや。おれていう生地の人間のまんまで、気楽にいとうなったんや」

くーちゃんのいびきがだいぶ静かになった。いろりの炭がはじける音がした。もう夜もだいぶの時間だった。

刀自が静かに聞く。

「そないに人を信用してええんか。私は人質やで。自由になったら、犯人の様子をすぐ警察へ知らせるのが当然なんやで」

健次はかすかに笑う。

「おばあちゃんがそないにしはるんなら、されるおれたちが悪いんやな。あきらめるわ。……そや、まだ和歌山のアパートの話、せなんだな」

和歌山のアパート……健次たちが本拠にするつもりでいたアパートである。刀自はああ言っていたが、実際はどうか。念のためにテレビ局へ乗り込むまえに様子を見に行った。

一見何事もないようだったが、アパートの回りをうろついていると、どこかに人の視線を感じた。女装を幸いにコンパクトを出して鏡に映してみると、向かいの二階家の窓越しに見下している男の顔が見えた。きつい人相で、ただの市民と思えなかった。

試みに近くの公衆電話で、家主に電話を入れると、すごく愛想がよくて、いまどこにいるのかと聞いて、何やかやと話しかける。おかしいと思い、そっと送受器をおいて、ボックスを出て、通行人を装いながら窺っていると、一、二分もするかしないかのうちに三台のパトカーがかけつけた。二、三人が公衆のボックスに向かい、他はアパートへ飛びこんでいく。その中にさっきの二階家の男も混じっていた。

やはり当局はとうに目星をつけて厳戒態勢を布いていたのである。健次はぞっと肌に粟を生じた。

「こういうことや。あんとき、おばあちゃんが言うてくれなんだら、おれたちはブタ箱へ直行しとったんや。おばあちゃんのタレコミでパクられたかて、元へ戻るだけのことやもん、今さら恨んだりする筋合はあらへんがな」

きれいごとでも、体裁でもなかった。そう言いながら、健次は生まれてこの方、これほど素直になったことがないような気がする。

ほな、これから警察へ行けいうたら、行くか、と問われたら、ああ、おばあちゃんが言わはるんなら、とためらいなく答えたろう。くーちゃんではないが、この人が日が西から出るといったら、東から出る日のほうが悪いのだ。信じた結果が裏目に出たとしたら、信じたことが悪いのではない。裏目に出るような自分たちのほうが間違っていたのだ、とごく自然に思えるのである。

刀自は、ほっと溜息をした。そして、全く思いがけないことを言った。

「健次、あんた、きれいな目をしとるなあ」

「へ？　おれが？」

「そや。水晶のように澄んだ目や。いくら私が甲羅を経た九尾の狐でも、そないな目をした子を裏切るいうことはでけへんわな」

「へ？　おばあちゃんが狐？」

「もうお寝み。言うこと言うて、すこしはすっきりしたやろ。ゆっくり休んで、英気を養っておくんやな。これからが本勝負やさかいな」

「ほな、やっぱり……」

「何を言うと思うたんや？　まさかおまえも、ここまで来て、あとへ引くような卑怯者やあらへんやろ」

「そらそやけど……」

「それやったら、言うこと聞いてお寝み」と刀自はニッコリと快活な笑みを浮かべる。

「百億いうたら、前代未聞の取引や。どないにして取るか。子どもたちが一世一代の苦労して作りよる金を無事取ろう思うたら、私も一代の知恵をしぼらんならん。ここまで肚打ち割ってお互いを知り合うたんやから、もう夜直も要らんやろ。納屋へ帰って休むんやな。私もたまには隣のいびきや歯ぎしり聞かんとゆっくり寝みたいしな」

　納屋の二階では、正義と平太がぐっすり眠りこけていた。二人の間へどうやら割り込むと、健次も一息で眠りに落ちた。正義のいびきも平太の歯ぎしりも全く耳に障らなかった。

2

翌九月二十八日、県警当局は前夜の完敗を認めるとともに、次のような声明を発表した。

「犯人の予告中に、一、二暗示的な記述があったにも拘わらず、表面の言辞に惑わされて、真意を看破できなかったのは不覚であり、絶好の事件解決の機を逸したことに深く責任を感じている。しかし、犯人もこの計画ではかなり無理をしていて、特に次の点でいわゆる『虹のもう一方の脚』――現在の隠れ家の所在、および犯人自身について有力な手がかりを残していると考えられる。

1、現場の津ノ谷村小杉地区は、奈良県境に接していて、奈良県側からの出入りに便利であり、現に放送で所在が判明すると、村内の全道路が村民によって事実上完全な封鎖状態におかれたにもかかわらず、犯人の足跡を全くとらえ得なかったことから見て、犯人が県境越えルートで奈良県側に逃亡したことはほぼ確実である。

2、現場は、テレビ中継に支障がなく、また周辺の住民から妨害、追尾を受けるおそれが最も少ない地点が入念に選ばれている。これは犯人が村内の地理に極めて精通していることを示しており、従前は他の地方からの侵入者と考えられていたが、現住民か、少なくとも以前に居住していたものが一味に加わっていることは確実と見てよい。このため当局としては、これまで全く等閑視していた村民、または離村者で、柳川家に怨恨等を含むものに対して内偵を進める方針である。

3、犯人は当夜、車に極端なサイケ調の迷彩を施している。ビデオテープを調べたところでは、実際の塗装か、他の方法によるものかは不明で、当局としては犯人の得意とする目つぶし的効果を狙った、当夜一夜だけの迷彩であろうと考えているが、それにしてもこのような色彩の車は一見したら何人も深く印象に留めざるを得ないにもかかわらず、現在まで目撃者は一人も現われていない。これは都市はいうまでもなく、相当な寒村でも、車の通行する道路があるところなら、ほとんどあり得ないことで、『虹の片脚』は大都市周辺ではないかという見解がこれまで支配的だったが、少なくともこの見解は完全に否定されることとなった。

4、犯人の指定コースを警備していた各部隊は、放送地点が確認されるとともに直ちに反転して、同時に周辺各地に非常線を布いた奈良県警と呼応して、ほぼ二時間後には現場に通ずる全主要道路を封鎖した。犯人がこの圏外に逃亡し得なかったことは絶対に確実である。しかし該当車はついに発見できず、また情報も得られなかった。

5、当夜出現した三名の犯人は、身長その他の点で従来の情報と完全に一致しており、何らかの団体に属しているか否かはまだ不明だが、かりに団体員としても、今回の実行部隊がこの三名に限られていることはほぼ確実と見てよい。

以上を総合すると、犯人の現在の隠れ家は、㈠奈良県南東部の㈡人口の少ない山村にある㈢

他の民家から孤立している一軒家か㈣山中の洞窟等であって㈤放送現場からほぼ八十キロ以内の地点であると推察される。またその一軒家もしくは洞窟等に潜伏しているのは、㈥刀自を含めて四名程度で㈦うち少なくとも一名は津ノ谷村の関係者と思われる。

県警ならびに特捜本部は、来たるべき身代金授受に際して万全の対策を練るとともに、奈良県警の支援のもとにこの潜伏地点の追及に最善を尽くす所存である。両県民各位のいっそうのご協力を切望してやまない」

この発表の記者会見で、特に刀自の呼びかけについて所感を問われた井狩本部長は、沈痛な色をにじませてこう答えている。

「あの切々とした語調からいって、あの呼びかけは犯人の指示ではなくて、刀自ご自身の発意にちがいないと感じている。事件以来のわれわれの辛労をよくご存知だからこそ、あのように少しでもわれわれの負担を和らげようとする発言になったのだと思う。しかし、事件を単に私的交渉とみなして、公的な面を無視せよといっても無理なことは、刀自も十分ご存知のはずで、あの呼びかけがあったからといって、われわれの態度に寸毫の変りもないことはいうまでもない。いまの声明にあったように、この五日間以内に犯人の所在を発見できればそれが最上だが、不幸にして身代金受け渡しの日を迎えたとしても、そのときが最後の決戦である。百億といえば紙幣にせよ、金塊にせよ、この種の事件では前例のない分量だ。いかに狡知に長けた犯人といえども、この巨額の取引を無事に果たそうとしたら容易ならぬ工夫と覚悟が要るはずであるし、われわれとしてもこんどこそは絶対に負けられない勝負である。またこの戦いに勝つことが、刀自のあの呼びかけに、ほんとうにお応えするゆえんであると信じている」

一方では柳川家の支払い準備もフルスピードで進行していた。

最後まで迷い抜いた家兄の国二郎も、いったん肚がきまると、それからの処置は、はたが目を見はるほどテキパキと思い切りがよかったし、英子はいうまでもなく、同じようにへっぴり腰だった可奈子も大作も、兄に負けず劣らずだった。

英子は、事件以来毎日欠かさずつけている日記に、そのさまを「対面以来、両兄も姉も変わりたり。一言でいえば母を慕うただの子になりたるなり。更にいえば、よくきょうだい喧嘩はしたれども、外敵現われれば一致団結してぶつかりたる幼な子の昔に帰りたるなり」と記している。

それもあったろうし、四千万の目のまえで公約した責任感もあったろう。そして何よりも五日間というタイムリミットが、かれらに迷いやためらいの間を与えなかったのだ。

深夜、津ノ谷村の本宅に帰りついて、かれらが最初にしたことは、山林関係の書類の精査だった。その結果、刀自が挙げた数字が極めて正確だったのを確認すると、

「ほな、贈与税の総額は五百二十七億あまりいうことや。そない膨大なもん、ちょこちょこ換金処分などして払いよったら、百年経ってもラチ明かんよって、一括物納に限るわ。お母さんのいわはったとおり、国もてめえが査定した評価額で取る分には文句のいいようがあらへんやろ」

全員一致で方針を決めて、

「問題は、どこを身代金分に残して、どこを物納に回すかやな。七十五パーセントいうたら四分の三やから、大まかに言うて、三万ヘクタール取られて、手取りは一万ヘクタールいうことや。林相や地形もさまざまやよって、そないに機械的にはいかへんやろけど、だいたいそのへんを目安にして、まず確保する分から決めてかかろ。家のなるべく近回りで、一つにまとまっとって、林相、地味のええとこ、いうんが条件やな。余ったカスを物納に回したらええんや」

串田執事ら本家付きの幹部を動員して、ふるい分けにかかった。

想像以上の難作業であった。林相——立木の状況は文字どおり千差万別で、ヘクタール三百万を超える美林もあれば、評価額ゼロの荒地もある。地積を主にすれば価額がオーバーするし、価額を主にすれば地積が凹《へこ》んでしまう。なるべく地番で分けることができたらあとの扱いが便利だが、一地番で千ヘクタールもの大場もあれば、二、三ヘクタールの細かいのもある。

「このお山はなあ、先々代の太右衛門さまが初めて手をつけなさった柳川家発祥の地ですよってなあ。林相も地味も下の下の部やけど、国に取られるいうんは無念ですわなあ」

と串田執事のセンチメンタルな繰言が出たりして、作業は遅々として捗らなかった。

「いったい、なんでこないに仰山、国に取られんならんのや」英子らしい疑問も出て、

「それでも山やから残ったようなもんや。中堅ブルジョアは資本主義の要やから、保護せないかんという占領軍の方針で、戦後の土地改革で、山林と宅地は対象から外されたからや。これが農地並に解放されとったら、今ごろ柳川家もご本家もあらへんがな」と国二郎が解説する一

幕もあった。

この難場を打開する働きをしたのは、意外なことに経営者の国二郎よりも、むしろ怠け画家の大作だった。

日頃はいかにも俗事を超越して太平楽をきめこんでいるように見えたこの四十男の中に、実は金銭、財物に対する鋭い感覚と判断力が潜んでいたのが、こういう土壇場で発揮されたのだ。

彼の眼中にはセンチメンタルな回想も曰く因縁もなく、ただ実益あるのみだった。この二十年来、ろくに山へ入ったこともないくせに、地図、公図を地積リストと首っ引きで調べて行って、「このへん、かなり縄延びがあるんと違うか」と指摘するところは、串田執事の見込みとほとんどぴたりだったし、土地の価値判断も必ずしも現在の林相や地味だけに拘《こだ》わっていなかった。

「ここは物納も身代用も外して確保せなあかんな」とマークしたところが、位置も山林価値もC級だったので、わけを聞かれると、「二十年もしたら第一級の別荘地や。今の軽井沢並やな」と将来の観光資源としての価値まで織り込んである、といった具合である。

電算機片手の計算も、クラブのレジ担当で計算に明るいはずの可奈子や、ソロバン自慢の串田執事顔負けの早さ、正確さで、初めのころはいつまでかかるか見当もつかなかったこの選別作業が、夜の明け方には大方の目鼻がつくところまで漕ぎつけたのは、過半は彼の貢献といってよかった。

最後の集計が終わったのは朝七時。確保した地積は約一万ヘクタール。評価額約百八十億と、当初の予定と正にぴたりである。

「ということは、実面積、実価格はこの二割増と見てええ、いうことや。これで百億作れなんだら、わしらほんまに日本じゅうの笑いもんや」

国二郎のまとめの発表で、みなの間には事件以来初めての明るい笑声が湧いた。

「兄さん、これやったら売り急ぐことはないな。三年据え置き、十年払い、年利一分二厘ぐらいの条件で、全部担保にして融資してもらうことにしたらどうや。切り売りしても百億はできる思うけど、残せるもんならせっかくの一万ヘクタールそっくりわしらの手で残したいでな。年利十二億、月一億の割やったら、何とかなるんやないか」と大作が言い出して、金融機関との交渉方針も同時に決ってしまった。

「可奈子姉、大作兄に『あんた、パレット捨てて、兄さんの会社に会計係で入りいな』と戯れて、大作兄また大まじめに『おれもそのつもりや』と答え、国兄また『その代り百億の取り返しつくまでサラリーなしやで。おまえが今までお母さんにかけた苦労賃や』と半畳を入れるなど、かくのごとき兄弟の間に隔意なき交情は、思えば絶えて久しきことなり。けだし調達の見込みつきたる安堵感のみにあらず、これを具現したる一致団結の力と喜びとが、たれの胸にもありたればなり」と英子は日記に書き加えている。

朝食が終わると、四人はほんの三十分ほどの仮眠をとっただけで、直ちに行動を開始した。まず役場での贈与手続き、法務局での名義変更、そして銀行筋との交渉と、ぎっしりつまった日程が彼らを待っていたのだ。

外の諸機関の協力ぶりも破格だった。だれもが昨夕のテレビを見ていて、事情を知り抜いていたから、一言の説明も必要がなかった。

村役場では、村長が玄関へ飛び出して来て、

「例の贈与届だすな。四万ヘクタールの贈与いうたら有史以来やさかい、こちらもそのつもりで全員待機させとりますわ。贈与するんは大奥さま、あんた方はお受けになる方やから、大奥さまの実印さえお持ちいただけたら、ここでの手続きは問題はあらしまへん。厄介なのは法務局と税務署でっしゃろな。税務署はまださきのことやからええですけど、法務局のやつらと来たら、一ヘクタールの名義変更にも司法書士を中にして、一週間十日かけるんが当り前みたいな面しとりますさかいな。とにかく大急ぎですませますわ。とはいうても四万ヘクタール、三千何百筆となりますと、一時間二時間いうわけにはいかしまへんけどな」

自ら吏員を指揮して、一行の車から書類を運ばせるなど、至れり尽せりのサービスだ。この村長も柳川家とは縁が深く、ゆうべは深更まで焚火しながら近くの道路を見張っていた一人である。

役場では昼食をはさんで四時間あまり。ひっきりなしの質疑に答えたり、書類運びを手伝ったりの忙しい中で、ふと気がつくと、どの窓口もガラ空きで、入ってくる村民がひとりもいない。

「いつもこうひまなんですか」大作がうっかり愚問を発して、

「そんなわけはあらしまへんがな」と村長に叱られた。

「きょうはご本家さまのことで、ここが天手古舞やいうこと、村のもんならだれでも知っとるからですがな。ついでに言うたら、さっきのテレビでの警察の発表、あれ何だすねん。津ノ谷村の村民で柳川家に怨恨を含むもんを捜査中やとか。他の村ならいざ知らず、この津ノ谷村でそないな不心得もん、村じゅう逆さにして振ったかて、出てくる気遣いありまへんわ」

役場だけではなくて、全村あげての協力だったのである。

役場始まって以来の超スピードで作り上げてくれた書類一式を車に積んで、午後新宮の法務局へ回る。

ここでも一行はすぐ局長室へ通された。

「いろいろご心配かと存じますが、ご承知のとおり我々の仕事には一点一画のミスも許されませんので、多少の日時がかかるのが通例でございますが、今回は特例中の特例ですから、うちも全力を尽しまして、一両日中には必ず完成いたすつもりでございます。どうぞこちらはお気遣いなく、すぐにも銀行筋との折衝にお入り下さい。名義変更の手続きが渋滞したため人命にかかわるとありましては人道上の問題でございますからな」

局長の万事心得たあいさつで、これで法律上の手続きはすべて完了したのも同然であった。

ほっとする間もなく、次は本番の資金作りだ。あらかじめ市内の各支店に電話で問い合わせると、金額そのものは支店の権限内ではあるが、短時日の間の融資となると技術的に困難だから、できれば和歌山の責任者と直接折衝してほしい、と申し合わせたように答えているので、一行はその足で安西のリムジンを和歌山へ飛ばした。

和歌山着は夕刻。最初に地元のW銀行本店を訪ねる。

「ここからはおれのフランチャイズや。他の銀行もやけど、W銀行とは特に創設以来の長い取引やしな。はじめ二億円用意させたんもここの支店やし、頭取も個人的によう知っとるよって、万事任しとき」と途中の車で、国二郎は胸を張っていたが、力むほどのことはなく、支店からの連絡で待ち受けていた頭取の冒頭のあいさつからして、

「このたびは、大奥さまから直々のご指名をいただいて、まことに光栄に存じております」とまるで貴賓扱いで、

「他の三行の意向もございましょうが、当行としましては喜んでお役に立ちたいと存じております。は？　一万ヘクタールを担保に、そういう条件で？　柳川様のことでございますから、そうまでお固くなさらずとも、と存じますが、では一応お預りしまして。……ところで、どういうもんでしょうな。こういう犯人いうのは、続き番号の新券は嫌うて、使用済みの紙幣を要求するもんやという話、ものの本で読んだことがありますんやけど、それが二十億、三十億となりますと、右から左いうわけには参りませんし、初めからそのつもりで準備したほうが宜しゅうおますやろかなあ」と、さきの問題を心配しているのである。

「そうですなあ。犯人からまだその点は、何とも言うて来てませんよって、わしらも考えておりませんでしたけど、たしかにそういうことはありますやろな。そのおつもりでいてくれはったら、いざというとき、まごつかんですみますなあ」

国二郎たちのほうが、逆に引きずられ気味だった。

その上、「他の三行は……」というのはどうやら三味線だったようで、続いて歴訪した三つの都市銀行の支店でも、一様に一行を歓迎して、

「権限的にはともかくとしまして、こういう全国的事件ですから、一応本店のコンセンサス(同意)を取りつけておきたいと存じまして、実は内々照会中でして。……さようでございますなあ、その場合、地元のWさんに幹事役になっていただいて、あすにでも四行で打ち合わせをしまして、それからお宅との正式会談ということになりましょうかなあ」と、融資はもう既定の事実として、具体的な手順や日程まで、四行のあいだで下相談ができていたらしいのだ。

どこも下りるどころか、バスに乗り遅れては大変、といった感じで、中には「私のとこはご指名が最後でしたやろ。もし名を呼ばれなんだらどないしょう思うて、テレビ観ながらドキドキしとりましたがな。おまえら日ごろ何しとったんや、とおえらがたのお叱りを蒙るのん、必定ですからね」と正直に白状する地元出身の支店長もあった。

最後のS銀行を出て、リムジンに乗ると、四人のほおは自然にゆるんで、それからどっと声を合わせて笑いだしてしまった。

「案ずるより、いうけど、これほどとは思わなんだなあ」

「お母さんの力、それにテレビの威力やなあ。何やねん、せっかく苦労した担保リスト、どこでもろくすっぽ見もせんやないか」

「それもこっちの力のうちや。やれやれ、これで肩の荷が下りたわ。みんなで苦労した甲斐が

あったわなあ」

帰りの車中は、明るい談笑が絶えなかった。

……むろん、地元以外のところでは、多少の雑音は免れなかった。その第一弾は、その夜の国会での質疑だった。

この詳細については、もう一度英子のやや文学的な日記を借りるのが最も簡略であろう。

3

〈英子の日記〉

……(前略)、勇んで帰り来れば、串田さん慌しく出迎えて、「今夜放送があります」という。「え? またお母さんが?」と驚き問えば、「いえ、きょうは衆議院だす」と言う。

何の事やら解し兼ねたれど、よくよく聞けば、さきほどテレビの中沢氏より電話にて、今夜の衆院予算委員会で沼袋一寅なる議員、当家の事件につき質疑通告をなし、NHK教養にて夜八時より中継放送する由、連絡ありしとのことなり。

「沼袋って何者やねん?」と聞けば、

「タカ派で有名なやっちゃ」と国兄。

「何のタカ派やねん」

「そこまでは知らんけど、何につけても強硬やから、タカ派やないんか」

最も政治通の国兄にしてこの程度なれば、他のものは名からして初耳なり。

どこの馬の骨ならぬタカのしっぽが、当家に何を言わんとするか。一同やや不安のうちに、夕食もそこそこにテレビの前に顔をそろえぬ。

やがて放送。一、二の他の議員の質疑ののち、委員長に名を呼ばれて席に立ちたるは、タカ派といわんよりむしろカニ派とも呼ぶべき醜怪なる面相の議員なり。エッヘンとせき払いして曰く、
沼「ゆうべからのマスコミ報道によりまするど、和歌山で発生した誘拐事件で、被害者の家族は、犯人の要求した百億円の身代金に同意して、準備中とのことであります。事は一地方、一私人の事件に似て、断じてそうではない。一億、二億ならともかく、百億といえば相当な市の年間予算にも匹敵する大金である。このような大金が易々として払われるようなことがあれば、人心に及ぼす影響は甚大であって、由々しい社会問題といわねばならない。この件に関する総理の見解を伺いたい」

総理とは？　ここへ首相が出てくるとは思わざりしかば、一同思わず顔を見合わすうちに、かの馴染の顔、答弁席に進む。

首「この事件につきましては、ご同様に事態の推移を憂慮しております」

一礼して引っ込む。簡、要を得ず。

「何を、どう憂慮してはるんや」と国兄。名士は大名士に弱いが常なれば、総理の名を聞きし

ときより、顔面蒼白となりて、身ぶるいしありたるようなり。沼袋また立つ。

沼「先般のモロ元イタリア首相の事件が、世界に与えたショックは、まだ我々の耳目に生々しいものがある。あの事件の身代金は二十二億と聞いておりまするが、その巨額なる点においてこの事件と一脈通じるものがある。今や世界は狭い。西で失敗したら東、というのがかれら過激派の常套手段である。今回の事件は、モロ事件の失敗をとり返そうとするかれら一党の犯行とは考えられませんか」

「あほな」と私。この男、新聞を読んでおらんのか。首相、また席へ。

首「身代金はなるほどどちらも巨額でありまするが、モロ事件では犯人が政治犯の釈放等の政治要求を正面に掲げておりましたのに対し、この件では純粋に身代金のみに限られておりまして、その他の点から申しましても、赤軍等の過激派とは関係がない、と承知しております」

「そや、そや。何でそない難癖つけるんや」と私、拍手。されど、これは単なる前段なりしなり。

沼（すぐに立ちて）「たとえ過激派と関係ないにせよ、この件で犯人がもし成功したとするならば、ハイジャックのあとバスジャックなどが続発した例に徴しても、第二、第三の柳川事件が続出して、わが国の治安は根底から覆されるおそれがあるのではないか。この点について所信を承りたい」

これは痛いところなり。一同緊張して首相の答えを待つ。

首「さきほど憂慮していると申しましたのもその点であります」

こんどは要を得た。なるほど一国の総理としたら、そこまで考えるのが当然だ。でも、だからといって、私たちはどうしたらいいのだ。一同ざわめき、国兄の胴ぶるい、ひどくなる。

沼（勢いよく立ちて）「では、そのような事態に、いかに対処するつもりですか」

すぐに座る。首相、うしろのだれかとちょっとうなずき合いて、
首「治安当局の断固たる取締り以外に方法はない、と考えます」

沼（またすぐ立ちて、あたりをねめ回して声を張る）「しかしながら、一たび先例が作られるならば、後からそれを防ごうというのは困難である。この際、一歩を進めて、柳川家に対して、かかる社会不安を惹起するおそれのある身代金の支払いを禁じてはどうか。それが今日の最善の策ではないか」

さては、それが言いたかったのか。やっと本心がわかった。

「あほ、あほ、くそったれ」「冗談やないわ。ほな、お母さんをどないしてくれるんや」「ひとごとや思うて、てめえ木の股から生まれたんか」たちまち怒声、テレビの前に渦を巻く。この間に首相、卓に進む。

首「さきほども申しましたとおり、犯人は、政府を含む第三者に対して、何らの要求もしていないのでありまするからして、好ましいことではないからと申しまして、政府ないし官憲が、支払いを禁ずるということは法的に不可能であります。また、かりにそのような勧告をした場合、万が一、不幸な事態を招いたならば、何人がその責任をとるのか、という問題もございます。要するところ、現行法の下では、一切は柳川家の判断に委ねるほかにないというのが、わ

れわれの見解であります」

……男と女の違いを知りしはこの時なり。首相は、とにかく沼袋の無茶な要求をきっぱり退けて、われらの権利を守りくれたるなれば、私「ほれ、みい」と拍手せんとして、大作兄の表情に気付き、はっと息を呑みぬ。

大作兄、眼輝きいたれど、喜びたるにあらず、怒りたるなり。その心中、次の一言に明らかなりき。

「ほな、できへんからやらん、いうんか。できたらやりたい、いうことか。それがこの国の首相のいうことかいな。なんで、子が母のために尽すは当然のことやと言わんのや」

国兄の胴ぶるいもこのとき止みぬ。大作兄の言に打たれて、首相の権威、何するものぞの気概自ら胸に湧きしにあらざるか。

私、また粛然として、この言、母に聞かせたしと思えり。この事件は不幸なる事件なり。われらに与えし惨苦、算《かぞ》うるに耐えがたきも、妹の目より見てもしょうがなきぐうたら兄をして、この男子の言あらしめたるはせめてもの救いにあらずや。もっとも、のどもと過ぐれば、の諺もあれば、さきはあまり当てにはならざれど。

委員会にては沼袋、肝心の主張を首相に蹴られて当て外れの面持なるも、それで引込む男には非ざりき。憤然として立ち、こんどは法相にかみつく。

沼「では法務当局に伺いたい。およそ威迫による行為が、法的に無効であることは常識である。であるならば、柳川刀自が犯人の威迫によって主要財産を子に贈与し、処分を命じたことは、適法性を欠く行為であって、法的に成立しないのではないか。従って関係機関が家族の届出を受理したことは、違法の疑いがあるのではないか。しからば、その結果として生ずる処分等の行為も当然無効でなくてはならぬ。この点はどう考えているか」

これはわれらの盲点なりき。もし沼袋の言うごとくんば、われら一日の奔走は悉く水泡に帰し、百億の捻出も不可能になってしまう。ぎょっとして政府席を見つめれば、役人らしき委員、小腰をかがめて法相に何かささやき、紙片を渡す。法相メガネをひたいに上げて、紙片を読み、おもむろに席に進む。

法「えーと、およそ威迫により止むを得ずに行なったことが明らかである行為が、適法性を欠くことはご指摘のとおりでありまするが、この場合、犯人の威迫は身代金そのものであって、調達の方法にまでは及んでいない、と見るのが相当であります。平たく申せば、金さえ取ればよい。その金をどうして作ろうが、犯人の知ったことではないんですな。従いまして、柳川刀自および家族のとった行為は、自由意志によるもので、法的にも合法であるということになります。だいたい、刀自が主要財産を子に贈与したというのは、自分の名義のままでは、第三者に対して処分するときに種々の不都合が生じますので、それを除去するための便宜的方法にすぎないので、犯人の威迫から必然的に生じた結果ではない。つまり法的因果関係は考えられないわけであります。でありまするからして、書式が完備しているならば、関係機関がこれを受理するのは当然のことで、また家族が贈与された資産をいかように処分するとも、同様に合法ということになります」

「そらそうや」「当りまえや」と言いつつも、一同ホッとする。「ざまあみい。ヤブヘビやないか」と言いたるは可奈姉。法律に弱きは私同様なれば、不安ひとしお強かりしを、こうして法務省のお墨付をもらえば威張ったものなればなり。

沼袋、もう参ったかと思えば、また一転、政府席をにらみ立ちて、

沼「要するに、法的に打つ手がない、ということのようでありまするが、政府はこの事件が財政面に及ぼす影響を殊更に軽視しているのではないか。百億もの大金が悪人一味の手に渡るようなことがあれば、一般に通貨に対する不信の念を生じ、ひいては通貨不安を招来することは火を見るより明らかである。かかる危険を防止するために、政府としては当然身代金の支払いを禁止すべきであり、またそのための法的根拠もあるはずではないか」

なんと難癖のつけようもあるものよ。これはまた途方もなきことを言い出したり、とは思えども、いわれてみればそんな気もしないことなければ、また不安のうちに答弁を待つほどに、こんどは蔵相、同じように委員の耳打ちを受け、紙片を渡されて、

蔵「実のところ、このような事件はあまり例がありませんので、どの程度の通貨が不法所持者の手に落ちたならばご指摘のような情勢を招来するか、確たるデータはないのでありまするが、この事件で、犯人がかりに一万円券で百億円を取得したとしますと、現在の日銀券発行高は、先週末で約十三兆四千三百億円、うち一万円券が八十二・四パーセントの約十一兆六百億円でありまするからして、犯人の取得額は発行高に対して〇・〇七パーセント、一万円券に対して〇・〇九パーセントほどということになります。常識的に申しまして、この程度の占有率

では通貨不安ないし混乱を招くおそれはまずないものと考えております」

あわれ、沼袋の横槍はまたも一蹴せられたるなり。こんど「ざまあみぃ。どこを叩いてもお望みの答は出えへんやないの」と快哉を叫びたるは私。沼袋、いよいよユデガニのごとくなりて、
沼「政府の言うことを聞いておれば、口では好ましくないとか憂慮しているとか言いながら、実はまるで犯人の肩を持つようなことばかりである。改めて総理大臣に責任ある答弁を願いたい。では政府としては徒らに手を拱いて傍観するほか能がない、といわれるのであるか」

首相、さすがにムッとしたる表情にて、発言を求めて、
首「さきほどもお答えしましたるとおり、この種の事件につきましては、治安当局の断固たる取締り以外に、抜本的解決策はない、というのが我々の考えであります」

言い捨てて席に復す。

沼（なおへこたれず、テーブルを叩きて）「しかし、現実には犯人のハの字も検挙できないではないか。いやしくも法治国家たる日本において、白昼堂々かかる威迫がまかりとおるとは何事であるか。警察当局はいったい何をしておるのか」

ついに槍玉にあがりたるは警察庁長官なり。同感の思い、なきにしも非ざれども、本朝来、わが家に再び前進本部設置せられありて、係官一同が早朝より深夜に至るまで必死に聞き込み捜査に奔走しつつあるさまは涙ぐましきものあり。また井狩本部長の熱意は疑う余地もなければ、次の長官の答は大方の同意を得たり。

警「現地司法警察官は、最善の努力を尽しているものと信じております」

のちにこの話を前進本部の長に伝うれば、唇をかみて無言にてうなずきいたり。

沼袋はと見れば、完全に逆上の態にて席に突立ち、
沼「政府ならびに当局の答弁には全く不満足である。全く答になっておらん」と連呼して、憤激のあまりか、最後に大脱線をやらかす。

「政府は問題の本質を認識していない。例えば大蔵大臣の答弁である。〇・〇九パーセントだから不安はないという。〇・〇九パーセントといえばほぼ〇・一パーセントである。〇・一パーセントといえば千分の一である。すなわちこのまま行けば、日本中の一万円札の千枚に一枚が犯人の手に落ちることになるのである。これが大事でなくて何であるか。その二十分の一で宰相の位を棒に振ったものもおるではないか。かかる大事を黙過したならば、これが前例となって、赤軍等の過激派も、目標をハイジャックから政・財界の要人に転換して、身代金も大幅アップするのは必定である。あえて首相に伺いたい。その場合、あなたの身代金はいったい、いくらになるとお考えであるか」

このとき間髪を入れず、「君はなんぼだ」と野次るものあり、満場どっと爆笑。われらも抱腹絶倒す。沼袋、声の方をにらみたれど、絶句して棒立ち。どうみてもタダでもごめんというガラなればなり。委員長も笑いつつ政府席を見やれど、首相むっつりとして立つ気配なければ、「答弁はありません」と宣して沼袋すごすご着席。まこと袋の底破れて沼の水干上がりしごとく、竜頭蛇尾を絵にかきたるに似たり。……(後略)

終わりの野次一発で腰砕けになった観はあったが、さすが小なりといえども国会議員で、沼袋質疑が引き起こした波紋は予想外に甚大だった。

4

もともと事件の背景にそうした問題性はあったのだ。

刀自の放送で、はじめて四万ヘクタール、七百億という数字を聞いたときは、その道の専門家でさえびっくりしたそうだ。かれらのあいだでは、北海道は別として、本州では大山林王といわれるものの標準は一千ヘクタールで、その数はわずか十余人。最高が俗に「出雲の三名族」と呼ばれる島根の三家で、それもトップの田部家で一万ヘクタール。以下桜井家の四千ヘクタール、絲井家の三千ヘクタールというのが常識だったらしいのだ。

「もっとも、田部家ももと二万四千ヘクタールあったというから、柳川家が四万そっくり維持できたのは、この六十年あまりに代替りしなかったためだろうな」というのがその一人の補足解説である。

山林を解放の対象としなかったのと同じ保護政策で、山林の場合は相続税でも特別の優遇措置がとられている。「五分五乗法」と呼ばれるものがそれで、他の資産とは違い、総額の五分の一相当額に適用される税率で基礎額を算出して、その五倍が税金ということになっている。

適用税率が低いから減免率の幅が大きく、これも山林地主が温存されてきた有力な一因だが、柳川家のように一人当りの相続額が百八十億ともなると、この恩典ものをいわない。五分の一にしたところで最高税額の五億をはるかにオーバーしてしまうので、どっちみち適用税率にかわりはなく、現にこんどの事実上の相続で、柳川家も田部家並みの一万ヘクタールに転落することになっているからだ。

だが、それはそれとして、一般庶民にとって、刀自が挙げた数字は何から何までが驚きだった。

「四万ヘクタールって、いったいどれくらいの広さなんだね」

「テレビでは甲子園球場が一万いくつ分とか言ってたな」

「新聞には成田空港と比べて書いてあったわ。いまが五五〇ヘクタール、二期工事分を入れて一、〇六五ヘクタールだから、ざっと今の空港の倍にふくらんだとして、そのまた四十倍だって」

「どっちにしても感じが出ないな。こっちは平方メートル単位の生活だもんな」

「金にして七百億いうんだから、全くあるとこにはあるもんだな」

翌朝、至るところで交された会話で、それが、

「そんなにあるんじゃ、百億狙われたってしょうがないな」になり、

「狙うほうも、いいとこ狙ったもんだ」になり、最後に、

「しかし、誘拐犯に百億とられるのはシャクだな。こっちは一万かせぐのに目の色変えて働い

てるんだからな」に落ちつくのは、これもどこでも見られた光景だった。

沼袋発言は、こうした庶民感情に火をつけるとともに、本人にその意図があったかどうかは別として、今まで息を潜めていた思惑派に、それに便乗して動き出すきっかけを与えることになったのである。

質疑のあった翌二十九日から、柳川家には誘拐当時の倍以上もの各地からの郵便物が殺到して、有名・無名の様々の人物の訪問や電話が相ついだ。

自分も訪問者の一人だったある外人特派員は、そのときの様子をこう書いている。

私に応対したのは、美しいキモノ姿の可奈子夫人だった。彼女は語学が堪能なので、異邦人はすべて彼女の担当ということである。以下の問答で、もし十分に論理的でない点があるとしたら、一切私の拙い英語力の責任であることを、読者よ、あらかじめご承知ありたい。(註、記者はドイツ人)

私　「犯人ニ金ヲ渡スナ」トイウ議員発言以来、一般デモ賛否ノ議論ガ盛ンナヨウダガ、家族トシテハ、ソノ反応ヲドウトラエテイルカ。

夫人　ウチヘ来ル投書ノ三分ノ二ハ支払イ反対デアル。

私　反対ノ理由ハ何カ。

夫人　「勤労大衆ノ意欲ヲ殺グ社会的罪悪デアル」トイウ意見ガ最モ多イ。一ツノ犯罪デソンナ大金ガ取得デキルナラ、マジメニ働クノガバカバカシクナル、トイウコトラシイ。

私　ソノ意見ヲドウ考エルカ。

夫人　ホントウニマジメナ人間ハ、ソンナコトヲ言ワナイモノダ、ト考エル。現ニアナタモソウ思ッテイナイハズデアル。

私　他ニハドンナ理由ガアルカ。

夫人　サマザマデアル。「他ノモット有益ナコトニ使エ」トイウノモ多イ。コウイウ人々ハ、私ノ母ガ過去半世紀ノアイダニ、コンドノ身代金ニ匹敵スル資金ヲ、社会奉仕ニ使ッテ来タコトヲ、全ク知ラナイノデアル。アトハ取ルニ足リナイ。タダ「モッタイナイ」トイウノモアリ、「ソンナ金ガアルナラオレニ貸セ」トイウノモアル。「私以外ノ人間ガソンナ大金ヲ取得スルノハ我慢デキナイ」トイウ単純ナモノモ意外トアル。

私　ソウイウ人々ハ、モシ身代金ガ支払ワレナカッタラ、刀自ハドウナルト考エテイルカ。

夫人　タブン考エテイナイ。ナゼナラ、ソノ点ニ触レテイルモノハ殆ドナイカラダ。タダ一通コウイウノガアッタ。最近ノ統計ニヨルト日本女性ノ平均余命ハ七十七・九歳。八十歳ノモノハ七・二一年ダカラ、アナタ方ガ母ヲトリ返シテモ、スデニ平均余命ニ二年モ食イコンデイルコトユエ、極端ニ言ッタラ、アス死ヌカモシレナイシ、長クテモ五年少々トイウコトニナル。ソノ場合、一秒、一日ガイッタイイクラニツクト思ウカ、ト書イテ、一年ナライクラ、二年ナライクラ、ト克明ニ計算シテアッタ。結論ハ途中マデ読ンダ妹ガ怒ッテ破イテシマッタノデ不明ダガ、タブンコンナ高イ買イ物ハナイト親切ニ教エテクレルツモリダッタノダロウ。

私　ソレラ反対意見ニ対シテ、アナタ方ハドウ考エテイルカ。

夫人　コンドノ事件ハ、人命カ金カ、トイウ問題ガ、最モ純粋ナ形デ提起サレタモノト考エテイル。反対派ノ人々モ、ソウイウ形デ聞カレタラ、タメライナク、命、ト答エルダロウ。カレラハ単ニ百億トイウ金額ニ惑ワサレテイルニスギナイノダ。私タチニ言ワセレバ、百億モ百万モ同ジ金デアル。私タチガタマタマ百億払エル条件ニアッタカラ、犯人モ要求シテ来タノデ、百万払ウノガヤットダッタラ、犯人ノ要求モソノ線デトドマッタハズデハナイカ。ソノ場合、百万払ウノハ社会的罪悪ダ、トダレガイウダロウカ。問題ノ本質ニ返ッテミレバ、極メテ答ハ簡単デアルト考エル。

私　賛成派ニハドウイウ意見ガアルカ。

夫人　大キク分ケテ二ツアルト思ウ。一ツハ醇風美俗派デ、コンドノ事件デ、久シブリニ既ニ忘レラレタト思ッテイタ「孝行」トイウコトバヲ聞イタ。日本古来ノ精神ヲ世界ニ示スチャンスダカラ、ガンバレ、トイウモノ。モウ一ツハ大ナリ小ナリ恵マレナイ立場ニイルオ年寄カラ、近来コレホド「老人ノ価値」トイウモノヲクローズアップシテクレタ事件ハナイ。オカゲデ私タチモ肩身ガ広クテ、子ドモヤ嫁タチガ大事ニシテクレルヨウニナッタ、トイウ感謝ノ意ヲ表ワシタモノ。特ニ後者ニハ、読ンデ涙グムモノガ多イ。コノ人々ハ一様ニ、沼袋発言ダケデハナク、首相ノ煮エ切ラナイ態度ニ憤慨シテイル。アリガタイコトダト思ウ。

私　アナタ方ニ対シテ、各方面カラ圧力ガカカッテイル、トイウ情報ガアルガ、事実ハドウカ。

夫人　圧力ト呼ブコトガ適当カドウカ。多クノ人々カラ親切ナ勧告ヲ受ケテイルコトハ事実デアル。アナタモ、コノインタビュー・ルームへ来ル途中、ソノ中ノ一、二ノ顔ヲ見タコトト思ウ。

私　ドウイウ種類ノ人々カ。

夫人　政界ノ有力者カラ、暴力団マガイノ思想団体、ソレニ本物ノ暴力団マデ、多種多様デアル。

私　ドウイウ勧告ヲ受ケテイルカ。

夫人　コレモ様々デ、何トカ平和解決ノ道ハナイカ、トイウ漠然トシタモノモアリ……平和解決トイウノハ百億モ払ワナクテモ、トイウコトラシイガ、自分ガ仲介シテ犯人ト話ヲツケテヤロウ、トイウ申シ出モタクサンアル。中ニハ、自分ノ名ヲ聞ケバ泣ク子モ黙ル。オヨソ犯罪者ト名ノツクモノデ、自分ノイウコトヲ聞カナイモノハナイ、ト自信ノ程ヲ披瀝スル人物モアッタ。

私　ソレラノ勧告ニ、アナタ方ハドウ答エテイルカ。

夫人　好意ヲ感謝シテ、引キ取ッテモラッテイル。ココハ不便ナトコロダカラ、時ニハ交通費等ヲ進呈スルコトモアル。私タチガ遺憾トスルノハ、犯人トノ直接交渉以外ニ事件ヲ解決スル方法ハナイニモカカワラズ、コレラ勧告者タチガ、ダレヒトリ犯人ノ名モ所在モ知ラズ、犯人ヲ説得スル可能性ヲ具体的ニ示シ得ナイトイウ点ニアル。私タチモ、二度ト百億円ヲ作ルコトハデキナイノダカラ、絶対確実ナ保証ガナイ限リ、事件ヲ仲介者ノ手ニ委ネルコトハデキナイノダ。

私　デハ、ドノヨウナ方面カラ、ドノヨウナ圧力ガカカロウトモ、アナタ方ノ身代金支払イニツイテノ意思ハ変ワラナイ、ト解シテヨイカ。

夫人　私タチハ、私タチノ義務ヲ果スダケデアル。

私　最後ニヒトツ、事件ニツイテノ情報ヲイタダキタイ。当局ノ判断ニヨルト、犯人ノ一味ニハ、当地カラ八十キロ以内ノ、オソラク奈良県東南部ノ山村ニ、孤立シタ住居ヲ有シ、柳川家ニ対シテ怨恨ヲ抱クモト村民ノ一人ガ加ワッテイル疑イガ濃イトイウコトデアル。コウイウ人物ニツイテ、アナタ方ハ全ク心当リハナイノデアルカ。

夫人　警察カラモ何度モ問ワレタコトダガ、一点ヲ除イテハ他ノスベテノ条件ニ当テハマル人物ヲ、私タチハ一人ダケ知ッテイル。ダガ、ソノ一点トイウノガ決定的ニソノ人物デナイコトヲ証明シテイル。スナワチ、彼女ハ、母ノ絶対的信奉者デ、地球上ノスベテノ人ガ母ノ敵ニナッタトシテモ、決シテ母ノ味方デアルコトヲ止メナイ最後ノ一人デアルカラデアル。

こう答えたとき、夫人の美しい面には、おそらくその人物のことを思い浮かべたのであろう、親愛感にあふれた微笑が浮かんでいた。私はむろん、それ以上その女性の名を問うような非礼を冒すことなく、深く厚遇に感謝して柳川家を去ったのである。

他の訪問者たちの多くは、この外人記者ほど紳士的ではなかった。中には、首相すら好ましくないという反社会的取引を断じて黙過することはできない、いよいよとなれば実力に訴えても阻止してみせる、と脅迫めいた言葉を口にして憚らないものすらあった。

だが、柳川家は頑として一歩も譲らなかった。初めのうちはこうした手合の出現に面喰いもし、狼狽もした国二郎たちだったが、だんだん慣れてくると、日ごろなら名を聞いただけで顔色を変えるような大物の使者に対しても、平然としてこう切り返す余裕さえでてきた。

「あんたはんな。取られる、取られるいわはりますけど、払うということと、取られるということは違いますねんで。だいたい百億いうたら、どれくらいのカサになると思うてはりますか。どんな犯人でも、小切手で払えとは、いいませんわな。金塊も処分が厄介やよって、まず現金や。一万円札百枚でどれぐらいの目方かご存知だすか。百万円が百三十グラムですわ。千万で一キロ三百、億で十三キロ、十億で百三十キロ、百億いうたらあんた、一トンと三百キロや。量でいうたら、銀行でよく使うジュラルミンのトランクな。あれひとつにだいたい一億五千万入るそうですわ。百億円詰めるのにはトランク六十七個要りますがな。月賦やないんやから分割払いいうわけにいかしまへんやろ。いったいこないな大荷物、犯人はどないして受け取るつもりやと、思いまっか？　また、どないして受け取るにしても、警察が指くわえて見とると、思わはりますか。受け取ったときが犯人らには百年目、いうんが常識やないですか。払うまではこっちの責任やから、私らきちんと払います。そやけど、払うた次の日に、もしかしたらその日のうちに、全額返って来んとも限らへん。いや、そうなる公算のほうが、はるかに大きいわけですわ。それをあんた、値切ったり、どなたかの言わはるように古新聞でごまかしたり、ましてコミッション出して他の人に口利いてもろうたり、そんな必要がどこにありますねん。それともあんたはん、一トン三百キロの札のつまったトランク六十七個、警察の目をかすめて

「無事に受け取るという工夫がおありだすか。それやったら参考に教えていただけましたら、口利いてもらうことの百倍も千倍もありがたいことですねんけどな」

そして決め手は、払わなかったら刀自はどうなるか、であり、払える力があるなら払うのが子の道である、という倫理であった。

ハイエナどもの出没は柳川家に限らなかった。彼らの触手は当面の金融機関にも及んで、一、二そのために動揺した銀行もあった。

だが、一家は、ハイエナどもを撃退したのと同じ倫理と論理で、その銀行筋も説得した。

その背後には、当局の支持もあった。受け渡し決戦に備えて、各種の想定のもとに対案を練ってはいるが、犯人の出方がわからないうちは結局は暗中模索だ。その前提になる支払い準備の完了は、井狩たちにとっても焦眉の急務だったのである。

雑音はまだくすぶっていた。政府から、国会から、県会から……ある意味では、日本列島全体が雑音の中に揺れているといってもよかった。

だが、雑音は要するに雑音だった。一家の頑張りが実を結んで、期限の前日……「対面」から四日めの三十日には、柳川家と四行の正式会談が和歌山で行われて、柳川家の提出した条件で百億円の融資が確定した。

資金の按分は、W銀行と、関西方面を地盤にしているT銀行が各三十億円、F、S両行が各二十億円である。同時に幹事役のW銀行頭取から、犯人が要求した場合に備えて、全額を新券外の一万円紙幣で準備する予定である、と発表があった。

お膳立ては整った。

あとは犯人の出方を待つばかりである。

このころは「百億円」のデータがマスコミを通じて一般に知れ渡っていたので、関係者はもちろん、大学の教師室でもラッシュの電車でも野良の立話でも、およそ人の寄るところでは、話題は犯人がこの大荷物をどう処理するつもりか、の一点に集中していた。

「とにかくトラック一台分だからね。どこの公園のベンチのうしろに置いとけ、というわけにはいかないし」

「現金輸送車をそのまま乗り逃げするんだな。……どこへ、と言われても困るけど、やつらのことだから、地下倉庫か何かを用意してるんじゃないかな。え？　警察をどうするかって？……さあ、そこまではね」

「飛行機に積ませて、国外逃亡するんと違うやろか。どっか日本と国交のないとこへや。北朝鮮あたりやったらそれほど遠くもあらへんし。……え？　途中で韓国の空軍に攻撃されたら？そないなことわしゃ知らんがな」

「飛行機逃亡説はおよそ成立せんですたい。政治犯と違うて受け入れ国があるはずがなかとじゃけん、まあ、行くとしたら南海のどこか無人島ぐらいじゃが、そげなとこに降りてもしょうなかですもんね。え？　どうして無人島かって？　日本円の百億持って、人のおるところへ降りよったら、どげなことになるとか？　たちまち政府軍の総攻撃を受けて一味全滅いうことは目に見えとるじゃごわせんか。その場合、百億が何れの国に帰属すべきかとなると……これは国際法上の大問題になり申すなあ」

甲論乙駁のあいだに、これが成功したらおれもその手で、と舌なめずりしている悪党もまた無数だった。

こうして、世界は、哲学者からマフィアまで、固唾を呑んで「虹の童子」の答を待った。

県警当局では、前の二回の「書簡」に付着していた郵便局員の指紋から、「書簡」が和歌山駅前のポストに投函され、郵便車内で仕分けされて津ノ谷局に送付されたルートを突き止めていたので、融資確定のニュースが流れた三十日の夜は徹夜で駅周辺に厳戒態勢を布いた。

だが、犯人の一味に該当する姿の男は、ついに現われないままで、空しく夜が明けた。

「悟られたと知ってルートを変えたかな」

「しかし、期限はきょう一杯だ。まだわからんぞ。目立たんようにラッシュを待っとるんかも知れん」

係官たちは、そろそろ通勤・通学者たちが目立ち始めた駅頭を油断なく見張っていたが、実はこのときは、犯人の「答」はとうに柳川家に届いていたのだ。

発見者は串田執事だった。

いつも朝は早いほうだが、いよいよきょうが大詰の日と思うと、なおさら早く目が覚めて、朝の運動にあくびをしながら庭へ出てくると、命じられた日課でいつものように庭掃除をしている新太のズボンのポケットから、何か白いものがはみ出しているのに気がついた。

初めはただの紙くずかと思ったが、形が角ばっていて封筒のように見えるので、手まねでそれは何だ、と聞くと、やはり手まねであそこにあったから拾っておいた、と答える。その指さしたのが郵便箱のほうだった。

郵便の配達は、正午前後と決っていて、速達にしても早くて十時、たいていは午後で、こんな早朝ということはあり得ない。

紙くずは集めておいて、フロの燃料にするのも新太の仕事の一つだから、一度は、ああそうか、とうなずいて去りかけたが、どうも気になるので、戻ってきて見せろというと、ポケットから出して渡したのが、あの墨痕あざやかな刀自の封書だったのである。受け口のガラス板が上っていたので、外から投げこんだのが箱を素通りして庭へ落ちたらしかった。切手は張ってなかったし、むろん局の印もなかった。

「おかしな具合やな。切手も張らんと、どないして届いたんやろな」

夢の続きのような気がして、ねぼけ眼をこすっていて、はっと気がついた。

「そや。犯人のやつ、じかに届けに来よったんや」

慌しく家にかけこんで、前進本部の鎌田一課長を叩き起こした。

「何？ 犯人が直接に？」

鎌田も驚いたが、さすがにすぐ理由は思い当った。

「そうか。あの対面で、やつらの本拠はここから八十キロ内外の近辺いうことは割れてしまっとるんですから、今さらよけいな小細工をしても始まらんと見たんですな。……それにしても、我々の鼻のさきに置いていきやがるとは何て野郎どもだ。そういえば、ゆうべ遅くバイクの音がきこえたような気もするが。でも、まあ、不幸中の幸いでしたかな。この手紙、新太さんに火葬にされずに済んだんですからなあ」

危く火葬を免れた「童子」の書簡の内容は、その数時間後、電波になって地球をかけめぐった。一言一句、「犯人」たちが渾身の知恵を絞った苦心の産物だった。

5

「親愛なる柳川家の皆さんへ。身代金の準備が整ったことは、マスコミの報道によって承知した。あらかじめ我々の意を察して、全額を新券でない一万円札で用意したことは、諸君の誠意の現われとして深く満足に感じている。ここに受け渡しの方法について指示する。どの一項も、いかなる細部に至るまで、一切の違背も変更も許されないことは、改めていうまでもない。万が一、この指示どおりに実行されないときは、我々はもちろん、たぶん刀自自身も、今後永久に諸君に接触することはないと承知されたい。この書簡が、諸君に対する我々の最後の指令である」

……刀自はいつもの筆跡で、この長文の指令をこう書き起こしている。

はじめは紙幣の扱いについての指示であった。

第一　柳川家は、各銀行から身代金の全額をケースに詰めて、一つの特定の部屋に集め、これをビニール袋に入れかえること。

その部屋は、屋上にヘリ・ポートを有するビルの一室であることを要する。

ビニール袋一袋に四億円ずつを収納すること。

ビニールの生地は厚さ一ミリ以上のものを用い、二重袋として、口を確実にパックすること。

この入れかえ作業は、必ず一つのケースから一つの袋へ、順次に行うこととし、同時に二つ以上のケース、ビニール袋の入れかえを行ってはならない。

収納を終わったビニール袋は、直径八ミリ以上のビニール紐で、厳重に梱包し、1から25に至る番号札を付すること。この番号札は、浸水しても汚損、流失の憂いのないよう配慮すること。

全部の梱包を終わったならば、ビニール袋を逐次エレベーターによって屋上へ運び上げること。

以上の作業は、十月一日正午後三時に開始し、ほぼ四十分間で完了すること。

……これが第一項である。

「何でこないな指定をするか、いうたらやな」と刀自は説明する。

「あとのテレビ、ラジオ条項と読みあわせると、ようわかるんやけど、いうたとおりの金がたしかに入っておるか。ほかの怪しげなもん……追跡用の発信装置みたいなもんやな、これらを紛れこませてないか、それを確認するためや。うちの子らだけやったら、そないな悪さする気遣いあらへんけど、何分その道のプロが大勢回りをとり巻いとるよって、何を企みよるか、油断もスキもあったもんやないさかいな」

「ほな、その様子、テレビで放送させるんか」と聞いたのは健次。

「そや、一から十までな」

「なーる。ビニール袋やったら中が透いて見えるし、一つ一つ入れかえるのを、テレビで映されとったら、インチキも何もでけへんわけやな。……そやけど、おばあちゃん。うちにはテレビが……。ああ、さよか。うちにテレビないことを、向うは知らんのやったな」

刀自によれば、この入れかえには、もう一つの利点がある。六十七個ものケースでは、数を数えるのが容易でないが、半分以下の二十五袋になるわけだから、目算も簡単だ、という点である。

こうして、まず金を確認する。次は輸送の方法である。

「おれ、知っとるで。ヘリコプターやろ」と正義が言い当てた。「はじめのヘリ・ポートがあるビルいうとこで、ははあ、そやないか、と思うとったんや」

「さすが正義兄さんやな。だれにもわかることはようわかって来はったわ」と平太が言った。

「ほな、ついでに何でヘリコプター使わんならんのか、わしらにもわかるように、わけを説明してくれへんか」

「こいつ、何でこのごろ、こないにひねくれた口、利くようになったんやろな。わけは簡単やないか。ヘリが一番ええからや」

「何でやねん」

「何でて、地面走るもんはヤバいやないか。そんなら、空飛ぶもんのほかにあらへんやないか」

「空飛ぶもんいうたら、飛行機もあるで。ヘリよりもあっちの方が早いで」

「そら早いわ。そやけど、早いからええ、いうもんやあらへんのや。なあ、おばあちゃんや」

「そのとおりや」と刀自が助け舟を出して、理由を説明する。

身代金の授受に飛行機を使うのは、たしかに優れた方法の一つである。刀自の記憶では、作者も題名も覚えていないが、その皮切りはフランスの犯罪小説で、暗夜草原に火を燃やして、それを目印に飛行機から身代金を投下させる、という作品だったそうだ。当時としては壮大なスケールと、闇の中に赤々と燃える炎のマークという鮮烈なイメージが、今でも生々しく残っていて、こんど真先に思い出したのもその古典だったという。

「そやけどな。こんどばかりはその手は使えんのや。二十五個もの大荷物、飛行機からやったら、どないにしても落しようがあらへんさかいな」

……無理に落したら、と健次は、いつか映画で観たパラシュート部隊の敵中降下を思い出す。木へ引っかかったのがある。井戸へ飛びこんだのがある。屋根にぶら下ったのがある。

あれと同じだ。いや、あれ以上だ。おまけにこっちはビニール袋だ。枝や岩に当って裂けでもしたら中の百万円束が飛び出して、それこそ手のつけようがない。……ぶるる、こんなアホなこと考えるやつもないもんだ。

つまり、ここではヘリコプターを使うしかないことは、だれの目にもはっきりしているのである。

「ということは、当局も当然そう予測しとるということやな。そこが思案のしどころや」

……刀自の指示は、次の項で特に綿密を極める。

第二　柳川家は、身代金輸送のためヘリコプター一機（以下輸送機と呼ぶ）を用意して、屋上ヘリ・ポートに待機させておくこと。

この輸送機は、和歌山航空事業株式会社所属の大型機とし、乗員には同社で最も熟達した操縦士一名を選ぶこと。

輸送機には操縦士以外の何人も同乗させてはならない。また飛行に必要な機器、燃料以外のものは、一切搭載していてはならない。

右の屋上へ運んだ身代金は、直ちに輸送機に積み込むこと。大型機ならば全部を機内に収納することが可能と思われるが、万一積み切れないときは、機外に吊り下げて運搬できるように、あらかじめロープ、カギ等を用意しておくこと。

一袋でも積み残すことはもちろん、緊縛が不十分で途中で落下させたりしたときは、故意であると否とを問わず、この指令に対する違反と認めて、全計画を即時廃棄するものとする。我々の要求は百億円であって、九十九億円でも、まして九十六億円でもないからである。

この積載作業は二十分以内に完了すること。

すなわち、午後四時には、輸送機は出発可能な状況になくてはならない。

……第二項はここで終わる。

「こないに言うておいたら、当局は輸送ヘリに警察機を使うたり、警官を乗り込ませたりというような手は一切打てんわけや」と刀自は解説する。

「この航空事業いう会社はな。うちが大株主の一人やし、消毒剤の散布なんかによう使うよって、ここの操縦士で私が顔を知らんもんはひとりもおらんのや。これもテレビに映させるんやから、替玉なんぞ使いよったら一目で……実際には見てへんわけやけど、バレるもん、と向うでは思うわな。犯人は当然私に首実検させるはずやし、私がそこでウソいうたらどないなことになるかいうこともわかってるさかいな。……さて、これからがいよいよ勝負やな」

次が眼目の「受け渡し」条項であった。健次たちも息をつめて刀自の「指示」に聴き入った。

第三　輸送機は正四時右ヘリ・ポートを出発すること。

以後の飛行コースは、同封の地図に墨線で示したとおりである。

輸送機は忠実にこのコース上を、矢印の方向に飛行すること。

我々は適当なときに、次の周波数、次のコールサインを用いて、輸送機に着陸を命ずる。

周波数　二七・〇〇メガヘルツ
コールサイン　CORRC
輸送機は、出発時以降、FM受信機の波長をこの周波数に合わせて、万が一にもこの指令を聞き逃してはならない。我々が指令を発するのは一回限りであって、再びくり返すことはないからである。

輸送機は、指令があったならば、直ちに我々の指示する地点に着陸すること。

以後の指示は、直接口頭で行う。操縦士は、右の指令と同様に、この指示にも忠実に従わなくてはならない。

もし、コースを一周し終わって、合図がなかったときは、輸送機は引きつづき同一コースを同一方向へ飛行を継続すること。このため輸送機は、少なくとも三周分の燃料を搭載しておくこと。我々の計算によれば、コースの一周は約三百キロである。

輸送機の飛行速度は毎時二百キロ、高度は対地高度一千メートルを常に維持するものとする。


……これが第三項であった。

聞いているうちに、三人とも顔色が変わってきた。

「おばあちゃん、こらヤバいわ」言い出したのは健次だった。「そらヤバいのは初めからわかっとるで。そやけど、これは大ヤバや。飛ばすまではええで。問題はどこでどないにして下すか、やろ。おばあちゃんのことやから、そこにええ手があるんやろ、と思うとったんや。そやけど、ただ合図しておろす、というんやったら、知恵も工夫もあらへんやないか。おろしたとたんにここの在りかがわかってしまうがな。いや、それどこやないで。地図にコース書いて渡すんは今夜やろ。もう奈良県東南の山村いうて、だいたいのとこサツにもわかっとるんやさかい、夜が明けたらやつらのヘリのほうがさきにここへやって来よるわ。コースの線上で、津ノ谷村から八十キロで、いうたら、候補地はなんぼもあらへんさかいな」

刀自はうなずいて、

「と思うやろ」と言った。

健次たちは目をむいた。

「思うやろて……ほな、この近所におろすんやないんか。どこか遠くへおろすんか。そのあとはどないするんや。二十五個、一トン三百キロやで。あのマークIIでポチポチ運びよったら、たいていどっかでパクられてしまうやないか」

「普通やったら、そういうことになるわなあ」

「お、おばあちゃんや。そらあんまりや。パクられるのは私やない、みたいな顔してからに……あッ、さよか。金取ったら、それから新しいねぐらに変えるんか。もうひとり、くーちゃんみたいな人がいてはって?」

「何をいうねん。くーちゃんが世界に二人といる人かいな。その上テレビまでないんやから、こないなねぐらは、ほかにあるわけないやないか」

「そない言わはったかて……」

だが、刀自は成算があるようであった。

茫然としている三人に、ニコッとしてみせて、「次を読みいな」と言った。

……次は、テレビ、ラジオ条項だった。

第四　柳川家は、以上の第一から第三に至る全過程を、テレビ、ラジオによって詳細に同時放送するように、然るべきテレビ、ラジオ局の同意をとりつけること。

この条項は、指示事項が厳密に履行されているか否かを監視するために絶対に必要であるから、いかなる犠牲を払っても実施されなくてはならない。

輸送機の出発以後の放送は、地上施設ではほとんど不可能だから、担当放送局は、中継のためのヘリコプター一機（以下中継機と呼ぶ）を用意して、輸送機に随伴、飛行させること。

中継機の放送は、輸送機との交信の妨害にならないよう、一切無声放送とすること。このため乗員は、操縦士とカメラマンの二名とし、それ以外の何人も同乗してはならない。またいかなる武器も搭載してはならない。中継機は、輸送機の出発から一分後、同じヘリ・ポートから出発し、以後概ね百メートルの間隔を保って、追尾飛行するものとする。

以後の中継機に対する命令は、すべて輸送機を通じて発せられる。中継機はその命令に忠実に従わなくてはならない。すなわち、着陸を命じられたならば、指示された地点に着陸し、また追尾飛行の中止を命じられたならば、以後追尾飛行してはならない。

担当放送局は、以上の全部を、一秒間も中断することなく、連続して放送すること。

放送局が、右の中継機の行動を含んで、この指示のどれにも違背した場合は、全責任は柳川家にあるものとみなして、この全計画は中止することとする。

……「テレビ条項はここまでや」と言って、刀自が手紙をひざへ置いたときは、三人の口から一斉に「わあ」と悲鳴があがった。

「なお悪いやないか、おばあちゃんや」と健次が食ってかかった。

「札のつめかえから、ヘリの出発まではええで。ラジオで聞くんやから監聞きか。おれたちここに居ながら敵のやりよること、みんな監視……やないな。そやけど、あとの中継ヘリは、なんというても余計もんや。下すいうたら、どうせ輸送ヘリの近くやろ。ほな、飛んどるあいだだけとちごうて、輸送機おろして、金を積み下すとこまで、みんなテレビに映されてまうやないか。おれたち、ここに居ります、いうて日本じゅうにPRするようなもんや。こんな自殺行為いうんか何ていうんか、アホらしい話、聞いたこともあらへんわ。だいたいおばあちゃんはやな。そら頭はええし、でかいことも考えなはるけど、調子に乗ってオーバーランすることもあるよって、あとからついてくもんは安心できへんわ。

あのマークIIがそうや。この方が虹の童子らしいやろ、とか言わはって、あないな色紙ベタベタ張っつけさせたもんやから、おれたちの居どころスレスレまでサツにわかってしもたやないか。あの発表聞いたときは、ほんま冷汗が出たわ。こんどもその口や。いくらおばあちゃんの言わはることでも、おれは絶対反対や」

この抗議に、刀自は、

「あのサイケ調なあ。あれはちょっと行き過ぎやったかもしれへんなあ」と渋々それだけは認めたが、

「中継ヘリはなあ、伊達や酔狂で飛ばすわけやないんや。この作戦にどうしても必要なんや」

とこっちはきっぱり却下した。

「第一に邪魔もんを入らせんため、輸送機の安全を守るためや。詳しゅうは次の条項に書いてるとおりやけど、中継機がついとる、ということは、世界の目が見張っとるいうことやから、警察も、無法者もめったな真似はでけへんはずや。それともう一つ、この作戦の大きなポイントは、輸送機への着陸命令を、どうやってタイムリーに、確実に伝えるかやな。おまえらどれも算数は苦手という顔してるけど、時速二百キロいうたら秒速は五十五メートルやで。おまえたちのトランシーバーの届く範囲は千五百メートルや。千メートルの高度を秒速五十五メートルで飛んでいるヘリに、こっちの電波がきこえる時間いうたらいったい何秒間か、計算したことあるか。……どうせできへんいう顔しとるよって、答をいうたら約四秒間や。それも理想的な条件でのことや。コースが少しでもずれてたり、高度が狂っとったとしたら、この四秒が三

秒になるかも知れへんし、二秒になるかも知れへん。この何秒間かが命や。もし向うが聴き取れんと飛び去ってしもうたら、実際問題としてもうやり直しは利かんのやさかいな。それにはヘリが今どこを飛んどるか、正確に知ってなあかん。ほれ、音がした、機影が見えた、からでは間に合わんのや。風で音がきこえんこともある。コースがずれて機影が見えへんこともある。そういうケースも考えなあかんし、こっちのトランシーバーもずっとコールサインを出しっ放しいうわけにいかんのやさかいな。……中継ヘリを飛ばさんならんわけ、わかったかいな」

「うーん、そないな際どい勝負なんかいな」

健次はぞっと寒気がしながら、

「ほな、ヤバいほうはどないなるんや。必要やから、ヤバいのはしゃあない、いうわけか」

「中継ヘリがついてもつかんでもヤバさに変わりはないやろ。どうせ一ぺんは輸送機を下さないかんのやから、中継ヘリがいたかて、テレビに映る、映らんいうだけのことやないか」

「その映る、映らんが……えい、もうわからんようになって来たわ。おばあちゃん、いったい何を考えてはるんや」

「手紙はまだ終わっとらんのや。ぶうぶう言わんとしまいまで聞きいな」

……刀自は最後の条項を読んだ。

第五　柳川家は、この計画が安全に実施されるため、次の措置をとるように関係当局に要請して、その実現を確保しなくてはならない。

十月一日午後四時以降、我々が解除を通告するX時に至る間、警察機はいうまでもなく、軍用機、民間機たるを問わず、また国籍の如何を問わず、この輸送機および中継機以外の一切の航空機に対して、紀伊半島上空の飛行を禁ずること。

また、この禁令が犯される可能性があるすべての航空基地（航空母艦を含む）に対して、厳重な予防措置を講ずること。

もしこの要請が容れられないとき、または禁令に反する航空機があったときは、この計画は実行不可能であるから中止せざるを得ない。その場合、全責任は当該国の軍隊または官庁の最高責任者が負うべきことは言をまたない。

我々は、柳川家とともに、かかる不幸な事態を招来しないように、関係当局の善処を期待するものである。


……これが「安全保障」条項である。

「もしかしたら、これが一番大事な条件かもしれへんなあ」と刀自は深刻に言った。

「こんどは放送車と違うて、いくらコースを内密にしとっても、飛び出したとたんからヘリの居場所は世界の隅々まで知れてしまうんやさかい、どんな頓狂もんがとび出すもんやらわからへん。この文書には、はっきり書かなんだけど、中でも危いんはこの回りの自衛隊とアメリカの航空隊、それとももし日本近海に居ったらアメリカ艦隊の機動部隊の連中やな。何分百億円、五千万ドルという大金を積んだヘリが、鼻先をよたよた飛んでるんやから、危険覚悟で一発やったろ、というもんが現われなんだら不思議なくらいや。そないな乱暴者が飛びこみよったら、金はともかく、罪のないヘリの操縦士が犠牲にならんとも限らへん。私が今、一番心配してるのがそのことや。……まあ、こないに警告しておいたら、司令官たちも自分の首の問題やから、手ぬかりはせえへん、とは思うけどなあ」

「その心配もわかるけどなあ」腹の中では負けるなあ、と思いながら健次は言った。実のところそうした危険まで考えていなかったのだ。「おれたちの心配は、金が無事に受けとれるか、どうかや。そっちのほうはどういうことになってるねん」

「さて、手紙のしめくくりや」と刀自はかまわずに末尾の文を読む。

以上が我々の指令の全部である。この指令が、諸君の誠意によって滞りなく実行されるなら、我々は我々の名誉にかけて、刀自をそれから三日以内に、すなわち十月四日の正午までに、諸君にお返しすることを確約する。

この遅延は、純粋に技術的な理由に基くもので、諸君はもとよりいささかの不安も抱く必要はない。刀自を無事に返還することは、諸君のみならず我々の冀念《きねん》でもあるからである。

願わくは、この冀念が果されることを。

虹の童子

柳川家各位

……これが全文の終わりであった。

「三日間？」健次たちは最後まで驚いた。

「何でやねん？ 何で金取ってから、すぐに返したらあかんのや？」

「何でやいうて、すぐ返したら、おまえら何をする間もあらへんやないか」

「そらそやけど……三日あったかて、大したことでけそうもあらへんな」

「実際にはできんかて、できるように向うに思わせたらええんや。……そこでと。これがほんまの終わりやな。健次、この前、おまえが買うて来た紀伊半島の地図、出してんか」

刀自は健次に地図を出させて、正義にくーちゃんの物指しを取って来させて、平太には墨をすらせて、三人のまん中で筆を持った。

「おまえたち、さっきから何やかんや言うとったな。これからこの地図にヘリの飛行コース書くよって、よう見てなさい。このコース見て、まだあれこれ言うようやったら……ま、とにかく書くのが先決やな」

地図のまん中へんから斜め左上に向けて慎重に物指しを当てて、筆に墨をしませて、スーッとはじめの線を引く。次にまん中へんの物指しの端を真下の中央にずらして、二本目の線を引く。終りに物指しを当て直して、残った二点を結ぶ三本目の線を引く。

ところどころに矢印を加えて、物指しを外す。

「できあがりや」

三人の目の下の地図には、大きな三角形が描かれていた。

上の線は、和歌山を起点に三重の松阪《まつさか》の手前……平地の入口近くまで、右の線はそこから尾鷲、新宮の左をかすめて、半島の南端潮ノ岬まで、左の線は潮ノ岬から北上して飯盛山《いいもりやま》付近で最初の線と交差するところまで。巨大な紀伊山塊の縁をぐるりと一周して、山塊のほとんど全部をすっぽり中にくるみこんでいる大三角形だ。

……そして、かれらの紀宮村は、どの線からも一番遠い、三角形のほぼ中心にある。津ノ谷村も最後の線が西端をかすめているだけで、大方は線の中に入ってしまっている。

「ほな、コースはこの上を通らんのか」

「あたりまえやがな」

「おばあちゃんのフランチャイズの津ノ谷村も大方外れてしもとるやないか」

「あたりまえやがな」

「このコースやったら、一番近いとこでここから直線で四十キロはあるで。遠いとこいうたら八十キロもあるわ。おまけにどこも山ばっかりで、ろくすっぽ道らしい道はないやないか」

「あたりまえやがな」

「こんなとこへ下してどないするねん。ここまで運ぶいうたら、山の中は通られへんさかい、海岸通りをぐるっと大回りでもせんならんやないか」

「あたりまえやがな」

「あたりまえ、あたりまえ言わはって……」三人とも業を煮やしてしまった。「それでは答にならへんわ。おれたち、とにかく犯人やで。犯人が手めえのやることわからへんいうたら話にならんがな。いったいどないなことになっとるんか、ちゃんと教えてほしいわ」

詰め寄られて、刀自は言った。

「それが答やないか」

「何やって？」

「おまえたちのいうとることが、そのまま答や、いうことや」

「…………？」

「まだ、わからんか？　そのほうがええんや。おまえたちが迷うようやったら、向うは一層迷う、いうことやさかいな。……そやけど」

刀自は遠くへ据えるような目をした。キラキラ闘志に輝いている目であった。

「井狩はんなら、一目でわかりはるわ。そこからがほんまの勝負やな」

……健次がバイクを飛ばして、地図を同封した書簡を柳川家のポストに投げこむ七、八時間まえの三十日の午後、うす暗い奥座敷での最後の謀議だった。

6

井狩は、和歌山の郊外の小さな私邸で、「書簡」の急報を受けた。朝の六時半。新太のポケットから見つかって十五分と経たないうちのことだ。

「そうか。早々と届けて来おったか」

最初の一声は、台所で朝食の支度をしていた夫人が振り返ったほど大きかったが、あとは沈着な、いつもの井狩だった。

ときどき聞き返しながらメモに鉛筆を走らせて、全文を聞き終わると、

「何？　鎌田が発見が遅れて申し訳ない、と言っておる？　こういう内容ならゆうべもけさも五十歩百歩さ。それより鎌田には、柳川家の人たちと、即刻本部に帰投するよう言ってくれ。むろん書簡も地図も携行してだ。作戦会議はそれからだな」

連絡係の本部員に命じて、メモを持って、せまい廊下の籐イスに座った。

茫乎とした目をしている。驚きとも違うし迷いとも違う。一心に一つのことを追っているときの目の色である。いつも多くの人、多くの事件に囲まれて、自分の時間というものを持てない井狩にとって、だれも邪魔するものがないこういう朝のひとときが、最も貴重な時間なのだった。

夫人が茶道具を運んできた。

「童子の連絡があったんですね」

湯の加減を見ながら聞く。キッチンの他は二間しかない家だから、電話の応答はみんな夫人には筒抜けなのである。

「ああ」

「どう言って来ましたの」

「そうだな。まず金の輸送に、ヘリコプターを使え、と言って来おったな」

「おっしゃっていたとおりですね」

「ああ。だが言い方が憎いな。和歌山航空の大型機と指定しやがった。あそこには、型は古いが貨物専用のシコルスキーが一機あるんだ。ベトナム戦の初期にアメリカが兵員輸送に使ったやつだ。武装兵士十人から十二人運べるというから、あれなら百億円はたしかに積める。……ちゃんと調べてやがるんだな」

「それから？」

「札をビニール袋に入れかえて、ヘリに積んで、運んで下すところまで、全部テレビで放送しろ、と言って来おった」

「まあ」

「そんなことをしたら、自分が損だろう、と素人は思うだろうが、さにあらずだ。肉眼では見たくても見えんもんを、居ながらにして監視できるんだからな。人質籠城事件の犯人が、テレビで外部の動きを刻々知って、対策を樹てた、ということからの思いつきだろうが、こんなに計画的にテレビを利用しようってのは、やつらが初めてだろう。このまえの『対面』といい、こんどといい、こいつらはとにかくテレビ使いの名手だよ」

「でも、こればかりは強制できないでしょ。局でウンと言いますかしら」

「ウンと言うか？　それどころか超御の字だよ。身代金受け渡しの実況なんて、やりたいったって二度とやれる放送じゃない。こんな計画に飛びつかない局があるもんか」

「こんども和歌山テレビ？」

「ああ、それも前との違いの一つだな。然るべき、と言っているだけで、どこの局とも指定していないんだ。こいつは民放だけじゃなくて、NHKも含めて、放送権の猛烈な争奪戦になるな。世界的な関心事だから、まちがいなく衛星中継で世界放送になるし、放送料もちっとやそっとでは済まんだろう。……うん、そうか。もしかしたら、やつら、柳川家へのいささかの罪亡ぼしのつもりかな。柳川家としたら、百億取られて、一千万やそこらの放送料貰ったところで、クソの足しにもならんがね」

問答のようで、実際は独り言だった。夫人は誘い水の役をしているだけで、彼はことばにすることで自分の考えをまとめているのだ。そのしるしに、彼の目は庭の貧弱な菊の花に向いたままだし、夫人が注いだ茶を口へ運ぶ手つきも半ば無意識だった。

「それで、肝心のヘリのコースは？　それも予告してきたみたいね」

「うん、そこなんだがな。ふつうなら警備の手が回らんように、ギリギリの時間を狙うところを、野郎ども、十何時間も前にコースを書いた地図を投げこんでゆきやがった。しかも、そのコースと来たら、日本で一番でかい紀伊半島をぐるっと一回りする大コースなんだ」

「まあ、そんなに大きな？　それで今から警備の手が打てるんですの？」

「打てるもんか。コースの一周、正確に計ると三百十六キロもあるそうだ。それもみんな人家なんて一軒もない峨々たる山岳地帯ばかりだ。地上の実距離といったら、倍の六百キロじゃ利かんだろう。一キロに一人警官を配るとして六百人。百メートル一人なら六千人。おれに近畿六府県の全警官を指揮させてくれるというんなら話は別だが、奈良、三重から最大限の応援を得られるとして、二千人がやっというところなんだからな。半日はおろか、一昼夜前に予告されたって完璧な配備なんてできっこありゃしないよ」

「だってあなた、それじゃ……」引き出し役のつもりが、夫人の声音に思わず真剣な情がこもった。「こんども、犯人をつかまえることができないじゃないの。対面のときもあんな風にとり逃がしているし、また逃がしました、つい手が足りなくて……じゃ、世間が承知しないことよ」

「と思うだろうな」

「え?」

「とわれわれに思わせるのが、敵の狙い、とおれは思うんだ」

井狩はほとんど無我の境だった。空になった茶わんを掌でくるくる回しながら、

「鎌田も悲鳴を挙げてたそうだ。これではなんとも手の下しようがありません。どうせストレートに隠れ家に直行させるやつらじゃないとは思ってましたが、まさかこんな大コースとは、ってな。鎌田でさえそれだ。それが常識ってもんだろうな。ところが、おれのカンは違う。そう思うことが、すでに敵の術中に陥ったことなんだ。それというのは、やつらのパターンだよ」

「パターンて?」

「人間てやつは、思考様式に自ら一つの型があるもんだ。こいつら、たしかに並の野郎どもじゃないが、それにしてもやっぱりパターンてもんがある。右と見せたら左。左と見せたら右。この型だ。例の対面が好い例だろう。やつら、おれたちの全神経を中継車に誘っておいて、実は予想もしてなかった二号車が本命だった。こんどは同じ手は使えない。そこで編みだしたのが、このばかでかいコースなんだ」

「…………」

「いまコースの報告を聞いていて感じたんだ。……敵は、この線におれたちを誘っている。では、こいつは本命ではないんだ、となる。ただのカンではないんだよ。指令の文句を思い返すと、この線のどこかでシグナルを送る。それを受けたら、ヘリは直ちに着陸せよ、と言っている。ただ読んでゆくと、そこで金を下すもの、と思う。しかし、実際は、以後の指示は口頭で行う、とあるだけで、金をどうしろとは一言も書いてないんだ。そこでハハアと思った。この線でヘリを下すのは、金を受けとるためじゃない。新しい指示……ほんとの下し場所を命じるためなんだ。やつらが金を下すのは、この線上のどこでもない。全く別の地点なんだよ」

「でも」と夫人はまた思わず口を挟む。「犯人がそう正直に書くもんですの？」

「書いている、とは言わなかったぜ。書いてない、と言ってるんだ。そこがおかしなとこなんだが、こいつら誘拐犯のくせに、へんに几帳面なとこがありやがるんだな。紛らわしいことは書くが、ウソは書かない。対面がそうだろ。中継車の行動は、事細かに指示しているが、よく読み返すと、その中継車の前に刀自を出現させる、とは書いてないんだな。だれだって当然そうなるものと思いこんでしまうが、やつらに言わせたら、おれたちが勝手にそうカン違いしただけだというかも知れん。こんどの指令も、書いてあることより、書いてないことのほうが重要なんだよ」

「何だか、裏のまた裏というみたいで、よくわからないけど……」夫人は気がついて、彼の手から茶わんを取り上げて、代りに好物の餅菓子を持たせながら、

「あなたの考えが当っていて、犯人の目的地がその線上でなかったらどうするの。かえって範囲が広くなって、警備がむずかしくなるんじゃない？」

夫人ならずともこれが急所だ。彼が電話を置いたとたんから考えあぐねているのもその点なのである。

「そこで、ゆうべのことが重要になってくるんだが……こんどの通知、今まで和歌山回りの郵便だったのが、じかに柳川家に投げこんで行きやがったんだ。これが何を意味するかだ。鎌田は、やつらがわれわれの隠れ家の推定を認めて、いわば開き直ってきた証拠ではないか、というんだが、それなら問題は簡単だ。二千人の全力を、奈良東南部の、津ノ谷村から八十キロ前後の線を中心とした山村一帯に展開したらいいんだ。線じゃなくて面の警備だな。これならかなり密度の濃い網が組めるから、十中八九……いや、百中九十九、やつらの本拠を突き止める公算が立つ。だが、そう安易に考えていいか、どうかだ」

「とおっしゃると？」

「今までの調査の実績だよ。やつらが実際にその周域におるんなら、もうとうに見つかってお

らにゃならんのだ。この四日間、一日三百人。延千二百の捜査員が、山という山、村という村を、しらみつぶしに調べて回っとる。おまけに指揮官は鎌田だ。手順や精度に手ぬかりがあるはずがない。……ところが、まだその片影すら見つかってはおらんのだ」

……例外がないわけではなかった。ある捜査官のこんな報告があった。

「紀宮村に条件ぴたりの家があります。一軒家で他の民家から四キロ余り離れていて、夜間の出入りなら絶対人目につかない。しかも、住人は津ノ谷村の出身で、女の一人ぐらしというんですから。ところが残念なことにテレビがないんです。このへんは山岳地帯ですから、室内アンテナなんかではだめで、よほど高いアンテナを立てないと映らないんですが、慎重に偵察した結果、アンテナも、その代用らしいものも全くないのを確認しました。これでテレビさえあれば、申し分ないんですが」

だがその住人の名を聞いて、井狩は失笑した。

「中村くら。これはきみ、くーちゃんだよ。可奈子さんの外人記者への話、読まなかったのかね。昔の女中頭で、刀自の無二の忠臣だ。テレビがあろうがなかろうが、くーちゃんじゃ問題外だ。……最近の消息、何か聞いたかね」

「はい。近在の者の話では、このごろ遠縁の若い男が手伝いに来ていて、もう一人の隣村の若い娘と三人で、畑仕事などしているのを見かけることがあるそうです」

「ほう。くーちゃんにそんな親類があったか。夫に死別してからずっと一人で、気の毒に思ってたんだ。それはよかった。……そういう状況なら、くーちゃんでなくても問題にならんじゃないか。誘拐犯がのんびり隣村のもんと畑の手伝いしとるわけもなかろうに」

「それはそう思いましたが、外部条件があんまりぴたりなもんで……どうも相すみません」

結局は笑い話に終わったが、これは裏を返せば、捜査員たちがそこまで綿密に手を尽くしているということであった。それにもかかわらず、まだ発見できない、というのは……、

「やつらの隠れ方がよっぽど巧妙なのか、それとも、わしらのこれまでの考えにどっか大きな盲点があって、居場所の推定が見当違いだったか、そのどっちかになるわけだ」

話している間に餅菓子は食べてしまって、お茶のお代りも飲んでいる。どちらもほとんど無意識のうちである。

「そうしますと、じかに手紙を届けたのも?」

「ウン。おっしゃるとおり、たしかに近辺におりますよ、という誘いのスキと見えんこともない。そうなると網の張り方も根本的に変わってくるんだな。何度もいった奈良東南部……わしらはR地区と呼んどるんだが、ここが最重点に変わりはないとして、その他の目星しいとこにもそれぞれの配備をせねばならん。……それにもうひとつ、考えなきゃならんことがあるんだ」

「まだ、そのほかに?」

「やつらの今の居場所と、金の受け取り場所とが、必ずしも同じ場所とは限らんことだよ。やつらとしたら、金さえ取ればあとは用はないんだから、一番逃げ易い……逃げ道に近い安全な場所をえらぶかもしれんし、そのほうがむしろ自然だろう。本拠が危険なR地区ならなおさら

だ。となるとこの地区を重点とすること自体が間違いになってしまう。対面の二の舞で、こっちが主力を集めて聴き耳立てとるあいだに、やつらはさっさとトンズラ遊ばすということになる。そんなことにでもなったら、目も当てられんじゃないか」

「安全な逃げ場って？」

「まず海だろうな。陸じゃ百億は大荷物だが、海なら小さい漁船一隻ですむんだから大したことはない。……ところが、わが紀伊半島は、半島だから当り前だが、こんどのコース三百キロのすぐ外側はすべてこれ海だ。海上保安庁にむろん協力は依頼するつもりだが、あそこも貧乏世帯だし、仕事は多いし、巡視艇を出してくれてもせいぜいが二、三隻だろう。海の仕事はよくわからんが、一隻百キロの警戒水域で、小さな漁船一隻つかまえてくれ、というのは、ザルでメダカ一匹すくうようなもんじゃないのか。といって、うちの県警に海に割けるような余力はなし……待て、待て、こう考えること自体が、敵の誘いに乗っとることかもしれんな」

「あなた、いったい、どうなさるおつもり」

夫人がつい大声を張りあげて、井狩ははじめて我に返ったようだった。

不思議そうに夫人を眺めて、窓のそとを眺めた。

「きょうも好い天気か。決戦にふさわしい日和と言いたいが……」

つぶやいて、夫人に目を戻した。

「こんどの書簡で、今までと違う特色が一つあるんだ。全文を柳川家に宛てて、一切柳川家の責任でやれ、と言っていることだ。テレビはとにかく、半島上空の飛行を禁止しろとか、それを外国空母にも徹底しろとか、柳川家じゃどうにもならんのがわかり切ってることまでもだ。おそらく、これは刀自のお考えの反映だな。対面の終わりにいわれたあのお気持……警察に重圧をかけたくない、というお気持を盛りこむように主張されて、犯人もそれを容れたんだ。むろん、わしらにそんな甘えは許されん。刀自のお気持に関係なく、この書簡が発表になったら、社会が次にいうせりふは決っとる。……さあ、警察はどうする、だ。いま、おまえが言ったようにな」

そして、終わりに言った。

「おれの答えも決っとる。最善を尽す——これだけだよ」

7

それからの数時間は、尻に火がついた奔馬のように慌しく流れ去った。

……午前八時、知事ら県首脳部と安保条項についての要談。

知事は保守系だが、剛腹（辞書に曰く、胆力がすわっていること。度量の大きいこと）で鳴る人物で、下の腹は肉月《にくづき》ではなくて立心偏《りっしんべん》（剛愎——また辞書に曰く、強情で人に従わぬこと。片意地）が本当だというのが部下の間の定説だ。

「何やと？　航空局と自衛隊へ飛行禁止の要請？　しかも三県の知事の連名で？　なんでこの

わしがそんな誘拐犯の指示に従わなならんのや」

初めに立心偏が爆発したが、

「犯人の指示だからではないのです。捜査上、絶対に必要だからなのです。つまりですな。こんどの勝負は、犯人が真の目的地へ向うのを、いかにして確実に追跡できるか——その一点にかかっているのです。一千メートル級の山がゴロゴロしているんですから、レーダーでの追尾はまず不可能で、われわれとしては地上での人工的および天然の監視機関……早い話が、人間の目と耳、それに聴音機や望遠鏡に頼るほかありません。実際の着陸は夜間になってからと思われますから、特に耳です。それには他の飛行物体が介入しては困るのです。空に音がしたら敵のヘリ——これでなくては追尾はできません。犯人の方では横取り機の出現などを恐れているのでしょうが、われわれとしてもこの捜査の妨害になる一切の飛行機、ヘリは絶対に排除しなくてはならんのです」

井狩の懇切な説明で、肉月の「腹」のほうが入れ代った。

「犯人はこの条項が容れられんなら、計画は放棄して、刀自の生命は保証せん、いうとるんやな。そやったら、そないな捜査上の必要がかりになかったとしても、これは人命尊重上、取らんならん当然の措置や。よろしい。航空局と防衛庁との折衝はわしが責任を持つ。きみは捜査に専念し給え」

きっぱり応諾してくれたが、井狩がこの指示を在日アメリカ軍とアメリカ第七艦隊にも徹底するような手を打ってほしい、と要請すると、さすがの肉月もたじろいだ。

「それは、きみ穏やかでないぜ。在日米軍の方は防衛庁を通じて何とかなるやろう。妨害になるいう点では、日本機もアメリカ機も変わりあらへんし、やつらの方がうるさいぐらいやからな。そやけど空母となると、まるでそいつらの中に強盗野郎がいそうなみたいな言い草にきこえるで。これはきみ、国際問題や。第一、やつらが今、どこにいるかもわからへんやないか」

「実際にその危険が大きいんです」と井狩はがんばった。

「第七艦隊の位置は私も知りませんが、洋上にいるのはたしかです。その鼻先を五千万ドル積んだおんぼろへリが、よたよた飛ぶことになるんです。とにかく茶目っ気と血の気と欲気のかたまりみたいな連中のことだし、その結果日本人のおばあさん一人がどうなろうと、シラミ一匹ほどにも感じない。この作戦で最も危険なのはかれらだと私は考えます。その点特に、空母を含む、と指示した犯人の抜け目のないのに感心したぐらいです。知事閣下はいま国際問題だと言われましたが、もしエンプラの数百の空中勤務者の中から一人そんなドン・キホーテが飛び出したら、そのほうが遙かに重大な国際問題になるではありませんか。まさか国防総省あてに公電を打つわけにもいかんでしょうが、是非とも閣下に善処していただきたいのです」

知事は黙考して、

「いやなときに知事になったもんや」と言った。

またしばらくして、

「そやけど、県警本部長になったより、まだましかもしれへんな」と言った。

終わりには立心偏が復活した。

「何とかしてみるわ。まあ見とれ。日本男児が青い目の毛唐に身代金を横取りされるような腑抜けかどうかや」

……午前九時。柳川家一行と鎌田を迎えて作戦会議。

そのとき井狩の目にとまったのは、地図に引かれた墨線だった。ふるえもなく、太さに乱れもなく、にじみもなく、名工の彫刻刀が切り取って来たような美しい直線がきっかりと引かれている。ついている指紋も刀自のものだけである。

「やつら、この線まで刀自に引かせたんか。慎重といえばそれまでだが、指紋の用心ぐらい簡単だろうにな」

だがそんな些事にかかわっているひまはなかった。会議は冒頭から白熱して席の上下を問わず、まるでケンカ腰の激しい声が飛び交った。

井狩の総員R地区結集案は、鎌田を含めて全員が反対だった。

理由の1・いまだに所在を発見できないのであるから、犯人の本拠はR地区以外にある可能性が強い。

理由の2・かりにR地区にあったとしても、すでにもっと逃走に便利な地点に、たぶん昨夜のうちには移動している公算が大きい。

どちらも井狩自身が認めている弱い環だから、指揮官の権限だけで自案を押し通すことは不可能だった。

だが彼は牙城を守るために「最善を尽し」た。

捜査員の大半は、コース上のどの点かが、実際の授受地点だと考えていた。

コースは、国道と県道だけに限っても三十四箇所でその上空を通過している。その他のこれに準ずる道路を加えると、総数は三百箇所を越える。

その中からどうしても必要なチェック・ポイントをふるい分けてゆくと、約半数の百六十一箇所という数字が出た。一箇所に一警備車、十名として、これだけで所要人員は千六百名である。

井狩はこれを千名に値切った。

「千六百名は最低です。これでもたった一線の薄い網なんです。もし何等かの方法でこの線を突破されたら、あとが無いんです。本部長！　そのときは責任を取ってくれますか」

テーブルを叩いて詰め寄られたが、譲らなかった。

「総員二千。その半分の千名なら最大限だ。幸いに今んとこ、ほかに大きな事件がないから……犯罪者どもも息を潜めてこの事件の推移を見守っとるのかも知れんが、奈良も三重も最高の協力をしてくれてのこの数字だ。これ以上は一人もやれん」

次の大半は、海を逃走路と考えていた。

「コース内の全海岸線のパトロール。これこそ必要不可欠の対策です。欲をいえばきりはありませんが、ぎりぎりに絞ってパトカー、警備車二百台、人員千名。これが最低線です」

井狩はこれを五百名に値切った。車も半分にした。

「そんな穴だらけの網なら張らんほうがましなぐらいです。実距離三百キロ以上もあるんですよ。三百キロに五百名！　一キロに一人半！　本部長、何ぼ何でも、それはあんまりというもんですよ」

井狩は泣き落しにもかかからなかった。本命と信じているR地区の警備に、こうして五百名だけは確保した。

R地区の広さは、東西に三十余キロ、南北に六十余キロ。総面積は津ノ谷村のほぼ三倍に当る約二千平方キロである。

「これでも二千の総員を投入すれば、まず絶対と思っていた。半分の千名だと確度は三分の一以下になるだろうな。たった五百では、一般住民の協力を計算に入れても、おそらく見込みは十パーセントもあるかなしだ。……しかし、やむを得ん。作戦の成否と兵力の比率てやつは、たいていそんなもんらしいんだな。……作戦の成否と兵力の比率てやつは、たいていそんなもんらしいんだな。ことを祈るばかりだ」

会議のあとで鎌田に漏らした嘆息である。この地区の責任者は、鎌田が志願した。見解は必ずしも同じではなかったが、これほどにこの地区に執念を燃やす井狩の心情に打たれたのだ。

……午前十時。記者会見。

飛行コース、コールサイン、それに安保条項などの秘密事項を除いて、あとの書簡の全文が公表された。

今までの会見と違うところは、柳川家が主体になって、警察は立会役という形式をとったことである。

井狩は、刑事部長を代わりに出席させて、自分は本部長室でテレビの中継を観ていた。

戸惑い気味の記者団から理由を問われて、国二郎が答えている。

「これは、先般のテレビ対面で母が申しましたとおり、この事件は基本的に柳川家の私事であるということを、この機会にはっきりさせておきたい、と考えたからであります。ご承知のとおり、私たちのやり方につきましては首相をはじめ各方面から批判があり、社会的に好ましくない結果を招くだろうという警告も受けておりますが、私たちとしましては喜んで全責任を負う覚悟であります。むろん、この私たちの決意と、当局の公的な義務の遂行とは、全くの別問題であることは申すまでもありません」

井狩の目にもその国二郎は、つい数日まえのただの地方名士から、自己の信念に忠実な堂々とした人物に脱皮した姿がありありと感じられた。両脇に並んでいる可奈子も大作も、もうあの有閑マダムや極楽トンボの面影はない。

「つまりは百億そっくり取られても、まるまる無駄ではないというわけだ」自然に漏れたつぶやきであった。

会見後の騒ぎについては……。

おそらくある外人記者の「ムンディアル（ワールドカップ・サッカー）がアルゼンチンを狂わせたように、虹の童子は日本を狂わせた」という描写が最も適切だ。

会見室の興奮はそのまま街の興奮になり、ニュースの時間はテレビの前は押すな押すなの人だかりだったし、書簡を載せた夕刊は発売と同時にほとんどが売り切れた。

中で一際目の色を変えたのが、テレビ関係者だった。

井狩の予想どおり、放送権の争奪は激烈を極めて、中に挟まれた柳川一家が途方に暮れるほどだった。結局はNHKと地元和歌山テレビ系の民放との共同放送ということに落ち着いて、表面では一系統が独占するのは対外的に好ましくないからと説明されたが、内実は各社とも天井知らずの権利金のつり上げ競争にヘキエキしたためらしかった。英子があとでそっと教えてくれたところでは各社の総計が一億二千万。井狩の予想の十二倍である。

この決着の直後、KDD（国際電信電話株式会社）はこの放送を世界全地域へ衛星中継で同時放送すると発表した。

井狩たちには、こういう外界の騒ぎを顧みているひまはなかった。

三県合同の捜査本部の設置。作戦の意思統一（合同会議では和歌山県警の原案が承認された）。それに基く部隊配備。各金融機関の警備（阪神地区から多数の暴力団員が潜入中との情報があった）。その間には関係各当局との連絡、協議……。

昼食は抜き。タバコも抜き。気がついたらもう放送開始の午後三時の直前になっていた、というのがかれらの実感である。

何とか準備はできた。もしくは完了の一歩前だった。

三県知事の要請が認可されて、大阪航空局は管下の空港、飛行場に対して、午後四時以降の半島上空の飛行禁止を指令した。定期便はすべて迂回コースをとることになり、その他の飛行機、ヘリコプターは、離着陸を禁止された。

各空軍基地も同時刻以後の飛行計画を中止して、防衛庁を通じてアメリカ空軍もこれに同調することになった。

和歌山航空事業では、朝からシコルスキーの整備に大童だった。最近二年間、注文が全然なかったので、この前世紀の遺物はほこりだらけになって格納庫の隅っこで眠っていたのである。それもどうやら間に合いそうな見込みがついた。

警備部隊の配備も、指令の行き違いやら聞き違いやら車両の故障やら……つまりはいつものような混乱をくり返しながら、着々と進行していた。

身代金の集積所は県警本部だった。むろん一般には公表されなかったが、本部の回りを埋めた物々しい機動隊の楯のきらめきと、正午前後から続々と到着しはじめた現金輸送車とそれを囲むパトカー、警備車の群は否応なしに人目を奪って、だれにもそれと察しがついた。

午後一時。無事に全額がそろって、集積室に当てられた会議室は、ジュラルミンケースの山になった。

午後二時五十分。知事から井狩へ直通電話がかかった。

「在日米軍から、きみが飛びつきそうな好意的な申し出があったんだがね」

「はあ。どういうことでしょうか」

「空中レーダーや。きみの話では、山が邪魔になって地上レーダーは役をせんやろいうことやったな。ほなレーダーを備えた偵察機を飛ばしてやってもええいうんや。ほら、いま問題のE2Cやがな。軍用機のことやから高度の守秘性があって、おそらく超高空を飛ぶんやろな、犯人がそれこそレーダーでも持っとらん限り、地上からは飛んどるかどうか絶対わからへんし、すごい精密な機械やさかい、これならヘリの行方はバッチリいうことや。どやね。願ってもない話やないか」

……井狩もほとんど飛びつきそうになった。だが、ぐっと踏みとどまった。

「たしかにありがたいお話です。一応会議に諮《はか》ってみますが、私としては折角ですが賛成いたしかねます。国内の犯罪捜査にアメリカ軍の助けは借りたくない、という意地みたいなものもないではないんですが、それ以上にプラスの反面、現実に大きな危険が生じるからです。そのレーダー機の情報は、当然アメリカ空軍を通じてわが方に伝えられることになると思いますが、そうなりますと、ヘリの所在は刻々何人か何十人かの空軍関係者などの部外者にわかってしまいます。我々としましては、刀自を無事に救出するためにも、それからそれを手がかりにして犯人を逮捕するためにも、とにかく身代金を一旦は犯人の手に無事に届けなくてはならんのです。それまでは情報が外部に拡散することは極力避けねばなりません。アメリカ空軍関係者だけじゃない。一般住民に対してだって同じことです。ヘリがいざ飛び出したら、どこのどいつが何を企むか、今んとこ全くわかっちゃいないんですからね。だから何もアメリカ空軍の中に強盗野郎がいるかもしれない、という偏見で言うわけではありません。実際問題として、そういう機密の漏れるおそれのある行動はとるわけにいかんのです。……ご了解いただきたいと存じます」

知事はしばらく黙って、

「きみらが陰でわしのことを何というとるか知っとるで」と言った。

「何やねん、きみのほうがよっぽど立心偏やないか。……ま、一方ではエンプラ機の用心しとって、同じ米軍に援助を頼むいうのも矛盾は矛盾やけどもな。ほな、成算はあるんやな、レーダー機のやれることぐらい、きみの手でやれるいう？」

「私としましては二千の人間聴音機を何ものよりも信頼しております。今申せるのはそれだけであります」

「わかった。この石頭」

怒った風でもなく知事は電話を切った。

それがおわりの小波だった。間もなく定刻が来た。ただエンタープライズの消息はまだ知れなかった。

8

午後三時。

街から人かげが消えた。

会社も工場も学校も、作業が停った。

電力の消費計の針がピンとはね上がった。全国一斉にテレビのスイッチが入ったのだ。主婦という主婦はもちろん、ふだんは世俗を軽蔑しておよそテレビというものを見たことがない学者先生も、書斎から書物を抱えて現われて、テレビセットのまえにどっかり座りこんだ。

チャイムが鳴って、「特別報道番組」の字幕が流れ、画面にアナウンサーが映る。きょうの大役に選ばれたのは和歌山テレビのチーフである。

「全国の皆さま」

もう皮膚のように彼の一部になり切っているなじみのせりふ。つづけて、これだけは最初で最後になるであろう一世一代の劇的な呼びかけ。

「そして、世界の皆さま。ただいま日本時間午後三時。東南アジア時間およそ正午。ヨーロッパ時間朝七時。アメリカ東部時間午前一時。西部時間夜十時であります。これより、いわゆる百億円事件、または『虹の童子』事件として知られる誘拐事件の身代金輸送の実況を、NHKならびに当和歌山テレビの共同放送として、衛星中継で世界同時にお送りいたします。実況に先立ちまして、被害者の柳川とし子刀自と犯人一味の写真をごらんに入れます。これは去る九月二十七日、いわゆる『テレビ対面』のときに、当和歌山テレビのカメラがとらえたものであります」

画面に、刀自を中心に、肉色、黒、白の仮面をつけた三人の犯人の写真。

ズームアップして、中央のマイクを持った刀自の顔。

「ここに柳川家の家族の方々がそろっておられます」アナウンサーの声が入る。「視聴者を代表して、二つだけ質問をさせていただきたいと思います」

オーバーラップして、緊張した四人の顔。

アナウンサーの質問。

「この身代金の輸送について、犯人からいろいろと条件を指示して来ておりますね。中には一般に公開されていない条件もあるようですが、あなた方は、それらも含めて、犯人が要求した条件を、全部実行されるおつもりですか」

一族を代表して国二郎の答。

「はい。細かいところまで全部、指示どおりに実行します。中には私たちの力の及ばないようなこともありましたが、幸いに当局の暖かいご理解とご協力を得まして、全部実現できることになりました。和歌山県警をはじめとして各方面の諸機関に深く感謝をしております」

質問の二。

「犯人は条件が実行されれば、刀自を三日以内に無事に返す、と約束していますね。あなた方はこの約束を信じますか。また、三日間という猶予期間をおかれたことに不安を感じてはいませんか」

答の二。

「犯人は必ず約束を実行すると信じております。三日間という期限をつけられたのは、正直いって不安ですし、できたら身代金と引替えにすぐに返してもらいたいと思います。しかしこの点も、犯人が技術的な理由といっているのを信じたいと考えています。百億という金を処理するのは簡単ではないとわかっているからです」

たしかめの質問。

「犯人を信ずるという理由は何ですか」

それへの答。

「母です。子の口から言うのはへんかもしれませんが、母は非常に明敏な人で、世界のどんな詐欺師でも母は欺せない、と私たちは信じています。まして、自分の命がかかっているというときに、母が欺されるわけがない。その母が、柳川家の全財産を犠牲にしても払え、と命じたのですから、犯人らは決してただの殺人鬼ではない。金さえ払えばきっと解放される、と確信しているに違いありません。私たちは母の判断を私たちの判断としたまでです。他にどんな理由も必要ないと思います」

画面に再びアナウンサー。

「この放送は公共のためであって、犯人のためのものではありません。しかし、犯人たちも自分で希望したのですから、必ず今の声をどこかで聞いているはずです。私たちはこの放送の担当者として、ここではっきりと犯人に言っておきたい。柳川家ではこのようにあらゆる犠牲を忍んで諸君の要望を容れたのだから、男らしく約束を守って、刀自を無事に安全に、ご家族にお返しするのが諸君の義務であります。万が一……いや千万が一にも、この義務に背いたら、諸君は犬畜生にも劣る人類の敵として、いかなる制裁にも甘んじなくてはならないことを銘記すべきである。これは日本の声であり、また世界の声であります。……では、実況の中継に移ります。はじめは身代金の移しかえと梱包の模様であります」

前置きが終わった。本番がスタートした。

……はじめに六十七個のジュラルミンケースの山。

ケースは表面が滑りやすいので三段積みにして、タテヨコ五列ずつの長方形に、集積所の床の中央にきちんと積みあげてあった。

ライトの光をギラギラとはね返していて、それ自体が巨大な銀塊とも見え、また巨人の玩具の積木細工のようにも見えた。

「これが百億か！」

テレビの前は驚きとも溜息ともつかないどよめきに満ちた。

万人が万人、このとき初めて、百億という金の実体を自分の目で見たのである。

「この部屋がどこかということは、和歌山市内のあるビルの一室である、という以上のことは申せません。理由は……いうまでもないでしょうね」アナウンサーはちょっとおどけた。

「紙幣の入れかえは柳川家の家族の方々が、梱包の方は使用人の方々が担当します。警官も、銀行員も、柳川家以外のものは、一人もこの部屋には入っておりません。……では作業を始めて下さい」

……それは、よだれが垂れるような、いつか見たいと思っていた夢を見ているような、忘れがたい光景であった。

どのケースにも百万円束の紙幣がぎっしり詰まっている。取り出してビニール袋へ入れるのは国二郎と大作の役である。

かれらが両手で一束ずつつかみ出して、札束をこすり合わせて全部が紙幣に違いないことを見せて、ボンボン袋に投げこむのを見たときは、

「まあ、もったいない。まるで紙屑みたい」

テレビサイドでは叱責の声が上がったが、これはリハーサルの結果、一束ずつ丁寧に移していては、一つのケースで二分以上かかることがわかっていたからである。四十分で全部片付けようとしたら、一ケースの制限時間は三十秒。平均百六十個だから一秒間に五つ以上。まだるっこいことはやっていられないのだ。

数え方も二つ刻みだった。

「二四六八つの十。二四六八つの二十……二四六八つのこれで百……」

まるで小学校の運動会の玉入れ競争だ。

袋の口を開けて受ける役は可奈子と英子。

この方も心得たもので、投げこまれるたびに奥へ詰めたりはしない。三、四十個溜るのを待って、まとめてゴソッと中へ落す。ヨコになろうがタテになろうが構ったことはないし、また構っているひまはない。

梱包の方は一層無残だった。

「はい、四百」

串田執事が確認して、可奈子と英子から袋をリレーすると、二人の屈強な若者が、穀物を納袋する要領で、袋をずしんずしん床に弾ませて紙幣を底へ落ち着かせて、口をパックすると、

紐を回して、袋を蹴飛ばし蹴飛ばし、キリキリと締めあげる。

「お札が可哀そう……」

主婦の中には涙を浮かべるものもいるぐらいで、透いて見える中の紙幣は押し合いへしあい、端が折れたり、ひん曲がったり、見るからに苦しそうだ。

だが、どんな扱いを受けようと、紙幣は紙幣だった。

強いライトの中のこの流れ作業で、かれらは至るところで虹のように妖しく光り、きらめいて、その存在を誇示していた。それは、果てのない、虹の輝きの大行進であった……。

次いで、積み込み。

画面は屋上に移って、アナウンサーはNHKの支局員に代わる。

「四十分間はあっという間に過ぎました。百億の身代金は予定どおり入れかえ、梱包を終わりまして、いま続々とエレベーターで屋上へ運ばれております。では、ここでまず、きょうの主役、輸送ヘリのパイロット、和歌山航空事業の高野操縦士をご紹介いたします」

画面に操縦服に身を固めた、四十年配の温厚そうなパイロットが映る。

インタビューが始まる。

アナ「きょうは大任で、ご苦労さまです。はじめに素人っぽい質問で恐縮ですが、一般の中には、百億円も積んで飛べるだろうか、と心配している人もあるようです。重たくはないんですか」

パイロット「重たいです。それに九百キロ分の燃料を満載していますから、とても重たいです。……でも」
アナ「でも？」
パイロット「任務の方がもっと重たいです。私は個人としても柳川の大奥さまに大変お世話になっておりまして、大奥さまが居られなかったら、今ごろはギャングか何かになってみじめな死に方をしていた、と思います。それだけに、この飛行に、大奥さまのお命がかかっている、と思いますと……とっても重たいです。……言いようがないぐらい重たいです」
アナ「そうですか。そこまでの事情は存じませんでしたが、お気持はわかるように思います。では、きょうのパイロットに選ばれることは予期しておられましたか」
パイロット「はあ。私が一番古株ですから。……でも、もし危険だから外す、といわれたら志願するつもりでした。危険な仕事を若い者に任せるわけにいきませんし、このへんの地形や気象については、何といっても私が一番詳しいですから」
アナ「危険といいますと？」
パイロット「飛行自体がかなり危いです。出発が四時ですから、大半は夜間飛行になると思いますし……地形にもよりますが。それと犯人がどう出るかわからんということもあります……重要な証人になるわけですし。……もひとつ怖いのは邪魔者です。こんな大金積むんですから、無法者が出たりしますと、こっちは足はのろいし、武器はありませんし……そのときの覚悟も、飛ぶ以上はしておきませんと……大奥さまのことでなかったら、正直なとこ、私も引き受ける勇気はなかったかもしれません」

アナ「といわれますと、万一のときは自爆？」

パイロット「燃料を山ほど積んでますから、したくなくても……でもそのときは、大奥さまも許して下さると思います。仕方ないんですから」

アナ「そんな危険な仕事を要求して来た犯人について、どうお考えですか」

パイロット「どうって……やつらとしたら他に手はないんでしょうね。でも、いくらか心遣いはしてるみたいですね。高度一千といいますと、地上からは豆粒ぐらいですから、銃や何かでは狙えないし、山岳地帯でも飛行に危険はないし」

アナ「一般には発表されていないんですが、きょうのコースはご存知ですか」

パイロット「いいえ、まだ。離陸直前に柳川家から封筒を渡されて、離陸五分後に開封することになっています」

アナ「では、どんなコースを飛ぶかもわからないわけですね。こういう危険一杯のお仕事を引き受けられた勇気と決意に、深く敬服いたします。ご成功を祈ります」

パイロット「ありがとうございます」

……この飛行にそういう危険が潜んでいるとは、おそらく一般では予想しなかったのではなかろうか。訥々として気負わない話し方のなかに、かえって異常な緊迫感がこもっている会見だった。

つづいてきょうの中継機に選ばれたNHKのパイロットとカメラマンの紹介。どちらも若い二十代。今の話で、顔を青白く引きしめている。

アナウンサーの質問。

「高野操縦士の話では、横取りを狙う無法機がとび出すおそれもある、と言います。そういう場合、あなた方はどうしますか」

二人の答。

「中継中に現われたら、輸送機と一蓮托生ですね。ぼくらだけ逃げようたって、向うが逃がすはずありませんからね。しかし、その前に、そいつの機影は絶対カメラにとらえてやります。ふん、世界の目の前で強盗をやろうってんなら、やってみろ、ですよ。その代わり……そうだな、殉職金はうんと弾んでもらって下さいね」

……そのあいだにエレベーターから吐き出されたビニール袋が続々と運ばれて来て、ヘリの回りに芋俵のように積まれた。

シコルスキーは、イソップの空気を吸いこんだ蛙みたいに、腹がぷっくりふくれたヘリコプターだ。

高野操縦士の指揮で、中央の出入口から袋の積み込みが始まる。この役も全部柳川家の家人たちである。木材のトラック積みに慣れているだけあって、呼吸が合って、動作もキビキビと無駄がない。一つの袋に中と外の三人掛りで、「よいしょ。ほらしょ。こら、どっこいしょ」の掛声が続いて、二十五袋の身代金は、無事にヘリの腹の中に納まった。ただし、ギュー詰めの超満員。ドアをしめるのがやっとである。胴体の窓から袋の中の紙幣の束がのぞいている。

……これで、どこかにトリックがあるのではないか、という犯人がわの最後の懸念も一掃されたはずである。

たとえば、つめ替えの場面だけビデオで撮っておいて、ヘリには別の袋を積む、という手も考えられないではないが、こうした一貫作業ではすり替え自体も至難だし、ましてその流れの中で全員がアマチュアの作業者たちに自然な表情や動きを演出するのはどんな名監督でも不可能だ。ヘリに積まれたのはたしかに身代金の袋に違いなかったし、またヘリの中に警察官が潜伏している余地がないことも、どの視聴者の目にも明らかだったのだ。

……いよいよ出発であった。

高野操縦士が国二郎から書類を受けとって、挙手の礼をして、ヘリに乗り込んだ。

大きな回転翼が、意外に軽い音を立てて回り出す。風で見送る家人たちの髪や服が吹きなびく。午後四時ジャスト。予定ぴったりである。

操縦席の窓から、もう一度、操縦士が手を挙げるのが見えた。

「頼むぞ」「がんばってくれよ」

家人たちの声が、轟音を縫って切れ切れに視聴者の耳に届く。

機は飛び上がった。一分後、シコルスキーの半分ぐらいの中継機が離陸した。

大小二つの機影は、ぐんぐん上昇を続けて、青空の中の小さな二つの点になった。

……ここまで来て、「何か変だな」と気がついた視聴者たちも少くなかった。変なはずだった。この詰めかえ以後の全放送を通じて、井狩はもちろん当局の人間は、ついに一人も姿を見せなかったのである。


　刀自たち三人は、マークIIのカーラジオで離陸の放送を聴いていた。

「だれの考えることも同じやな」高野操縦士が横取り機の話をしたとき、平太が言った。

「おれたちが考えんかっただけや」と健次が言って、刀自に聞いた。

「あの銃の話な。おばあちゃん、あそこまで考えてはったんか」

「高度千と指示したことか。当りまえやがな。百億の鳥が飛んで来よったら、射たん猟師がおるか。……これも悲しい猜疑心かも知れへんけどな」

　あとはみな無言だった。時計を見ながら放送を聴くだけが仕事だった。


　正義は、紀宮村の段々田圃で、二人のくーちゃんと稲を刈っていた。

「正義の手つき、だいぶようなって来たな」とおばさんのくーちゃんが言った。「もうちょいで本職や」

「慣れるころはおしまいやね」と若いくーちゃんの邦子が言った。「なあ、正義はん、あんた稲の始末すんだら帰らはるの？」

「そやなあ。こればっかりはおれの考えでいかんしなあ」と正義が考えながら言った。「居るいうたかて、おばちゃんが置かんいうたらそれまでやし……おれ、ようヘマをやるよってなあ」

「それほどでもあらへんわ」と邦子が慰めた。「モチとウルチ、ごっちゃに脱穀したり、ゴマの束さかさにつるして実落してしもうたり、初めはだれかてやることや。居てあげたらおばちゃん喜びはるわ。あんたが来てから、勢いが違いはるもん」

「え？　ほんまかいな？……あ痛た」

驚いて邦子を見たとたん、つい鎌が滑った。

追い越して行ったくーちゃんが振り返った。

「何や、また切ったんか。ちょいほめると、すぐそれやなあ」

「そやかて、慣れんもんは仕方あらへんわ」邦子が弁護して、「あ、待ちいな。そないに指振らんと。包帯してあげるよって」

「ええわな、これぐらい」

「ええことないがな。こんなに血が出よるもん」

邦子が手早く手拭を引き裂いて、正義の指に巻きつける。正義はてれくさそうに横を向いて、しかしおとなしく手を出している。くーちゃんは腰を叩きながら、その二人を見ている。

青空からまぶしい光が降って、三人のひたいに汗が光っていた。稲はもう少しで刈りじまいだった。

アメリカ第七艦隊旗艦、原子力空母エンタープライズは、サモアはもとよりフィリピンよりもはるかに日本に近く、小笠原諸島の東方を、ハワイへ向って航行中だった。この南の海では、紀宮村の何倍もの明るい陽光が紺碧の海面にきらめいている。

司令官のヘンダースン中将は、いまブリッジで通信兵から電文を一通受けとったところである。入信次第届けるように命じておいた共同の海外向け放送である。

電文は簡単だった。

「東京＝共同　和歌山電によると五千万ドルの身代金を積んだヘリは、予定どおり日本時間午後四時和歌山市の基地を出発した。同機にはＮＨＫの中継機が随伴している。行先は厳密に付されている」

中将は隣のキング艦長に電文を手渡した。

艦長は一読してくしゃくしゃに握りつぶした。

二人のむっつりした表情は、かれらが同じことを考えているのを物語っている。きょうの午後から二回繰返して行われた東京放送だ。

「東京＝共同　和歌山電によると、三須和歌山県知事はスターズアンドストライプス（アメリカ軍機関紙）記者との特別会見で、虹の童子の身代金輸送に当って、最も憂慮しているのは海賊機の出現である、と語った。同知事はこのため、輸送ヘリが出発する午後四時以降、紀伊半島に近接する外国機があった場合、その国籍と理由の如何を問わず、同方面の防衛部隊は直ちにその侵犯阻止に強硬な手段をとることを、防衛庁に要請しており、この要請は実行されるものと了解している、と語っている。同知事はまた、もしこうした海賊機の出現で輸送が妨害されたなら、その結果は単に人質の人命問題にとどまらず、日本国とその海賊機の所属国との間に由々しい国際問題を惹起することになろうと指摘している」

二人の目は同時に発進甲板を見下す。

十八機の戦闘爆撃機が勢ぞろいして、発進命令を待っている。猛獣の牙のように銀色に輝いている翼、鮮やかな星のマーク……アメリカ海軍の誇りであり、中核の生命である最新鋭の精強部隊だ。

……ということは、もちろんわずか八百カイリ（千三百キロ弱）かなたの紀伊半島は、その気になれば、かれらにとってほんの一飛びであることをも意味している。そして二人とも、けさから艦内で虹の童子が成功するかどうかで盛んに賭けが行われていて、今のところ童子乗りの賭け率が士官の間では3対7、下士官は5対5、兵士は7対3になっていることも知っているのである。

賭けというのは、社会心理学のテキストを借りるまでもなく、最も端的な願望の表現だ。兵士たちの十人に七人が童子の成功を願望しているということは、もしかしたら別のある種の願望がかれらの間に内在していることを……いや、そんなことを暗示しているわけではない。絶対にないが……ないにしても、そこに何等かの可能性が……。

ヘンダースンは罵った。

「地獄へ落ちろ、てんだ、このミスとかミセスとかいうロクデナシ野郎！　もっとも地獄でもこんな野郎はお断わりだ、というに決ってるけどな」

「全くであります」とキングは同意した。「あの記事で彼は海賊機と三度もくり返しておりま
す。海賊の航空機といったら、……その、少くともそのへんには、ほかにいないんでありますから、やつはそれだけで三度地獄に落ちる価値があります」

ヘンダースンはまた罵った。

「やつはもちろん、どこのだれと名指しているわけではない。だからといって彼の罪がいささかも軽減される理由にはならない。あの淫売の落し子野郎」

「そして、悪魔の申し子野郎」キングは調子を合わせて、尋ねた。

「……で、どうします？　これからの本艦のスケジュール……差当っては、あの十八機ですが」

ヘンダースンは重々しく言った。

「もちろんわがエンタープライズの神聖な任務が、それが日常の訓練飛行の一部にすぎないとしても、こんな世迷い言で妨害されるなどいうことはあり得ない」

「その通りであります」

「かつて日本占領軍の司令官……アイケルバーガーだか誰だかが言ったことがあるな。どんなリンゴの樽にも、腐ったリンゴが一つや二つはあるものだ、と。我々はこの際、そんなことばを思い出す必要はない」

「同感であります」

「しかし……何だな。わが艦隊の将兵は、連日の猛訓練で、かなり疲労の色があるようだ。日

程の一部を緩和して、たとえば本日はこれ以上の飛行計画は中止することにして、かれらに休養を与えてやったら、士気の高揚に有益ではないだろうかな。艦長の意見は？」

「はっ。全く同感であります」

キング艦長は、ほっとして言った。

9

……特別捜査本部。

ヘリが飛び立ってからの空気は一段と険しく、野戦の戦闘司令部さながらの鋼のようなものがぴーんと張りつめている。

正面の席にどっかり腰を据えた井狩の左手の黒板には、輸送機から直接送られてくる連絡が次々に書き込まれてゆく。

一六〇五　エンジン快調、ポート上空、対地高度千、北々西の風十五メートル、雲量零。指令開封、コース確認。中継機の離陸、上昇を目認、近接を待って針路連絡、指示方向に向う。

……これが第一信。あとは各クォーター（15分）刻みである。

一六一五　エンジン快調、北々西の風十六メートル、時速二百、予定地点上空。周辺に異状なし。

一六三〇　エンジン快調、北々西の風十五メートル、高度、時速変わらず、予定地点上空、雲量零。ただし山間部に霧が発生中。周辺異状なし。間もなく最初のターニングポイント。中継機に変更針路および地点を連絡。

一六四五　エンジン快調、北々西の風十六メートル、ターニングポイント通過、予定地点上空。山間部の霧拡大中。ほか周辺に異状なし。

……犯人などの傍受を警戒して、秘匿事項を抑えた最小限の連絡であった。

井狩の前には四つのテーブルをつぎ合わせた上に、紀伊半島の大地図が広げられている。こんどは、タテ、ヨコに各百、合計一万のマス目の線が引かれているのは位置の確認に便利なためだ。

輸送機の連絡と併行して、無線室には地上部隊からの報告が刻々と入っている。

Ａ６　一六一五　二三一二方向に爆音

Ｃ３　一六一八　二三三四上空に機影、西へ向う

Ｄ７　一六二〇　二〇三六方向に爆音

はじめの二つは部隊名、次が時刻、おわり四ケタの上二つがヨコ（東西）、下二つがタテ（南北）を示す数字である。

六人の婦人警官が放送を受けて、赤の○印と↓印で、図上に輸送機の現在位置を再現してゆく。○印は機影目認地点、↓印は爆音の方向地点。特に後者は、輸送機の連絡が途絶え、夜間に入って目認が不可能になった場合の唯一の追跡手段で、この作戦の死命は一にその結果にか

かっているのだった。

今のところ両者の報告はぴたりと一致している。輸送機は上空でかなり強い風を受けながら、正確な時程で、正確にコース上を飛んでいる。

「……ようやっとる」

井狩は口の中でつぶやきながら、地図の向うの真向いにおかれているテレビに見入る。

きょう一日、特に出入りの電器商から借りて来た27インチの大型テレビで、画面はふつうのテレビの倍以上の大きさがある。

輸送機はその大きな画面の中央を飛んでいる。胴がふくれているところから、アメリカでは空のアザラシと呼ばれているそうだが、こうして日本の空で見るとアザラシよりもフグに似ている。頭に大きな回転翼をのせて、懸命に空気の波をかき分けかき分け飛んでいる空のフグである。傾きかけた夕日を受けて、時折りその白い腹が薄赤くキラッと光る。

中継機とは百メートル近い距離があるので、むろん操縦士の姿は見えないが、井狩の目の中にはヘリポートに着地したときあいさつに来た彼の緊張した表情がはっきり浮かんでいる。

「本部長にだけお話ししておきたいのです」と彼は言った。

「けさから整備員総動員で整備しまして、試運転も上々なので、ほっとしていますと、整備係長が私を物陰へ呼んで言うのです。『完璧な仕上がりや。どこもかしこも新品同様にピカピカ光っとる。技術的には何一つ手落ちはあらへん、と自信をもって言えるんやが……ただ』『ただ?』『あんたもよう知ってはる通り、長いこと使わなんだ機械いうもんは、試運転ではどない調子が良うても、使うとるあいだにどこかにガタが来るもんや。目に見えんようなところにな。……おれのカンでは、来るとしたらエンジン系統や。ヘリは損害保険がついとるよってかめへんけど、……そやなあ、おれがあんたやったら……』この係長というのは、私とは二十年近いつき合いでして、まじめ一方で冗談など言う男ではありません。また変にカンが当るやつなんです。……このお話をしましたのは、もしエンストなど起こして使命が達成できなかった場合、それは全くの不可抗力だった、と知っておいていただきたいからです。だれのせいでもないのです。私たちは最善を尽しましたし、これからも尽すつもりですから。……このことは本部長の胸一つに収めて、家族の方には絶対言わないでください」

彼の報告で、はじめに必ず「エンジン快調」と言っているのを、みんなは報告の決り文句の一つぐらいに思って気にとめるものもない。そうではないのだ。あれは「まだ大丈夫」「まだ大丈夫」と言っているのだ。かれ井狩と、井狩に劣らずきょうの飛行を案じているであろう整備係長の二人に。

この正確無比な飛行も決してただの技倆ではない。そこににじんでいるのは、任務に命をかけた男の強さ、美しさなのだ。

……気流の変化が激しい山間に入ったのだろうか。画面は大きく上下に揺れ、右に傾き、左に傾きしている。この中継機の連中も相当だ。どんなに機が揺れても、絶対に輸送機を画面から外さない。向うが空のフグなら、こっちは獲物に食いついたら放さない空のスッポンであった。

〈いま世界で、何千万、何億の目が、このフグとスッポンを見守っているんだろうか〉と井狩はふと思う。

日本の夕方は、モスクワでは昼、パリでは朝、ニューヨークでは深夜。

〈その無数の青い目、茶色の目……そしてアジアの黒い目たちは、どんな気持でいるんだろうか〉

おそらくその大半は好奇心だ。いつあるかわからない犯人のコール、どこから現われるかも知れない強盗機、何が待っているか測りようのない行く手……そういう未知の世界へ向って勇敢に飛び続ける日本人たちを、ハラハラしたり、ときに茶化したりしながら、この現実の空中ショーを楽しんでいるだけだ。

ときとして前に立ちはだかる紫の山肌……目の下に広がる紅葉と深緑の山々……次第に褪せてゆく日の光で千変万化するその色彩……「美しい日本の秋へどうぞ」と呼びかけているような大自然も、このドラマにいかにもふさわしい背景であった。かれらのだれも、いつエンジンがとまるかと胃の腑を痛くしながら、操縦桿を握りつづけているあの実直な高野パイロットの心境を知るものはない……。

無電室から放送が入った。

「輸送機より連絡。定時連絡です。一七〇〇、エンジン快調、雲量三、北々西の風十四メートル、予定地点上空。数分後、次のターニングポイントに到達する。変針方向と地点は中継機に連絡ずみ。霧は広がる一方、地表は大方かげっている。周囲に異状なし。本時の連絡を終わる。

……以上です」

この放送は同時にテレビ、ラジオ局に通報されるシステムになっていて、数秒後にアナウンサーの声になって画面から聞こえてくる。

「五時を過ぎました。出発からちょうど一時間です。いま輸送機から五回目の連絡が入っています。……正確にコース上を飛んでいます。時間も予定どおりです。コースに乗ってから五十五分ですから、いまスタートから百八十三キロ少々の地点ということになります。画面でごらんのようにちょっと雲が出て来ました。その代わり季節風は少し弱まったようです。……日没がだんだん近付いて来ます。……あ、いまどこの山あいでしょうか、雪崩《なだ》れ落ちているような山脈と深い谷間が見えました。一千メートルの上空では日が当っていますが、ごらんのとおり地表はすっぽり陰に蔽われています。白い煙のように流れているのは霧です。だんだん範囲が広がっているようです。……輸送機からの連絡は以上でした。くり返しますと正確にコース上を、時間どおりに飛んでいます。……乱気流の多い山岳地帯を、北々西の季節風の中で、定規で計ったように、ぴったり予定どおり飛んでいる高野パイロットの腕はさすがに見事です。聞こえるものなら拍手を送ってあげたいものです……」

井狩はテレビの声を低くするように命じて、係官に尋ねる。

「地上隊からの報告は？　ちょっと途絶えてるようだな」

「はい。この辺は深い山岳地帯でして、車が入るような道もありませんので、部隊は配備してありません。二、三十キロ南にE部隊がおりますが」

「そうか。待つあるのみか」井狩はイスによりかかる。

いまアナウンサーがちょっと触れたように、きょうの日没は五時二十六分五十二秒。ちょうどコースを一周してスタート地点に戻るころである。犯人が行動を起こすのは、完全に夜間飛行に入る第二周めからだろう。テレビ対面の前例もあることだし、自分で指示して中継機も随伴させたことだ。第一周はリハーサルとして指示の結果を見定めるだけで、日のあるうちにのこのこ出てくる気遣いは万あるまい、というのが本部でも圧倒的な観測だったし、井狩も常識としてはさもあろうと思っている。

……が何かひっかかるものがある。

〈常識としては、か。……だが、常識破りがこいつらのお家芸だからな〉

手もとの書類をパラパラ繰ってみる。小さな報告がいくつかある。

その一。午後三時半ごろ、大阪の民間飛行場に五人の男が車で乗りつけて、係員の制止を振り切って小型機を発進させようとしたところを、府警のパトロールに逮捕された。調べによると四人は暴力団員。一人は民間パイロットで、この方はつかまったときホッとした表情だったという。事情、背後関係など取調中。

その二。午後三時ごろ奈良県南部の山中で、警備隊が猟銃を携えた一人の男を発見した。男は「解禁日を一と月間違えた」と称しているが、とりあえず身柄を抑留中。

その三。京都のある小会社の社長が銃を所持して車で出奔した、と家人から届出があって目下捜査中。午後四時現在、まだ発見されていない。

その四。……

どれも事件のうねりの回りに漂う薄汚ないあぶくどもだ。

このほかに街の噂もいろいろ入っている。中で本人が聞いたらどんな顔をするかと思うのは、高野操縦士の持ち逃げ説だ。ガソリンはたっぷり積んでいるし、そのまま文字どおり高飛びすればいいのだから、こんなうまい話はない、おれならやるな、という単純派。実はさる大物フィクサーの手が回っていて、金は山分け、その代わりパイロットを海外へ脱出させる手筈ができているそうだ、とまことしやかにささやく穿ち派。各説入り乱れてなかなか賑やかからしいのである。

「……ま、下界はさまざまさ」

井狩は書類を押しのけて、テレビの機影へ目を移す。

空のフグは相かわらず、時折り淡くなった夕日にきらめきながら、大きな回転翼を振りかざして空気をかき分けている。気のせいか機影がちょっと大きくなり、それだけ中継機のレンズが輸送機に近付いているようだ。

「きみは、こんなことは知らんほうがいい。知ったとこで、どうってことないだろうけどな」

……次の瞬間、はっと目を皿のようにみひらいた。

輸送機が突然、ぐぐっと目の前に迫って、画面一杯にふくれあがったのだ。

「ニアミス？」肝を冷やした一瞬、機影は下に流れて、画面に空と地が大きくぐらっと旋回した。

「何だ？　何があったんだ？」

……輸送機が急に速度を落したので、距離がつまってあわてた中継機が上昇したためだとわかったのはあとのことだ。

総立ちになった井狩たちの耳に、興奮した無線室の放送が飛びこんだ。

「輸送機から緊急連絡、一七〇三、犯人の指示受信、中継機とともに着地する。くり返します。輸送機から緊急連絡、一七〇三、犯人の指示受信……」

10

二機のヘリはゆっくり舞い降りて行く。輸送機がさきに、中継機があとに。地表の山なみが、輸送機を焦点に、渦を巻きながら近付いてくる。

降下につれて、霧が意外に濃いのがわかって来た。白い微粒子が小雨のように下から噴きあげてくるのが肉眼でも見えた。中継機のレンズに水滴が走って、一時は画面がぼやけた。

無線室のスイッチが同時放送に切り換って、パイロットの声がじかに作戦室にきこえてくる。

「犯人は至近距離らしく、無電の感度良好。中継機の着地点は手前の尾根の上、本機は谷を越した山の中腹。それぞれ黄色と赤の布で示してある、と言っている。……もっと前、左寄りと誘導している。下からは機影が見えているらしい……。どちらの布もまだ見えない。……いま対地高度二百。まだ見えない。……対地高度百。……あ、見えた。黄色い布が見えた。本機の赤い布も見えた」

レンズが拭われて、画面がはっきりした。声の前に、眼下に黄色い点が映った。続いて赤い点も映った。

右も左も刻んだような山なみが流れる中を、黄色の布は一際高い台地の上に、深い渓谷をはさんで、赤い布はそのはるか下の対岸の森の中を走る細い茶色の道の上に敷かれている。どちらも折れ散った紅葉の一枝かと見紛うようである。峡谷にはもう暮色が漂っていて、雲のような霧の波だけがほの白い。

「位置の確認急げ！」

井狩は叱咤しながら、画面から目を放すことができない。

やつらはどこにいる。だんだん近付いてくる赤い点の前は渓谷、三方は森。右の茂みか左の木陰か。どこかには潜んでいるはずだ。だが、まだ姿は見えない。

「現在位置、尾鷲市西方約二十キロ、ザンバラ峠付近。標高およそ千三百。あの渓谷を流れているのは熊野川の源流です」

血眼で地図にかぶさっていた係官の答が返る。

「西方二十キロ？　そんな近いのか。尾鷲方面から入る道はないか」

「ありません。この地区は千メートル級の山が櫛比《しっぴ》しておりまして、車はおろか人間も……」

「そんなとこで難しい漢語を使うな。じゃ、やつらはどこから来た？」

「峠の西方およそ二十キロのところを国道一六九号線が走っております。来るとしたらこの方面です」

「そこから入る道は?」

「ありません」

「何?」

「細い山道が一本ありますが、これは通行不能です。×印がたくさん付いています」

「×印なんかクソくらえだ。現にいるんだから通って来たはずだ。即刻、付近の部隊を急派して、その入口を封鎖しろ」

「付近に部隊はおりません」

「何?」

「飛行コースが一六九号線と交差しているのは吉野付近と熊野付近の二箇所だけでありますから、他の地点には部隊を配備してありません。近い方は熊野付近のさっき申しましたE部隊ですが、これも直線で二十数キロ、国道の里程は約四十キロあります」

「百キロでなくてまだいいと思え。ふっ飛ばせ」

画面がガクンと大きく揺れて、間もなくぴたりと静止した。中継機がまず峠の頂きに着地したのだ。

ふと画面の下の隅に白い角張ったものが見えた。

「あの白いの、あれは何だ?」

「トラックの車体のようです」見入っていた一人が答える。

「トラックか。通行不能の山道にトラックを入れよったか」

白いものはすぐ木陰に見えなくなって、見定めるひまはなかったが、井狩の目にもトラックの荷台の一部のように見えた。

ではやはり多数意見が正解だったのか。やつらはここで札束をトラックにつみかえる手筈だったのか。

……が不審でもある。これから金を積んで逃げようというトラックを、わざわざ目につくように真白に塗り立てるばかがどこにあろうか。これも何かのトリックではあるまいか。

輸送機も着陸の寸前だった。枯草のようなゴミが舞い散り、布がはためいている。……と見る間に、どこまでも正確無比なパイロットだった。機はふわりと赤い布の真上に着地した。

スピーカーからくそまじめな連絡が入る。

「一七〇八、ただいま着地。以後、犯人の指示を待つ」

翼の回転がゆるやかになって止まった。

両機の距離は二百メートルの余もあろうか。画面の輸送機が文庫本ほどの大きさに見える。

……死のような静寂が作戦室に満ちた。クレーグ・ライスなら「だれかピンを落してみない？」と形容しそうな静けさだ。画面にも同じ静寂があった。機の回りのすすきが首を振っているのと、霧がゆるやかに漂い流れているのと……ほかには何の動きもない。

……五秒。……十秒。……十五秒。

おそろしく長い、長い「間」であった。

「トラックはどうした?」だれかがつぶやいた。画面で見たところでは、あの白い車台は、ヘリの左手の奥、少くとも五、六十メートル離れた位置にある。とうに動いていなくてはならないのに、その気配すらない。

「おかしいな」井狩でさえ、苛立たしさを隠せずに口走った。

……が、実はそうして「間」をおいたのも、犯人どものこの芝居気たっぷりのやつらの計算のうちかも知れなかった。

「お待たせしました」……そんな感じで不意に……全く不意に、三つの姿がひょっこりすすきの中から現われた。それもトラックと反対の方向の右手からだった。

虚をつかれたカメラが、あわててレンズを振り向けて、夕暮の残りの光の中を、小走りにヘリへ急ぐ三人の姿が、はっきりと画面に浮かび上がった。大きい黒、中の肌色、小さい白……

「対面」でお馴染のあの三色の仮面だ。

「やつらだ!」

「あんなとこに居やがった……しかも雁首をそろえやがって!」

思わずあがったどよめきの中を、三人はひとかたまりになってヘリに走り着く。

「一七一〇、犯人いま現われました」

スピーカーから、いつに変わらず几帳面な、しかしさすがにかすれ気味の操縦士の声が流れて、操縦席のドアが開く。小さい白が、あとの二人に抱きかかえられるようにしてヘリへ乗り込んだ。

……数秒後。

息を殺して耳を澄ましている全員の耳に、パイロットのかすれた声がひびく。

「犯人からの指令。中継機は、以後の追尾を禁ずる。ここから基地へ引き返せ。……くり返す。以後の追尾を禁ずる。ここから基地へ引き返せ。……中継機、応答せよ。……はい、そうです。ご苦労でした。無事の帰還を祈る。これを本機からの最後の通信とする。……犯人の指令は以上。……では皆さん、さようなら」

声はぷつっと切れた。プラグを引き抜いたような感じの強い切れ方だった。

……以後の追尾を禁ずる！　ではここが終点ではなかったのだ。これからやつらが飛んで行くところが本当の目的地だったのだ。

井狩は係官たちの目が一斉に自分に当てられたのを感ずる。くやしそうなのもあり、感嘆のまなざしもある。言っていることはひとつ……本部長の読みどおりでしたね、である。

むろん、どうだ、と反っくりかえる稚気もないし、ひまもない。

中継機が録音放送機器を積んでいないので画面からは何の音もない。その音のない世界ですべてが目まぐるしく動いている。

操縦室に乗り込んだ白仮面が手を上げる。手にも白い手袋をはめている。指令終わり、出発ＯＫの合図だ。

そとに立っていた黒と肌色が、待ちかねたように外からドアをしめる。席にはもう一人ぐらい乗れる余裕はありそうだ。狭いから乗らないのではない。乗り込むのは白ひとりとはじめから決めてあったのだ。

ドアがしまると同時に、輸送機のエンジンがかかって回転翼が回り始め、黒と肌色の二人は背を丸めて一散に走り出す。現われたのとは反対の、あのトラックの置いてある方向へだ。

……いったい、何がどうなってるんだ？

画面をにらみつけている係官たちの表情に一様に戸惑いの色が浮かぶ。

……ここで金を下すつもりがないなら、なんでトラックを用意したのだ。

……いやそもそもあのトラックらしいものの正体は何だ。

……三人の中では白仮面のチビが一番弱そうだ。大事なヘリになんで首領の肌色が乗らないで、一番弱そうなのを乗せたのだ。見たところピストルなどの武器を持っている気配もなかったのに。

……トラックを動かすだけなら一人でたくさんなはずだ。なんで強そうなのが二人も、使いもしないトラックの方へ走って行ったのだ。やることなすこと、みんなチグハグではないか。

画面ではヘリが上昇を始めている。回転翼に切り裂かれて、機体の回りには霧が渦のように舞っている。

……と、突然、新しいショックが視聴者を襲う。

ヘリを追って上へ上へ向いて行った画面が、急に地上へ戻って異常な光景を映し出したのだ。爆発であった。あのトラックが爆発しているのだ。

音のない爆発は無気味だった。真赤な炎が夕やみの中に赤々と照り映えて、爆煙が吹き上がり、無数の破片が飛散している。一際大きい白い板がくるくる回りながら高く舞いあがって、炎の中へ落ちてくる。

「これはまた……どういうことなんでしょう。やつら、仲間割れでもしたんでしょうか」

あっけにとられた顔がいくつも井狩を振り向く。

「そうではあるまいよ」井狩は苦笑する。「やつららしい好みの仕掛花火じゃないかな。わしのカンだが、あの正体はおそらくマークⅡだ。白い板をとりつけてトラックみたいに偽装したんだろう。やつらには今となると一番危険な代物だから、この機会に処分しただけのことだよ。百億入ればどんな新車だってお好み次第だからな。……それよりも」

ふっと口をつぐんだ。

不思議な表情だ。画面に据えている目は、あのワシの光を失っていないが、中に今までにない苦悩のかげりがある。……が一瞬だった。

「それより？」係官の一人が聞き返したときはふだんの井狩になっている。

「なあに。……やつらはいろいろ目を楽しませてくれたが、このショーが終わったときから戦いが始まるんだ、ということさ。テレビにも映らない、だれも知らない、おれたちモグラモチの戦いがな」

爆発さわぎで一時外れたカメラの目がもとに戻って、画面にはゆっくり上昇を続けるヘリが映っている。足にちらちら赤い色が動いたのは下の火色の反映だった。

もう稜線はとうに下へ沈んで、中継機のはるか上空だ。カメラが向くのを待っていたように、ぐんと上昇のスピードが増した。

まわりはすべて深い霧の海だ。ぐんぐん小さくなる灰色の機体は、海の底に沈んでゆく小石のように見える。

……八十メートル。やがて百メートル。

もう機体の半ばは、白い闇の中に溶けかけている。

「ああ、百億円が……百億円が消えてゆくわ」若い婦警の泣きそうな声。

「畜生、このまま消えさせてたまるか」年配の捜査官の怒った声。

距離はもうわからない。機影はうす墨がにじんだような点になって、しばらく漂っていて、ふっと溶けてなくなった。消えたあともまだ見えているような気がしたのはたぶん目の残像のせいだ。

……百億も消えた。童子も消えた。あとはただ霧の渦が茫漠と流れているばかりだった。

11

それからのヘリの行方については、二千のいわゆる〝人間聴音機〟の報告と、その数十倍にのぼる住民の情報から成る膨大な記録が残っている。

住民の中には私たちに親しい名もあって、その一人、中村くらことくーちゃんは、翌日聞き込みに訪ねた捜査員に語っている。

私ハ大奥様ニ長イコトオ仕エシタ身デスカラ、コノ事件ニハワガ事ノヨウニ心ヲ痛メテイマシタ。一日ノ事件ノ様子モ、夕方マデ正義ト邦子サント一緒ニ稲刈リシテイタノデ、実況放送ハ聞イテマセンガ、七時ノニュースデヨク知ッテイマス。

ヘリノ話ヲシマス。ソノトキ、邦子サンハ家ニ帰ッテ私ト正義ハ家ノ中デ食後ノオ茶ヲ飲ンデイマシタ。スルト急ニ爆音ガシテ来テ、ウチノ屋根ノ真上ヲ通リマシタ。私ハ「正義、来ヨッタデ」ト言ッテ、急イデ庭ヘトビ出シマシタ。スルトアノスゴイ霧デス。マワリハ何モ見エマセン。ヘリモムロン見エマセン。デモスグ近クデ爆音ガシテイマシタ。正義モ出テ来テ一緒ニ庭ニイマストマタ爆音ガ近付イテ来マシタ。コンドハサーチライトヲ照ラシテ飛ンデイルノガワカリマシタ。「来ヨルデ」ト言ッテイマスト、本当ニヤッテ来テ、ソレカラシバラクノ間、家ノ近クヲグルグル回ッテイマシタ。何カ探シテイタ様子カトイワレルト、ソノヨウニモ思エマス。何度モ私タチノ頭ノ上ヲ通ッテ、ライトデ照ラシテ行キマシタ。ソノウチニ、ダンダン爆音ガ遠クナッテ、ライトモ見エナクナッタノデス。機影ハワカリマセンデシタ。遠イトキハ霧デ見エナイシ、ソバヘ来ルトライトガマブシクテマタ見エナイノデス。デモ随分低ク飛ンデイタノハ確カデス。頭ノ上ヲ通ッタトキハ、私モ正義モカナリ重タイホウデスガ、風デ回サレソウニナッタグライデスカラ。ドッチカラ来テ、ドッチヘ行ッタカト言ワレルト、アノ霧デ方角ガ全然ワカラナカッタカラ、ハッキリ答エラレマセン。ドレグライノアイダ近クヲ回ッテイタカト言ウト、時計ヲ持ッテ出ナカッタノデ、ヨクワカリマセン。随分長カッタ気ガシマス。何時ゴロノコトカト言ウト、出ルトキ時計ヲ見ナカッタノデ、コレモヨクワカリマセンガ、七時グライデハナカッタカト思イマス。（因《チナ》ミニ、同人ノ甥デ同家ニ居合ワセタ正義ナル青年モ全ク同趣旨ノ証言ヲシテイル。）

この彼女の談話は、住民情報の一つの典型でもあったし、それ以上にその夜のヘリの飛行ぶりの如実な再現でもあった。

確認された事実を追ってゆくと、日没の直前にザンバラ峠を飛び立ったヘリは、夜六時近くまでの四十数分間、全く消息不明だった。人家のない山岳地帯を飛び回っていたものか、どこかに着地して時を過していたものか、今のところはどちらともわからない。

最初に警備網にかかったのは、六時ちょっとまえ。場所は奈良県東南部。井狩が最重点に指示したいわゆる「R地区」の南端である。ザンバラ峠から西方約三十キロに当たる。

「やっぱりここが本拠だったんですか。驚きました。本部長の明察、神の如しですね」

作戦室はどよめいたが、問題はそれからであった。五百名の警備隊から刻々入る報告を図上に再現してゆくと、ヘリは右へ飛び、左へ飛び、行っては戻り、戻っては行き、あちらで旋回し、こちらで旋回し、酔っ払い運転みたいな迷走ぶりで、しかもそれがいつ果てるとも知れず延々と続くのだ。

「ざまあみやがれだ。やつらこの霧で目標を見失ったんですよ。本部長、天罰が下ったんですよ」

快哉を叫ぶ係官がいても当然で、図上に印された軌跡は、まるでこんがらかった糸くずの束だった。そのひとくずが紀宮村のくーちゃんの上空を通ったのもこのときのことである。

……だが、そう簡単に目標を見失うやつらだろうか。

その答は間もなく現われることになる。

R地区上空の彷徨が一時間あまり。ヘリは七時すぎにこの迷路から抜け出して、津ノ谷村へ向った。そして、何と柳川家の真上を超低空で通過して、通信筒を落して行ったのだ。

入っていたのは市販の領収証が一枚。宛名に柳川、金額欄に百億円、但書に身代金、発行人名に虹の童子の記入があって、裏に「X時は午後九時」とある。全部刀自の筆跡なのはこれまで通りだ。

X時は半島上空の飛行禁止の解除時間。書簡で「のちに示す」と記した公約を実行したわけだが、まさかこんな形で、とはだれも想像しなかったし、領収証に至っては話の外である。

「ふざけやがって……全く何て野郎どもだ」

係官たちは歯ぎしりしてくやしがったが、そのコースを見ると、津ノ谷村へ入ってから柳川家までほとんどまっすぐに飛んで来ているし、通信筒を投下すると、東南方の吉野国立公園の方角へ飛び去っているが、これも一直線である。

この夜半島中央部は一面の霧に蔽われていて、R地区も津ノ谷村も状況に大差はなかったのだが、ヘリはその中で迷う色もなく正確に柳川家を探し当てて、さっと退散しているのだ。

……では、あの大迷走は何だったか、ということになる。

多少は土地カンの差……津ノ谷村は詳しいが、R地区はそれほどでない、という事情も考えられないではないが、それだけでこんな極端なコントラストが生じるはずがない。

「木の葉は森へ隠せ」の故事に倣って、目的地を隠すために、わざわざあちこちで混迷飛行を演じて見せたのか。

その可能性は大いにあった。本部の実験の結果では、ヘリを地表近くまで降ろして、中の包みを機外へ放り出すのに、所要タイムは二人がかりなら三分もあれば十分だ。

「彷徨」時間は約七十分。この中のどの三分も、この作業の時間であり得たはずなのである。

だが別の考えもある。この迷走飛行の全部が、当局の目をR地区に引きつけるための囮飛行で、目的地は全く別の地域だという判断である。これにはあの忌々しい領収証も一役買ってくる。

領収証！　実際どこの国に、ぬけぬけと身代金の領収を出す犯人があろう。あれは本当にもう受領済みということだろうか。まさかそんなバカ正直な連中であるはずがない。これも囮飛行を本物らしく見せかけるための、やつらの得意な手の一つではないのか。

……説はさまざまで、またこの混乱に拍車をかけたのが、それからのヘリの動きだった。

吉野の山岳地帯に入ってから、機の消息は再びぱったりと途絶えた。

ヘリが積んでいる燃料は、巡航速度で四時間半分である。ずっと飛び続けているとしたら、夜の八時半が限度だ。

そろそろ燃料切れが気になってくる八時すぎ。ヘリはやっと現われた。熊野の西方十キロ付近を南下しているところを、所在部隊の網にかかったのだ。

この地点からしておかしかった。熊野の西十キロというと、最初飛び立ったザンバラ峠から南へ二十キロ。ほんの目と鼻である。

「何で今ごろ、そんなとこに居やがるんだろう。初めから直行してれば、五、六分のとこじゃないか」

「それをR地区から津ノ谷村と、ずっと遠回りして来たわけだ。何のことはない。一回りして元へ戻ったんだな。いったい、どういうつもりなんだ」

係官たちは啞然としたが、あとの動きはそれに輪をかけて奇怪だった。

南へ南へと下りて、新宮の上空を過ぎ、海岸線に沿って、半島の南端潮ノ岬の上空を過ぎ、そこから西へ針路を転じて、本来なら燃料が切れる八時半になって、日置川付近から紀伊水道の洋上へ飛び出してしまったのだ。

……そして、それが最後だった。

以後は、沿岸の各地からも、付近を航行中の船舶からも、また協力出動中だった海上保安庁の巡視艇からも、何の情報もなく、ヘリはそのまま洋上に消えてしまったのである。

「おわりは海だったのか。……何であんな道草を食ってたんだろう？　海ということはどうせわかるんだから、よけいな回り道してみせたって意味をなさんじゃないか」

「手間だけじゃない。時間もだ。燃料はどこかで着地していて、多少は温存できたか知れんが、それにしたって、今になって海へ飛び出すなんて……。パイロットがよく言うことを聞いたもんだよ」

本部員たちはいよいよ茫然自失のありさまだ。

……これらすべての謎が解けたのは、それから三日目のことであった。

二、三小さい事実を付加しておく必要があるかもしれない。

一六九号線からザンバラ峠へ入る山道は、この春修復されていて、小型車の通行が可能だった。

捜査隊が到着したときは、現場に人影はなく、焼けただれた車の残骸と木材の破片が残っていた。車は井狩の判断どおりマークIIだった。

犯人の遺留品はなかったが、車のほかにバイクと自転車らしい輪痕があった。黒と肉色の二人はそれで逃亡したらしいが、二人とも以後の足跡は不明である。

虹の童子はこうして霧と共に去った。このドラマの完成には、あとは二人の人物の出現が必要なだけだった。刀自と、そしてヘリと一緒に行方不明になった高野操縦士とである。

童子が公約した四日の朝、高野操縦士がまず発見された。

場所は奇岩、絶壁で有名な熊野の鬼《おに》ケ城《じょう》と楯《たて》ガ崎《さき》のちょうどまん中へんにある小さな岬で、最後にヘリが飛び去った方向とは半島の反対側だった。

岬の中央は、幽鬼山という標高二百ほどの山で、北、東、南の三方は海に向って、あいだに小さな砂浜を抱えた何本かの足を伸ばしており、西は岬のつけ根にある悠木という集落へかなり急なスロープを作っている。

彼は四日の早朝、その坂道をよろよろした足どりで下りて来て、集落のとっつきにある農家に保護されたのである。

熊野市の病院で診断の結果、健康には異常はないが、体内の残留分から見て、前夜かなりの量の睡眠剤を服用していることがわかった。

高野操縦士の話

ヘリに乗って来たのは、三人の中では一番小さく、身長一メートル五十三、四センチかと思います。年も若く、あとでの話では、目方も一番軽いし、どこへでも入るから、同乗に選ばれたのだそうです。

乗って最初に示されたのが、大奥様のお手紙です。証拠にほしいと言って、もらって来てあります。これがないと、私が何であんな無茶な飛行をしたか、皆にわかってもらえないと思ったからです。大奥様の筆跡は年賀状を頂いていますのでよく知っています。

ごらん下さい。犯人の指令のあと、こう書いておられます。

「犯人は当局の目をくらますのに必死ですから、どんな乱暴な要求をするかも知れませんが、何事も私のためと思って我慢して下さい。できるだけのお礼はするつもりです。これは私からのお願いです。むろん命にかかわるようなことは絶対にありません」

……お礼だなんて。私は今でも、大奥様から頼まれたら、悪魔の命令でも聞くつもりです。

白仮面の最初の命令は、現場を離れたら、人気のない山の中をしばらく飛んで、どこか安全なところへ着陸しろ、ということでした。理由を聞きますと、「一々わけを言わなあかんのか」と怒りましたが、思い直したらしく説明してくれました。

「このヘリ、九百キロ分のガソリンしか積んどらへんやろ。そやから、それだけの時間が経ったら、サツはもう着陸したもん思うて油断するやないか。どっこい、それからがほんまの飛行なんや。それにはガソリンを取っとかな具合悪いやないか」

……それが飛行記録のこの部分です。

一七一二　A地点離陸
一七二八　B地点着陸
Aはあの現場。Bは次の着陸点……三重の野又峠の近くです。白仮面が地図を見て、「このへんならええやろ」と言ったのです。

ここで日がとっぷり暮れました。

次の命令があの無茶飛行です。

白仮面は時計を見ていて、「そろそろ出かけなあかんな」と言いました。それからこう言うのです。

「これからはな。（地図をさして）だいたいこのあたりを飛ぶんやが、こんどはなるべく人家のありそうなとこ選んで、その回りをぐるぐる飛び回るんや。このあたりなら、どこをどう飛んでもかめへん。あとの予定があるよって時間だけは決めとかなならへんな。そや、一時間や。一時間のあいだ、人家いう人家めっけたら、その上を飛び回るんや。なるべく、それ飛んでるで、と下でわかるように低空でな」

そして自分でも気がさしたと見えて、聞かないうちにわけを説明しました。

「これが今夜のハイライトなんや。あんたも新聞見て知っとるやろけど、サツはこの地区におれたちが居るもんとにらんどるんや。そういうところを一時間もぶんぶん飛びよったら、それ言うてポリがみんな集まって来よって、ほかのとこがガラガラになるやないか。難しいことばで言うたら陽動作戦やな。これが狙いや。しっかり頼んまっせ」

私は大奥様のお言葉を思い出しました。またパイロットが私だったのを感謝しました。大奥様のお言葉がなかったら、またパイロットが他の若いだれかだったら、だれがこんな道化役を演じるでしょう。自分の意志でないとはいっても、実際には犯人のお先棒をかついで当局をだますことになるんですからね。

……次の記録がそれです。

一七四八　B地点離陸

一七五七　C地区進入

一九〇五　C地区離脱

C地区とは、白仮面がこのあたりと言った地区の仮称です。

せめての腹いせは、このあいだ、家の屋根や森の木々や山頂などをすれすれに飛んだり、急旋回をしたり、わざと機体をゆすったりで、白仮面を震え上がらせてやったことぐらいでしょう。やつは終わりごろには目を回しかけていて、時計を見てあわてて言ったものでした。

「あかん。もう七時や。七時には大事な用があったんや」

……それが柳川家への通信筒の投下だったのは言うまでもありません。

それからさっきの野又峠へ戻って、約三十分の休息をとったのちに、私たちは最後の飛行に入りました。

大方はおわかりのはずですから詳しいことは省きますが、やつの命令は要するに、海岸沿いの市街地やハイウェイ上空を飛んで、紀伊水道から西の方面へ向かったと見せておいて、海へ出たら逆に東回りをしてこの幽鬼山へ着陸せよ、ということでした。

単純なトリックですが、結果からいうとやつらの狙いは成功したようですね。きょうまでここには当局の探索の手が回らなかったんですものね。

飛ぶ身としたらかなりの難飛行でした。レーダーを避けるために海面すれすれに飛ばなくてはならないし、むろん無灯火ですし、常に漁船などの船舶を警戒しなくてはならないし、燃料は休養で温存した分を加えて、ほんとうにギリギリ一杯だったのですから。あわやということも何度かありましたし、私としても最高の技術と苦心を要した飛行だったと思っています。

でもお求めの筋はわかっていますので先を急ぎましょう。

この岬に着陸したのは九時二十八分です。

下には黒と肉色仮面の二人が待っていました。懐中電灯で着地点の合図をしたのもこの二人です。

彼らがまっさきにしたのは、私に目隠しをして山際に連れて行くことでした。二人ともひどく急いでいる様子で、

「遅かったやないか。X時はとうに過ぎとるがな。サツがヘリ飛ばしても文句いわれへんのやで」

「そやかていろいろあったんやもん、しゃあないわ」

こんな問答がきこえましたから、何かの手違いで予定が遅れていて、ほんとうは私をもっと遠くへ隔離したいが、その暇も惜しかったのかも知れません。

私はそこで樹木に後手に縛りつけられました。その直後に、機のあたりに数人の足音がして来ました。

彼等はほとんど無言でしたから、私は耳に入る音で想像するほかないのですが、波音にまじって、ズシンと袋を下す音、「よいしょ」という掛け声、「よし。それで一杯」という制止するような声が聞こえていたところから察すると、かれらは札袋をヘリから下して、ゴムボートのようなものに積み込んでいたのではないか、と思います。それから船外エンジンらしい音がして、それでワンクールでした。おそらく少し沖合に船がいてそこへ運んでいたのです。

同じような物音や掛け声は何度も間をおいてくり返されて、全部が終わるまでにかなりの時間がかかりました。

一番おしまいに、はじめて会話らしい会話がきこえました。といって波音で一語一語がはっきり聴きとれたわけではないのですが、一方が、「あとは刀自とパイロットだな。頼むぞ」という意味のことを言い、一方が、「OK。そっちもしっかりな。途中気をつけろよ」という意味のことを言っていたのはたしかのように思います。

縄を解かれ、目隠しを外されたときは、砂浜はもとの三人だけでした。しかし、砂浜に残っていた足跡は五人や六人とは思えませんでした。

それと驚いたことにヘリが見えないのです。

「ヘリはどないしたんや」と尋ねますと、白仮面があごで山のほうを指します。そばへ行ってよく見ないとわからなかったのですが、そこには大きなえぐれた洞穴があって、ヘリはその中へ押し込んであり、入口は枝つきの木を立てかけてふさいで、木の根元の方には高く砂を盛り上げて倒れないようにしてあったのです。今もそのままですから、調べてごらんになれば、これでは空からも沖からもわからなかったわけだ、と納得されるでしょう。

私はそれから山の中腹にある洞窟に連れて行かれて、そこに今日までとじこめられていたわけです。

「気の毒やが、三日間は、おばあちゃんを帰せへんのと同じ理由で、あんたも帰すわけにいかへんのや」というのが彼等の言い草でした。

そして、「もし言うことを聞かなんだら、あんただけのことやない。おれたちも、おばあちゃんを帰しとうても帰せへんことになるんやから、そこんとこを忘れたらあかへんで」と言い渡されました。

これが魔法の呪文でした。私の見張りに残ったのは大きな黒ひとりでしたから、この三日間にはいくらも逃げるすきはあったのですが、累が大奥様に及ぶのでは、私はともかくとして、何のための皆さんの大犠牲だったかわからないことになります。じっと我慢の子だったのは了解して頂けると思います。

ゆうべのことを簡単に申しておきます。

黒はおそろしく無愛想なやつでしたが、ゆうべは珍しく上機嫌で、

「いよいよあした満期やな。おれたちも年明《ねん》けや。おばあちゃんは昼までに、いうことになっとるさかい、あんたは朝のうちでもええやろ。共に語るもきょう限りや。一杯いこうやないか」と言って、前の晩に白が届けに来たカップ酒を、自分も飲んで私に勧めるのです。ちょっと相手をしているうちに、ひどく眠くなって来たので、何か盛られたな、と気がつきましたが、そのときはもう目が開きませんでした。黒は「心配要らんわ。ただの眠り薬や」と言いました。それから「おれも白みたいにちっこかったら、あんたのへリに乗れたんやが、それだけが残念やな」と言っていたようですが、あとはわかりません。

けさ目が覚めますと、黒は居なくなっていて洞窟は私ひとりでした。そこでゆうべの言葉を思い出して、山を下りて来た、というのがきょうまでの概略です。

この飛行を通じて、あのおんぼろエンジンがよく保ってくれた、とそれだけが私の慰めです。

……今は何時でしょうか。大奥様はまだでしょうか。

（註。直ちに現地調査が行われた結果、ヘリコプターは無傷のまま海岸の岩穴から発見された。操縦士が幽閉されていた山腹の洞窟には、寝具にあてられた二枚の毛布のほか、各種缶詰、食品、飲料、空瓶などが散乱していたが、犯人が使用したと思われる一部の物品は注意深く拭われていて、指紋の検出はできなかった。また捜査の手がかりとなるような遺留品も発見されなかった。）

柳川家では、最後の最後までが不安の連続だった。

「四日正午」のタイムリミットが刻々と近付いてくるのに、間際まで犯人からは何の連絡もないのだ。

高野操縦士発見のニュースが伝えられたときは、一時は邸内外は歓声にどよめいた。パイロットが無事なら、刀自も無事に違いないと、だれしも胸をなで下したのだが、操縦士の話が詳しくわかってくると、それも不安のささやきに変わった。

「やっぱり背後にそないな大組織があったんか。初めから二人、三人の若僧の仕事やない思うとったんや」

「行先はどこやろな。近海やあらへんな。ホンコンか、マカオか、インドネシアのどこかの島か、とにかく日本の手の届くとこやないな」

「こないなことになって来よると、やつらの約束も当てにならんな。パイロットはただの運び屋やから、あっさり返したかて大事あらへんけど、大奥様となると話は別やさかいなあ」

「また、人の何倍もお目の鋭い方やもんなあ。そないな危険な生証人を、簡単に返してよこすわけがないわ。紳士ぶりいうんか、何というんか、やつらちょいとかっこ好いとこあるよって、一杯食ったんと違うやろかなあ」

邸のまわりには、朝から数百人もの村人が集まって来ており、百人を越えるマスコミ部隊も続々と乗り込んでいて、ささやきは次々にひろがってゆく。

邸内も例外ではなかった。心配性の英子が、けさは自ら出張して来ている井狩をつかまえて、

「みなはいろいろ言うとるようやけど、だいじょぶでしょうかねえ」

今にも泣きそうな顔で聞いている。

井狩も顔色が勝れない。

「決戦」は無残な敗北に終わり、以後の三日間の必死の捜査も全く成果がない。そこへ持って来てのパイロットのあの証言では、意気の揚がるはずはないが、それにしても彼の顔色の重さには、もう一つ底が深いものがあるように見える。

「だいじょぶかって、返してよこすかどうか？　ああ、それはだいじょうぶですよ」

答えることばにも、いつもの精気がない。

英子が不思議そうに、

「それは、って、井狩はん、ほかにも何か案じてはりますの？」

「いろいろとね」井狩はちらと回りを見て、声を低くする。「ここだけの話だが、謎が多すぎるんですね、この事件は。……そうだな、例えば、英子さん考えたことありますか。あのヘリ

に乗るときにね、乗るのは一人なのに、三人そろって出て来た。なぜか、ということをね」

「なぜか？　何がなぜなんです？　三人組やから三人で出て来て、当りまえやないんですか」

「ですか？、って……」

「私が言うのはね、こいつらは意味のないことはやらん、いうことですよ。今のケースで言ったら、乗るのが一人なら、そいつだけ出てくればいい。あとの二人は、何の必要があって一緒について来たか、ですよ」

「だって……一人より三人のほうがええし、かれらも人の子やから、あのような見せ場で一緒にテレビに映りたかったんかも知れへんし……何を言ってはるんかわからへんわ。それより、井狩はん、いま心配なんは……」

「わかってますよ。だから、それはだいじょうぶ」

……何が大丈夫なのか。今の問題は、かれらの「通告」の方法であった。病的といっていいほど、証拠を残さないことに潔癖なかれらのことだ。まず電話は使うまい。今まで通り刀自の書簡だろう、というのが全員の予想だった。このまえみたいに直接投げ込んでゆくのを警戒して、ゆうべは徹夜で看視した。速達なら到着次第急報するように局と連絡ずみだ。そのどちらでもなかった。

残るところは、日に一ぺんの通常の配達だ。これも局に郵袋が届き次第、まっさきに調査して電話で知らせてくれることになっている。もしその中になかったら……あとは当てがないのだ。もうそろそろその郵便車が来る時刻だが、その中身もわからないうちに、どうしてこう自信たっぷりに言えるのか。

英子が思わず不信の目で井狩を見たとき、部屋の電話が鳴った。

「はい」と国二郎が飛びついた。

「局ですか。……はい……え？　うちのは百二、三十通もある？　いつもどおりですね。……それで例の母の筆跡のは？……えっ？　無い？……無いんですか」

……待ちわびていた電話がそれだったのだ。

国二郎が青い顔でみんなを振り向いて、部屋は寂《せき》として声がない。

時間は十一時五十八分。ついに連絡はない。……では一体犯人は？

局長は、まだ何か言っているらしい。国二郎は気のない声で聞き返している。

「え？　紀美さん？　ええ、いますよ。何ですか。……デートの電報が入ってる？……デート？　この忙しい最中に……、ま、ええですわ。ついでに聞いときましょう。……え？　ゴザミサキデマツ？　RC？　な、何ですって？　御座岬で待つ、RC！」

「お、おれの家や！」

大作が飛びあがった。

四十分後、五機のヘリコプターが、志摩半島の南端、御座岬へ舞い下りて行く。

先頭は井狩、鎌田と鑑識課員らの乗った県警機。二、三番機は柳川家のチャーター機で、二番機には四人の家族、三番機には医師、看護婦と串田執事、メイドの吉村紀美。あとの二機はNHKと和歌山テレビの中継機。

きょうも快晴で、風が強い。右手に鏡のように静かな英虞《あご》湾。左手の外洋は白い歯をむいた波頭がきらめく熊野灘。その中間にダックスフントが寝そべったように長々と延びているのが前島半島で、その鼻先が、大作の家がある御座岬だ。

「野郎ども、お母さんから聞き出したんやな。事件からこっち、一ぺん帰っただけで、もう十日も空家のままや。カギの在り場所もお母さんなら知っとるし……畜生、被害者の家族のうちを道具に使いよるなんて、こないなあくどい犯人があるかいな」としきりに口惜しがる大作。

「それというんも、あんたが、家政婦もよう居つかんような、気ままな独り暮ししとるからや。これに懲りたら、いい加減、身を固めてみなを安心させるんやな。お母さんにも孝行のしついでや」このときとばかり説教する国二郎と可奈子。

「紀美はんの名を使うとは、どこまでも悪賢くできとるやっちゃ。なるほどあれなら、どこの局でも疑いもせんと受け付けるわな」とうしろの機で感心している串田執事。

「ほんまにご無事でいてはりますやろか。あれからもう一年も経ったような気がして……」と、もう目に涙をいっぱい溜めている吉村紀美。

紺碧の海に突き出た灰色の岩鼻の中腹に、洒落たエビ茶色の大作の洋館が見えて来た。

ヘリは次々に道路に舞い下りて、人々はさきを争って、岩の間の細い道をかけ登ってゆく。

玄関のドアにはカギがさしたままになっていた。家の北半分はアトリエ。南半分が住居。

刀自の姿は、広い居間の窓際の座り心地のよさそうなアームチェアの中に発見された。

「きゃっ！　死んではる！」絶叫したのが英子。

「アホかいな。眠っとるだけや。あないに血色のええ死人があるかいな」あわてながら、しかし様子を見定めて叫んだのが大作。

四人が一斉にかけ寄って、刀自にとりすがった。部屋はすすり泣きの声に満ちた。入口では紀美が串田執事につかまって号泣している。

……これが事件の終点か。

井狩は部屋の片隅に仁王立ちになって、しみじみと刀自を眺める。

明るい更紗模様のカーテンに秋の日がいっぱいに当って、部屋は春のように暖かい。

刀自はその中で、平和に、静かに、すやすや寝息を立てている。心なしか、その仏像の顔にはほのかな、満ち足りた微笑が浮かんでいるようにすら見える。

柳川とし子刀自の話　（同日夕刻の記者会見で）

このたびは皆さま方にえらいご心配をおかけいたしましまして、ほんまに申しわけのう存じております。こないにして無事に戻れましたんも、ひとえに皆さま方のお心遣いのおかげでございます。心からおわびと御礼を申し上げます。

きょうのところは、疲れもございますし、興奮もしておりまして、詳しゅうお話しする余裕がございませんので、ご質問にお答えする形で、ごくあらましのところを申し上げるだけでお許しいただきとうございます。

初めに犯人についてでございますね。私の見ましたんは、テレビにも出ました三人の男と、身の回りの世話をしてくれました女の方ひとりでございます。

私の前に出ますときはいつも覆面をして、口を利かんようにしていましたさかい、背恰好、肌色、髪、顔の輪郭ぐらいのほかはようわかりませなんだが、声の具合や動きから見ますと、男も女も二十四、五から二、三の若者でしたようです。高野はんのお話では、他にも何人かの共犯者がおった様子でございますが、私の前にはついぞ姿は見せませなんだ。私の係はこの四人と決まっていたのではないか、と言われますと、どうもそのようでございます。時折り耳に入りますことば遣いは、四人とも関西弁でございました。特に京都なまりとか新宮なまりとか目立った特徴はなかったように思います。また津ノ谷村の村民ではないか、というような聞き覚えのある声のもんもおりませなんだ。

かれらの目的につきましては、ボスの肉色仮面が二、三度折りにふれて漏らしましたところでは、どこぞの小さな島に、自分たちの国を作りたい、いうようなことでございました。日本の中か、外国かまではわかりまへん。また日本人だけか、外人もいるんか、いうこともわかりまへん。あの百億はその資金の一部いうことでおました。合法的な手は尽したが、どないしてもあとそれぐらいは足らん。好ましくはないが犯罪行為に踏み切ったんや、と申しておりました。最後の日に、これでメドがついた、言うておりましたから、これ以上そのための犯罪を重ねることは絶対にないもん、と私は思うております。

かれらについてどないに思うか、と聞かれましても、被害者の私がえぇ返事するわけがあらしまへんけど、憎んでも飽き足らん、いう感じは今でもございません。テレビ対面で申しましたように、私への態度が非常に紳士的でございましたし、もし失敗に終わったら自決するいう、必死の気魄いうもんが感じられたからでございましょうか。私でのうて、サウジアラビアの石油成金か、同じ日本でも何とかファミリーいう悪徳財閥のドンをえらんでくれたら（笑声）とは思いましたけどもな。

私の監禁場所につきましては、当局に詳しゅう申しましたが、場所は三度変わりました。

最初連れて行かれました所は、まわりを木塀で囲まれたしもたや（普通住宅）風の平屋の一軒家でございました。着くまでに四時間か五時間か、ずいぶんかかりました感じで、同じ所を回っているような様子もありまへんでしたので、かなりの遠方やったと思います。途中目隠しをされておりましたし、私あまり県外へ出たこともありまへんさかい、どのあたりか言われますと困りますんやけど、塀の上には空しか見えませなんだし、時おり遠くでゴォーいう電車の音が聞こえましたので、津ノ谷村のような山村でないのは確かで、また人声や車の音はめったにしない静かな所でしたから、都市の近傍でもありまへん。大阪で言うたら箕面あたりの郊外やなかったかと思います。

ここに大半居りました。テレビ対面のときは、前の晩に連れ出されて、一晩だけ小さな田舎の廃屋で過しました。現場から車で二時間ほどの山で、日中も人声は全くしまへんでしたさかい、よくよく人目にはつかんとこや思います。この場所の見当もつきまへん。

対面の晩ですか。はい、あのままそれまでの家に帰りました。あのおかしなサイケ調でよう逃げられたもんや、と当局もご不審の様子でございましたが、タネは簡単で、車に合わせたビニール袋を作りまして、それに色紙をベタベタ張ったもんを、すっぽり冠せただけのことでございますから、現場を離れると間もなく、くるくるはがしてしまいましたので、警備の網にもかからなんだんでございましょう。しなくてもええ小細工をして得意がる、いうような子どもっぽいところも、かれらにはあったようでございます。

それからきのうまでその家におりまして、ゆうべ車で連れて行かれましたんが、おわりの大作の家でございます。私を解放するんはここ、と彼らは最初から決めていたようでございまして、場所はもちろんのこと、この八日あまり無人になっておりますこともちゃんと知っておりました。うちの財産状態を、子らより詳しいぐらい調べ上げておりましたかれらのことですから、当りまえのことでございましょう。私が教えてやったんは、大作がいつも蔵《しま》いますカギの在り場所だけでございます。そないなことを隠し立てして錠前を壊されたりしてもつまりませんさかいな。

そこできょうの話になりますが、朝食のあとで四人が顔をそろえまして、肉色仮面が、「これがおばあちゃんに書いてもらう最後やな」と言って渡してよこしたんが、頼信紙とあの電文でございました。

今までの文書もみなこれと同じで、肉色仮面から渡された原文を、私が筆写したものでございます。原文はたいてい鉛筆で書いてありまして、筆写がすみますとすぐ焼き捨てておりました。なかなかの達筆でしたが、ときどき誤字がありまして、私が注意しますと、仮面は不満そうに鼻を鳴らして、それでも一々辞書を調べて確かめておりました。三人の中で学のありそうなんはこの男だけでしたから、原文も彼の書いたもんと思うとりましたが、さっき聞いた高野はんのお話から考えますと、別に書き手がいたんかも知れまへん。

「ほな、これでお別れやな」と言って、私が書き込んだ頼信紙を渡しますと、彼は「そや。そこでおばあちゃんにこれ飲んでほしいんや。睡眠薬や。量もおばあちゃんの体重に合わせて調製してあるよって、絶対危険はあらへん。五時間ほど眠っとってもろたらええんや」と言って、白い粉剤を出しました。

女の子がコップに水を入れてくれて、私はすぐに飲みました。毒薬いう疑いは持たなんだか、というお尋ねですが、それはございませなんだ。身代金の受領に成功したことは聞いておりましたし、今さら私を殺すわけがない、という理由のほかに……それ以前に、かれらは誘拐者ではあるけれど殺人者ではない、いう確信があったからでございましょう。

どこからその確信を得たか、いわれると困りますんやけど……口約束や何かでのうて、自然にわかるんが、人間いうものやおまへんやろか。

飲んで間もなく眠くなりまして、あのアームチェアで眠り込みました。眠り際に四人が一言ずつ別れのあいさつを言いましたが、だれがどう言うたか、はっきりはわかりませなんだ。

……目が覚めたら病院やった、いうことでございます。

次に、これまでの当局の捜査ぶりを、被害者としてどう考えるか、いうご質問でございますが、それには今の私が何よりのお答えやと存じます。対面のときといい、身代金授受のときといい、その気になれば犯人を捕える機会は何ぼでもございました。しかし、全警官の一人一人に井狩はんのお気持が徹底していてはって、警察官としては居ても立ってもおられんようなお気持やったと思いますけれども、それをじっとこらえて、私の安全を確保されんうちは、指一本出そうとはなされませんでした。こうして皆さんとお話できますんは、みなそのおかげでございます。私としましては、井狩はんはじめ捜査陣の方々は全部が私の命の恩人やと存じております。

しかし、身代金は奪われ、犯人の足跡はまだつかめんいうのは失態ではないか、とのお尋ねでございますが、失礼ながらそれは外野席からの勝手な申され方のように思います。

私もかれらの指令を見ますたびに、どこぞに隙はないもんやろか、と考えあぐねた一人でございますけれども、私の頭ではよう発見ができませなんだ。ただダメやないか言うだけならアホでも言えることで、ここをこないにしたらよかったんや、とはっきり具体的に指摘できへんのでは、本当の批判とはいえへんのと違いますやろか。

私としましては、井狩はんは最善を尽しはった、井狩はん以外のどの方でも、これ以上のことはでけへんかった、と確信しております。

では、虹の童子は一枚上やったんか。かれらがやったんは完全犯罪か、と申されましても、捜査はまだこれからでございますし、さきのことは何ともわかりまへんけれども、今までのところでは、力の差ということではのうて、かれらは私という切札を握っておった、当局にはそれが負い目だった、いう立場の差が、今の結果になっているのと違いますやろか。もし……もしでございますよ、井狩はんたちと童子と立場が入れかわっていたとしたらどないでっしゃろ。事件は大方似たようなことになっているのとちがいますやろか。

最後に事件についての感想を、ということでございますが、今のところ早う皆さんから解放されて、ぐっすり寝たい言うほか何も考えておりまへん（笑声）。……でも、人生いうもんは怖いもんでございますなあ。私もこの年になって、こないな試練に会おうなどと、夢にも思っておりませなんだ。いつになっても、これでええいうときはないもんや……平凡でございますけれども、しみじみ思うております。これからは、せっかくこうして救うていただいた命ですよって、せめて、あれでよかったんやと思われますような余生を送りたい、と思うております。

……どうもありがとうございました（拍手）。

（註。御座岬の大作の家は綿密な見分が行われたが、他の現場と同様に犯人のものと思われる指紋や遺留品の類は一切発見できなかった。また同日朝八時ごろ、黒のセダンが現場方面から志摩町に向かって走り去るのを、二、三の漁民が目撃したが、ドライバー、車型、ナンバー等はいずれも確認できなかった。電報の受付局は和歌山中央郵便局で、時刻は十一時三十五分。受付けた局員は、発信人は若い小柄な男だった、という以外特に記憶していない。筆跡はむろん刀自のもので、発信人の住所、氏名はどちらも架空だった。

……そして、現在まで、犯人と身代金の行方はついに不明のままである。）

終章　童子母の胸に帰る

十一月初めの日曜日の午後。

井狩は、気軽なホームウェア姿で、ふらりと柳川家の門をくぐった。和歌山の自宅から電車で一時間半、バスで二時間半、あわせて四時間あまりの長道中である。

刀自の劇的な帰還からちょうどひと月。津ノ谷村は紅葉の盛りを過ぎて、落葉が一面に舞い散っている初冬の季節だ。

「おや、お珍しゅうございますな」

予告をしていなかったので、串田執事が驚いて出迎えた。

「おひろいでございますか。ではバスで？」

「ええ。急に思い立ちましてね。もうシーズンオフなのに、バスが始発から混んでるんで驚きましたよ。そこの白谷渓谷前で、バスガールが、この橋の袂を渓谷へ下りますと、百億円事件の柳川様のお邸が対岸に見えて参ります。ご希望の方には次のバスへの乗換券を差し上げます、と来たんで、また驚いた。お客さん、ぞろぞろたいてい降りちまいましたよ。ちゃんと下りる道をつけてあるんですね」

「へえ。バス会社も商魂豊かでございますからな。マイカーで、わざわざこっちへ入って来て、門の前で記念撮影してゆく方もございますよ」

「すっかり観光の新名所ですね。役場からいくらかもらわんとあかんな。……大奥様は？」

「はい。お居間にいてはります。お知らせして参りますよって、ちょっとお待ちを」

「ああ、きょうは、昔の門下生が一人訪ねて来た、とお伝え下さい。それも一番お世話を焼かせたのが、とね」

「えっへっへ、かしこまりました」

執事が急いで奥へ消える。

見送っていて、井狩は最近の週刊誌の記事を思い出す。

刀自は今も「時の人」だ。井狩自身の調べでも、新聞、週刊誌から幽閉中の手記を書かせようという申込みが降るようで、さすがにそれは一切断わっているようだが、インタビューには時々応じるらしくて、井狩が読んだのもその一つである。

その記事で刀自は「告白」している。

「私は信心気が薄いほうでして、法事なんぞも世間への義理でやっておる、みたいなとこもありましたんやけど、今度という今度は人間の力のはかなさいうもんを思い知りましてな。小ちゃなもんでございますけれども、こうして阿弥陀様をお祭りした持仏堂を作りまして、朝夕お加護をお願いしております。信心三昧いうたら大げさやし生意気でもございますけれども、まあそれに近いみたいなこのごろでございます」

記事には、これも演出だろうが、その持仏堂に礼拝している刀自の写真が添えてあった。

「やれやれ、刀自の信心、イワシの頭か。こういう殊勝な方なら世話はないんだがな」

思い出しながら、ふっと苦笑が湧いたとき執事が戻って来た。

「どうぞ。いま庭先で持仏堂の手入れを指図してはりますが、すぐお済みやいうことでございまして」

「そうですか。信心のお邪魔をしたようですな」

「いいえ、なあに。お堂は小さなもんでございますから、ちょこちょこって出来てしまいましたんやが、あとでそこへ何を彫れ、ここは何の模様にせい言わはって、若い木工をこき使ってはるだけでございまして。それぐらいなら初めから名のある彫師に注文されたらよかったんや、と陰では言うとるんでございますよ。へっへ。奥さまの気まぐれは信心家になりはっても変わりあらへんみたいで……おっとこれは内緒ですわ」

奥へ通ると、刀自はなるほど庭へ下りて、若い職人に何か命じているところで、井狩を見ると、ちょっと照れくさそうにあの人懐こい小さな目を笑わせた。

「ようこそ、おこしはりましたな。こんどこないなもん作りましたんや。六十の手習いでのうて八十の信心ですがな。笑うておくんなはれ。ついでいうたら阿弥陀さまに叱られますやろけど、井狩はんも来はったついでや。ちょいと拝んでいただけますやろか」

「いえ、またこんど」井狩は生まじめに、

「きょうは信心のお仲間入りに参ったわけではありませんので」

「さいだっか。そらそうでっしゃろなあ。昔の門下生言わはっても、今は県警本部長の劇職にあるお方や。ひまつぶしにこないな山家へいらしゃるわけがあらへんわなあ。……ほな、あんたはきょうはお帰り。いま言うたとこ、あしたはあんじょう用意しとくんやで」

刀自は職人に言いつけて、座敷へあがる。

間もなく紀美がお茶を持って来て、にこやかにあいさつをする。

「ほう」と井狩は目をみはって、

「すっかり元気になりましたね。あのころとは別人みたいですよ」

「ほんまになあ。自分の責任のようにふさぎこんでおりましたよってなあ。この子には可哀そうなことしましたわ」

刀自が応じて、紀美は恥ずかしそうに会釈して引き下る。

庭の職人も姿を消し、串田執事も部屋を外して、広い居間は二人だけになった。

……短い沈黙のあとで、井狩が、それまでの会話の続きのように、何気ない様子で言った。

「ちょっと教えていただきたいんですけどね。……あの三人、どこから拾って来られたんですか」

井狩も平静だったが、刀自も見事に落ち着き払ったものだった。わざと驚いたふりもしないし、白々しく聞き返したりもしない。

「井狩はんやったら、いつかそないに言うて見えはる思うてましたわ」微笑して、静かに、しかしはっきりと言う。

「会うたのは、あのときが初めてだす」

「あのとき？　さらわれたときがですか」

「さいな」

「ほんとですか」

「井狩はんには、ウソは言いまへん」

「ふン」

井狩はうなずいて、書類ケースから薄い綴りを取り出した。

「実は、私の部下もそう報告してるんです。部内にも極秘で調べさせたんですが、結論のとこだけ読みますと、こうです……。
1、刀自と、氏名不詳の三人の若者が、何等かのつながりを持ち得た形跡は全く存在しない。三人はもとより一人としていない。
2、刀自の知人の若者ないし中年の人物が、この三人に仮装した可能性も絶無である。よって、虹の童子と称する三人組は、過去および現在において、刀自とは全く無縁の人物と認める。
……では、この報告は正しかったんですね」

「ええ部下を持ってはるわ」

「えり抜きの腹心ですからね。一番仮装の可能性が強いお孫さんたちのアリバイは、特に綿密に時間単位で調べ上げてありますよ。……しかし、そうなると困ることになるな」

刀自の許可を得て、タバコを吸いつけて、一本分煙にするあいだ考えこんで、やっと顔を上げる。

「だれも信じないだろうな。……しかし、私は信じますよ。信じるほかにないんですからね。……何を、とお聞きにならんのですか」

「聞きたい思うてましたんや。何をだす？」

「誘拐団にさらわれたお年寄が、自分が誘拐団の首領になって、犯人どもを手足のようにこき使って、莫大な身代金を、自分の子どもたちから巻き上げた、という途方もない物語をですよ」

……ちょっと間をおいて、刀自が言った。

「聞いたような話でんな。もしかしたら、そのお年寄いうんは、私のことを言うてはるんと違いまっか」

井狩はふンと鼻を鳴らす。

「もしかしなくてもですよ。……うーン、そうぬけぬけおっしゃるお顔を見てると、だんだん自信が出て来たぞ。間違いないな、この人だ。このお顔は、どんな常識外れのことでも、髪の毛一本動かさないで、平気でやってのける顔だ。……そうですよ、大奥さま、あなたのことですよ」

「えろう丁寧にいわはりましたなあ。でもなあ、そないに名指しでいわはるからには、それなりの理由いうもんがおますんやろなあ。すこしはわけを聞かしてほしい、いうたら、これも常識外れでしょうかなあ」

「いえ、いえ、当然のご質問ですよ」

井狩は、刀自の皮肉を正面から受けて、

「私の実感を言いますと、そう……ちょうど砂にしみこむ水みたいに、ふっと気がついたらいつの間にか体の中に溜っていた、という感じなんですが、はじめは違和感でしょうねえ。事件全体のスケール、計画性、非常に顕著な自己顕示性、それからどこかに漂っているユーモア性……こういった体臭は、プロの犯罪者のもんでもないし、いわんやちんぴらグループのもんでもない。もっと老熟した、そして真剣に戦いながら同時にゲームを楽しんでいる、というような、ゆとりのある大らかな人間性を感じさせるんですな。獅子の風格と、狐の抜け目なさと、奇妙なことだがそれにパンダの親しさと、兼ね備えた人格ということでしょうかねえ。……そしてある日気がついたら、正にぴったりな人物が、事件の中心に座ってるじゃないですか」

刀自は肩をすくめる。

「おお恥ずかし……と本人が聞いたら言いますやろなあ。そないに買い被られましてはなあ」

井狩はニコリともしないで続ける。

「その目で見直しますと、事件の至るところにそういう『人間』が出ているのに驚くんですね。

具体的には第一に土地カンです。今まで五つの現場が出て来ているわけですが、この中で和歌山放送会館と大作君の家は一応別にしましょう。あとの三つの場所……対面地点、ヘリの乗っ取り地点、終着点の幽鬼岬を見ますと、犯人がどの現場の地理や人家の状況にも通暁していることが、極めて明瞭なんですよね。どの一つだって、一度や二度の事前調査で、このへんがよかろうなんて成田空港並に簡単に決めるわけにはいかないんですからね。そこで調べてみますと、こういうことがわかったんです」

ノートを開いて、

「法務局の柳川家の財産目録によると、奈良県の南山村に約十五ヘクタールの飛地がある。これは乗っ取り現場のザンバラ峠の西方わずか数キロの地点にある。……次に、悠木村の地主某の証言によると、幽鬼岬一帯は柳川家からかつて別荘地として買受け交渉を受けたことがある。当方は乗気だったが、柳川家がわの方針が変わって中止となり、現在に及んでいる」

刀自がつぶやいた。

「孫どもがうちは山ばかりやから海が欲しい言いよりましてな。そやけど、専用の海水浴場なんぞぜいたくすぎますもんな。第一、お化けでも出そうで、名前が気に入らへんわ」

「ということでしてね」と井狩はノートを閉じて、「対面現場はいうまでもありませんな。こうして見ますと、犯人がここというときに選んだ場所というのは、全部柳川家のホームグラウンドか、それに準ずる条件のところということになります。二つの建物も同様です。放送会館へは何度も足を運ばれたことがおありだし、片方は子どもの家ですしね。一つ二つならともかく、五つの現場全部がそうだとなると、結論は自ら一人の人物を指すことになりはしませんか。……むろん逃げ道はございますけれどもね」

刀自がうなずいた。

「人質やから、犯人に強制されて教えた、いう？」

「ええ。しかしそれにしては積極的すぎる。何もそこまで教えてやることはない、というのが……」

「常識いうもんや、でっか」と刀自は微笑して、「そのほかには？」

「ほかにもおばあちゃま……失礼、大奥様がリーダーだったと考えて初めて解ける謎がいろいろとあるんですね。例えば、ヘリのあのめちゃくちゃ飛行です。夜だし、あの霧だし、いくら熟練したパイロットでも、山あり谷ありの危険な地形を、ただ犯人の指示だからといって、あも乱暴に飛び回れるもんではない。しかし彼は敢てしたんです。なぜでしょう？　責任感でしょうか。恐怖でしょうか。そのどっちも不十分ですね。本当の答はおそらく一つしかない。……この写真がその傍証です」

こんどケースから取り出したのは、数枚の乗っ取り現場の写真だった。三人組が現われたところ、ヘリへかけよるところ、白仮面が乗り込むところ、あとの二人が走り去るところ……どの一枚にも生々しい〝現場〟の匂いがいっぱいだ。

「こうして見るとよくわかるんですが、白仮面はいつもほかの二人の陰になって、全身がはっきり写っているのがないんですね。乗り込むところでも写っているのは頭と背中の一部だけです。偶然こうなっただけだろうか。どう致しまして。意味のないことをやるようなかれらじゃない。ほかの二人は明らかに白仮面をカメラの目からかばっているんです。ヘリに近付いてからは特にそうです。理由は……ヘリの機体との比較から白仮面の正確な身長を知られては困るからです。ではなかったんですか？」

刀自は、はじめて沈黙した。

……しばらくしてから、井狩を上目使いに見て言った。

「ふつうはそこまで気いつかへんもんやけどな」

井狩は思わずぷっと笑った。

「ふつうはね。現に今も、私のほかはだれも気がついていません。それどころか、なぜここで三人組がそろって出てくる必要があったかということも考えていません。大、中、小の三色の仮面が出てくれれば、ああ、あの三人だな、と思いこんでしまって、実はサイズが少しずつ低くなっているのに気がつかない……それが犯人の狙いだったのも、むろんわかってはおりません。この犯人はすごくフェアプレーの精神の持主ですから、私もフェアプレーで申しますが、何分二百メートル余の距離をおいての、しかも高い地点からの俯瞰撮影ですし、犯人たちのそうした用心もあって、この写真から正確な身長を割り出すのは不可能です。一つの傍証ではあるが、法的な物証にはならないんですね。それを申し上げた上でお尋ねしますが、では私の推定は正しかったんですね？　ヘリを……ヘリのパイロットを、ああも自在に、意のままに動かすことができたのは、白仮面がおばあちゃまその人だったからなんですね？」

……「大奥さま！」

マイクを抑えて、「私や」と言ったときの高野操縦士の驚愕の叫びが、はっきりとよみがえる。

「そや、私や。わけはあとで話しますよって、ここは私の言うとおりにしてください。あんたはんには、絶対悪いようにはしまへんさかいな」

「はっ。……はっ。ではともかく、この指令を読んだら宜しいんでございますな。……しかし、また……いや、では……」

……操縦士の指令を読む声がかすれがちだったのは是非もなかった。そのまん丸にみひらいた目、大きく開けた口が、テレビの画面に映らなかっただけでよしとしなくてはならなかった。

「我々は、もっとあの書簡を熟読しなければいけなかったんです」と井狩は嘆いている。

「対面のときも、犯人は予備責任者なるものを二人も指名した。我々はなんでこんな必要があるのか、書簡の文句をうのみにして、考えようともしなかった。今度もそうでした。犯人は、『和歌山航空で最も熟達した操縦士』と指定した。そう指定すれば……しなくても結果は同じだったかも知れませんが……絶対に高野パイロットが選ばれることを計算した上での指定だったのに、もっと早く気がついて然るべきだったんです。……では、パイロットのあの供述というのは、おばあちゃまの『談話』なるもんと同様に、全くのでたらめだった、ということになりますな。ちょっとごらんいただけますか」

　次に井狩のケースから現われたのは、分厚いファイルの綴りだった。

「このひと月の捜査記録です。二つに分かれていまして、厚い方が『舟』です。パイロットのあの証言で、何百という係官が、証人自身も見ていない幻の舟を追っかけて、港から港へ、海岸から海岸へ、かけ回ったんです。紀伊半島に始まって、西は瀬戸内、四国、東は遠州灘から伊豆半島……むろん各府県の警察にも協力してもらいましたし、漁民その他の一般人からの情報も数知れません。どの報告の結論も、決ってたったの五字……該当船なし、です。この分で行ったら、私たちは太平洋岸の全部、いや、日本じゅうの海岸を探し回らなくてはならない。しかし、どこまで行っても同じでしょうね。該当船がないわけです。証言がでたらめだとなれば、初めからそんな『舟』は存在しないからです。この薄い方が……」とファイルを繰って、「犯人の本拠の捜査です。おばあちゃまの証言で、我々は近畿の全域に手を広げざるを得なかった。電車の音が聞こえるところならどこでもね。結果はいうまでもないでしょう。我々はここでも『舟』と同じ過失を犯していたわけです。ないところ、ないところを探しているんですから、見つかるわけがない。……全く人を食った話ですよ。電車の音なんて、夜になれば鉄道から十キロ離れた農村でも聞こえることがあるんですからね。でも、こうなると話は別になって来ます」

　井狩は刀自を見つめ、刀自の面にも緊張の色が浮かんだ。

「我々は今まで、犯人の本拠はおばあちゃまと無関係なところ、もしくは敵対関係にあるところと思っていた。逆だったんですね。この戦いは、場所もそうだが、人脈でもおばあちゃまのホームグラウンドで戦われていたんですね。となると、本拠も高野パイロットと同じように、あるいはそれ以上に、『大奥様の頼みなら悪魔の命令でも聞く』種類の人のところが選ばれた可能性が極めて高い。また、そういう心当りがないでもないような気がして来ますね。……いやいや、だからといって、その人をどうこういうわけではありません。私だってそのお仲間のひとりなんですからね。おばあちゃまが人を殺したから助けてくれ、とかけこんで来られたら、身に代えてもおかばいします。ましてこんどは動いたのは金だけで、人っ子ひとり傷ついたわけではない。……でも、わからんのですよ」

溜息をついて、書類をしまい、またじっと刀自に目を当てる。

「きょうお伺いしましたのもね。部下の辛苦に恨みつらみを申し上げるためではありません。これ以上無益なロスは許されないにしても、今までの努力にはそれなりの意味はあったんですからね。いわんや自慢たらしく、出し遅れの証文みたいなおしゃべりを聞いていただくためでもありません。ただ、私の推論なり、仮説なりは、これだけの部下の汗の結晶の上に立っているのだ、ということを知って下されば十分です。……しかし、わからない。いったい、なぜ、見も知らないちんぴらたちのために、これほどの大芝居をお打ちになったんです？　なぜなんです？」

……なぜか。

それは体重計の目盛だった、と言ったら、人は本気にするだろうか。だが事実なのである。刀自はそのときのショックを思い起こすと、今も胸が苦しくなってくる。

ことしの夏はいつになく暑さがきびしかった。この山の中でさえ寝苦しい熱帯夜がいく日もつづいた。

やっと秋風が立った九月の上旬のある夕方だった。刀自はいつものように入浴して、浴室を出ようとして、何気なく隅においてある体重計に体を乗せた。

ほんとうに何気なくだった。この前はいつ計ったのか覚えてもいないのだから、そんな習慣があったわけではない。ただふと目に入ったから乗ってみた……それだけだった。

だが、針が止まった数字を読んだとき、ずしんと鉄の棒でも打ち込まれたような強烈なショックが刀自を襲ったのである。

針は26の間近で止まっていた。

狼狽して計り直した。位置は変わらなかった。

狂っているのだろうか、と瞬間思った。そんなはずはない、とすぐ気がついた。目方を気にしている紀美などは、日課みたいに計っている。一キロふえたといってはがっかりし、五百グラム減ったといっては喜んでいる。数字は正しいのである。

26キロ！

足がガタガタ震えて、倒れそうになって、やっと柱につかまった。

刀自の標準の体重は三十五キロだ。ここ二十年来安定していて、一キロとずれたことがない。

……それが二十六キロ！

「十キロ減ったら赤信号やね。ここのおじいもやせはったなあ、思うとったら案の定や」

このところ続いた葬儀の席で、何べんとなく耳にした言葉だ。病名は決ってガンだった。

……十キロ減ったら赤信号！　いつかこびりついていたその言葉が鐘のように頭の中に鳴り響いた。

普通の六十キロ、五十キロの人での十キロだ。もとが三十五キロしかない刀自の九キロは、普通人の十二キロにも十五キロにも当るはずである。

……そうやったんか！

くるくるくるッと無数の画がひらめいた。

このあいだ可奈子が帰り際に、いつになく優しく言った。「ほなお母さん、お大事にな。大阪へもお出でなはれや。一緒においしいもん食べまひょ」

つい先日も串田が言った。「気候の変わり目やよって、お気をつけなはれや」

それから近所のものが言った。「お元気で宜しゅうおまんな」別のものが言った。「ちいともお変わりあらへんな。いつまでも」

そのほか、だれが言った。かれが言った。

……お大事にな。お気をつけてな。お元気で結構やな。お大事にな……お大事にな……お大事にな……。

その一人一人の目！　いたわるような目……哀れむような目……白々しいような目！

いつからそんなに悪くなっていたのか、自分では全く気付かなかった。ただ……そういえば、ときどきズキンと腹が痛むことがあった。食欲がないときもあり、へんに寝苦しいこともあった。何となく気力の衰えを感じることも前より多かった。そういう病気なのだ。これは。はっきりした自覚症状が出たときはもうおしまいなのだ。

……そうやったんか。みんなはもう知っとって、私にだけ隠しておったんか。

思い当るのは七月の定期検診だ。串田が報告に来た。「別に異状はない、いうことでございます」あのウソつき！　異状がなくて九キロも……体重の四分の一もやせようか。そういえば口頭だった。書類は見せもしなかった。見せたくても見せられなかったのだ！

鏡を見た。氷のような目……自分の顔とは思えなかった。

体がふらついた。けんめいにこらえて、部屋に戻った。開いていた窓から外の山を見た。

……あの山！

今もまぶたにくっきりと浮かぶ。

何十年と見慣れているのに、そのときだけは違っていた。初めて見るように新鮮で、そして鮮明だった。一本一本の樹、一枚一枚の葉の微妙な色どりと形とが、彫ったようにはっきりと見えた。

……末期《まつご》の目いうんやなあ。私の山、こないに美しい山やったんやなあ。

これも間もなくお国のものになる。自分が死ねば、否が応でもそうなる。

……お国！

ガツンと何かにぶつかった感じだった。

……お国って、私には何やったんや。

目をみひらいて山を見た。しばらくのうちは茫としていて何もわからなかった。そのうちに、自分の中にこみあげて来ているものにはっと気がついた。……憎しみであった。自分から愛一郎を奪い、静枝を奪い、貞好を奪い、それでも足りずに、自分の命にもひとしい山を奪おうとしている「お国」への憎しみ……この期になって初めて湧いた感情であった。

国はそれに値する何をした？ 何もしはしなかった。吉野の美林に対して紀伊の粗林といわれた貧しい山々を、吉野に負けない優秀な森林に育て上げたのは、三代にわたる山の人々の、そしてその中核であり推進力だった柳川家の先代、先々代の力だ。国はただ見ていただけだ。それなのに国は、サルカニ合戦のサルのように、かれら山のカニたちが命をこめて作り上げた果実だけを、大きな顔で取り上げようとしている。

山の人々に返すのならわかる。せめてこの国に住む同じような人々のために役立ててくれるなら育てた甲斐もある。

国という名の権力者たちに、そんな殊勝な心がけがあるだろうか。どことかの河川敷がいい例であった。この美しい山々も、命をかけて愛し、育てて来た樹々も、いつかは時の権力者の餌食になってその貪欲な胃袋に納まってしまうのだ。

「ほな、私の一生は何や。そないなやつらに奪われるための一生やったんか」

自然に嘆息が漏れた。無性にわびしかった。そして空しかった。

何をいおうと所詮はごまめの歯ぎしりだ。

自分にできることといったら……そう、生命の火が細々と消えて行くのを待ちながら、せめて歩けるうちは歩いて、山々に別れを告げることだけだ。

そのうちに、ある日ばったり倒れて……それがこの山の中の老人の一生なのだ。

目に涙があふれた。

……まさか、その一週間後に、消えかけた火をかき立てるために、あの若者たちが飛びこんで来ようとは！　であった。


「なぜです？　なぜあんなちんぴらたちのために、これほどの大芝居をお打ちになったんです？」井狩は聞いている。

腹を打ち割っての質問であった。刀自も同じく腹をさらけ出して答えなくてはならなかった。

……だが、どう言ったらいいのだろう？

「天の摂理思いましたんや。あのとき、あのものたちが現われましたんはなあ」……最も正直な答である。

声と様子で他所者とわかった。あそこで待ち伏せに成功するまでに、どんなに工夫と辛苦が必要だったか、一瞬で察しがついた。

思いつくだけで破天荒なのに、かれらはそれを実現する能力と気力の持主だった。

そう……気力。肉色仮面と相対したとき、何よりも全身をビリビリ貫くように感じたのは、彼の命がけともいいたい気魄だった。

〈見どころのあるやっちゃ。並の悪党やあらへんな〉

直感したとおりだったのは、説得に応じて紀美を解放したことで証明された。黒が紀美に謝った声もちゃんと耳に入っていた。

どう見ても「神の使者」という風態ではなかったが、あの人生の終点の間際に、こういう男たちが現われるとは、これが「天の摂理」でなくて何だろう。

これだけは誰が信じなくても仕方がない。手打ちがすんで、紀美が逃げ去って、三人に囲まれて山道を歩き出したときは、刀自の方寸《ほうすん》にはすでに一石数鳥の計が成っていたのだ。

〈こうして神さまがお膳立てしてくれはったんや。このものたちを道連れに、思い切り死に花を咲かしたろ。相手に回る井狩はんはええ面の皮やけど、これもめぐり合わせや。堪忍してえな〉

〈これをいい機会に、お国からも、むしれるだけむしったろ。せめてものレジスタンスや〉

〈ハイエナどもが、のちのちよう跳梁せえへんように、柳川家の資産いうもんに天下の耳目を集めたろ。お日さんの下では、まさかカビも生えんやろ〉

〈子らに活を入れるんにも、ええチャンスや。やれるだけのことはやらしたろ〉

〈このものたちにも目一杯酬《むく》いてやらなあかんな。おかげで八十二年を煮詰めたよりも、もっと興奮的な時間が持てるんやさかいな〉

「まず、これだけのことを、よう仕遂げたら、いつ目をつむっても思い残すことはあらへん。

私はやっぱり、山ん中で歯ぎしりしながら死んでいくだけの、ただのごまめやなかったんや」

今まで重石を引きずるみたいだった五体がウソのように軽かった。手足の指のさきざきまで新しい活力があふれていた。

……そやけど、そこんとこ、どないに言うたらええもんやろ。自白はでけへんし、というてウソは言えんし。


刀自は正面から井狩と目を合わせる。

一語一語、真率に、そして慎重にことばを選ぶ。

「なんであないな芝居打った、申されましてもなあ、私が自分で打ったわけやあらへんし、ようお答えも出来かねますけどなあ。……そやなあ、こういうことは言えるかもしれまへんな。年寄の暮しいうもんは、いまにおわかりになる思いますけど、ほんまに味気ないもんでしてなあ。昨日が終わって今日が来て、今日が終わって明日が来て……いつもいつも同じことのくり返しでしてなあ。生きているのとちがいますわなあ。死なんとおる、いうだけのことですわなあ。というて、八十年の余もそないにして来たもんを、今さら変えようもあらへんし……。私もそうだした。それが人生いうもんや、思うとりました。それがあの日から」軽くせき払いして、

「俄かに世界が一変した、いうことですわなあ。それも生きるか死ぬかの極限状況の世界になあ。八十にもなってお恥ずかしい話やけど、私こんど初めて、生きるいうこと、死ぬいうこと

の意味が、すこうしわかったような気がしますんや。それというんも、子らや孫はともかくとして、皆さまのあのご心配だすな。井狩はんもあのような声明を出さはる。新聞、テレビを見ますと、知るお人、知らんお人から、慰め、励ましのお声が、山のように寄せられてくる。ああ、私ひとりの命やあらへんのやな。こうした皆さまのためにも、何としてもこのままでは死なれへん、生きて帰らなあかんのやな……こないに思い定めますと、今までその気もないのに、年やからいつ死んでもええ、なんて申しましたことも恥ずかしゅうなりましてなあ。それからの一日一日は、寝ぼけたような今までとは天と地で、ほんまに精一杯に張りつめた毎日でございましたなあ。多くのお年寄の中には、口には出さんと、また実際にそないなことになっては大変や、とは思いながら、心のどこかに、一ぺんはそうした時間を生きてみたい、いうメルヘンみたいなもんがあるのとちがいますやろか。少くとも私はそうでした。あの二週間あまりいうもんを、こないな気持で生きて参りましたんや。……これではお答えになりまへんでっしゃろなあ」

「だから」油断なく耳を傾けていた井狩が鋭く口を挟む。刀自の言い方にはじゅうぶんの真実感がこもっている。もちろんといってそれが事実の全部とは思えないのである。「そのメルヘン的な時間を、存分に堪能なさるために、かれらにできるだけの協力をなさった。メルヘンは大きければ大きいほどおもしろい。だから火の手を大きく、大きくあおり立てた……と、こうおっしゃるんですか」

「とんでもない」と刀自はいかにもびっくりしたように、「この私が、なんでそないな酔狂な真似せななりまへんのや。かれらは、ちんぴら、ちんぴらおっしゃいますが、かれらなりの自主能力を具えておりましてな。私が口を出すようなスキは……そら、全くないとは申しまへんけれども、まずはないみたいなもんで……かりにあったとしましても、人質の身として、なんで余計な口出しができますかいな」

「口出しはされなかった」井狩は辛辣に言う。「その代わり、プランは全部作ってやった。手紙は書いた。ヘリにも乗った。恩顧のパイロットにでたらめな証言をさせた。……たったそれだけだと言われるんですか」

「そないなことは……」刀自は困ったように、「せえへん言いましても、したもんや思いこんどるお方に、どないに申したらええもんでっしゃろな」

「それにしても度が過ぎはしませんか」井狩は畳みかける。「お年寄のわびしさ、いうことはわかりますよ。幸いにその折り誘拐者が現われた。悪党にしては節度もあり、理解力もあるやつとわかった。もう二度とないことだ。こいつらを使って、花々しい大芝居を打ってやろう、と勇躍された……ことまでは、わかるとは言いませんが、まるでわからないこともありません。何分、おばあちゃまのことですからね。でも百億円とは何ですか。事件を世界的大ニュースにでっちあげるため？　なら大成功と言いたいけれど、それだけのために子どもたちにああまで苦労させて、ほとんど全財産を投げ出させるような人間はありっこないですよね。正気の人間の中にはね。……わかっております。それはかれらの仕業で、おばあちゃまの知ったことではないんですね。それを諒解した上で伺います。なぜあんな金額になさったんです？　ついでにお断わりしておきますが、どっかの島に国を作るなんて下らんお話はもうご免ですよ」

刀自はいよいよ窮地に追いつめられたようであった。

「そないに言われますとなあ……」肩をすくめて、「知らんもんが聞きますと、まるで私が決めたみたいですけどなあ。……でもなあ、あの身代金につきましては、世間に少々誤解があるんやないか、いう気がしますんやけどなあ」

「誤解？」井狩は眉をひそめて、

「誤解とは何がです」

「あのなあ、一般では、あのためにうちは大損害やった、思うとるんやないでしょうかなあ」

「え？」井狩は激しくまばたきをして、刀自を見直す。刀自は大まじめである。

「わからんですな。何をおっしゃりたいんです？」

「ところがなあ」刀自は済まなそうに、

「そら損害は損害やけど、世間で思うほどのことやあらしまへんのや。まず公称の三分の一ちょっというとこでしょうかなあ」

「三分の一？　じゃ、あとはニセ札？　そんなはずはありませんよね。あのテレビ、私もちゃんと見ていたんですから」

「そらそうですがな。柳川家ともあろうもんが、そないな汚ない小細工しますかいな」

「では全部真券？　それで三分の一とは？」

「正確な数字を申しますとなあ」刀自は説明にかかる。

「うちの実質出血は三十六億。子ら一人当りでは九億そこそこですのや。なんでそないな数字になるんか申しますと、タネは二つありましてなあ。一つは大きな声では言えへんのやけど、手取り分に二割ほどの含み資産……水ぶくれがありますことと、も一つは税法にある雑損失控除ですのや」

……その数字が出たのは、あの細い草と岩の小道を登っているあいだのことだ。

雑損失控除――数年まえの喜寿の年に、万一に備えて相続税の試算をしてみたことがあった。そのとき「納税の手引」を繰っていて、目に触れて、頭のどこかに残っていた一項だ。

雑損失控除とは、災害または盗難によって、商品、仕掛品、原材料等のたな卸資産以外の資産について直接蒙った損失をいい、その損失額のうち、総所得金額の一割相当額をこえる部分の金額に限って控除をみとめられます。

〈身代金かて当然「災害または盗難」の一つやろうな。ふン、どこまでも欲張っていくさるわ。総額の一割いうたら七十億。それ以下では控除を認めんいうんかいな〉

では仕方がない。下限は七十億。上限は手取り公称の百七十六億。となると常識からいって最高限は百億だ。

七十億をこえる控除は三十億。七十五パーセントの税の減免は二十二億五千万。もとの手取りに加えて約二百億。水ぶくれ二割で二百四十億。百億引いて残り正味百四十億。

な」


「こないな計算になりましてな」経過は抜きに数字だけ挙げて、

「子らの作業の結果も似たようなことになりましたようや。ひとり九億いうたら、そら小さな額やおまへんけど、子らにしたら貰う分が減るだけで懐を痛めるわけやあらへんし、勉強料思うたらあきらめもつきますやろ。これだけ残せるんかどうかも、自分らの腕一つですよってな」

「えーと、何がどうなんですって？」

金も万単位以上となると、井狩には苦手だ。慌しくメモをしながら、

「つまりこうですか。本来ならお子さん一人が四十四億。今の計算で三十五億だから、マイナスが九億ですか。どっちにしても私などには雲の上の数字だけれど……でも、おかしいな。百億のうち三十六億がこちらの負担分というと、あとの六十四億はどっから出たんです？」

刀自はニコッとうなずいてみせて、

「さいだすなあ。他に出所もないよって、お国からいうことになりますんかいなあ。詳しゅう言えば、税の減免が二割増で二十七億。お目こぼし分が残り三十七億ですかなあ。何のこれぐらい、五百三十億近くも取るんやから、ほんの雀の涙ですわなあ。……でも片棒かついでもろうただけ、いくらかは助かるいうもんですけどなあ」

「そうか。……そういうことだったんですか」井狩はハタと思い当る。

怖い目をして、

「それが本音だったんですな？　税はどうせ取られるものだ。取られっ放しというのが癪だか

ら、国に六十四億もの身代金の片棒をかつがせてやった。百億はそのために必要だった……こうおっしゃるんですな？」

刀自が真顔で、「滅相もない。私は計算上そないになる……」言いかけるのを押しかぶせて、

「そうでしょう。結果としてそうなっただけでしょう。この百億で、我々をキリキリ舞させたのも、ご自分は大誘拐劇のヒロイン気分を満喫なさったのも、したくてされたわけではない、偶然そうなっただけでしょう。でもね、おばあちゃま、あなたは万事が思う壺でさぞ好いお気持でしょうが、おばあちゃまのお芝居をいいことに、百億ものあぶく銭を抱えこんだちんぴらどもが、そのまま涼しい顔で、はいサヨナラでは、私だけじゃない、一般の国民感情というものが許しませんよ。やつらは、いったいどこへ行ったんです？　そして、金はどうなったんです？　これほど一から十まで面倒をみておあげになって、まさかご存知ない、とはおっしゃらんでしょうね？」

最後の、そしてこれだけはいくら刀自でも逃げ場がないはずの、正面切っての詰問であった。

……が、次の瞬間、彼は、はっと胸をつかれる。

「すんまへんな、井狩はん」思いがけないことに、刀自はしみじみと言って深々と彼に向って頭を垂れたのだ。

「……大奥様」息をのんだ井狩の面を、刀自は静かに顔をあげて、じっと見入る。それまでのひょうたんなまずのかげもない、真率な、言いようのない深いものにあふれたまなざしだった。穏やかな、澄んだ声で語りかける。

「あんたはんのお立場はようわかります。今のお怒りはごもっともや思います。……でもなあ井狩はん。それだけは死んでも言えまへん。罪人のわが子の行方を言う親がおりまへんようになあ。……私、今ではなあ、あのものたちの母代わりみたいなもんですのや」

母代わりの人質、刀自の胸にはあれからのかれらの姿が一コマ一コマ鮮明に生きている。

最初のコマ……身代金の夜。

状況は万事順調に見えた。

ヘリがくーちゃんの庭に着地する。正義たちが飛び乗って金袋を投げ下ろす。高野パイロットが柳川家へ向って飛び去る。金袋を納屋の二階へ運び上げる。

三人とも無駄口ひとつ利かずにキビキビと動いて、仕事はあっという間に片付いた。ほかのどんなトリオでも、こうは手際よくいくまいと感心したほどだった。

最後の袋が庭から消えるのを見届けて母屋へ戻る。立ったり座ったりして待ちかねていたくーちゃんに、「ええな。あんたは何も知らんのやで。ヘリの音を聞いただけやで」と改めて言いふくめる。そのとき「ウオーッ」と歓声がきこえた。納屋で祝宴が始まったのだ。

ドンチャン騒ぎはしばらく続いていたようだ。

さすがに疲れていた。くーちゃんと食事をして、風呂に入って、すぐぐっすりと寝込んだ。

「おばあちゃんや。ちょっと起きてえな。な、おばあちゃんや」

健次の声に起こされたのは何時ごろだったろうか。納屋のほうもシンとしていて、聞こえるものはいつものくーちゃんの健やかな寝息ばかりだ。

「何やね？」

「何やねやあらへん。えらいこっちゃがな」

ひどく不機嫌なのに不審を感じて、丹前を羽織って、居間へ入って、驚いた。不機嫌なんてものではなかった。ひたいに青筋が立って、体をぶるぶる震わせているのである。

「どないしたんやね」

「どないもこないも……まあ、聞いてえな」

話し出したのがまず正義のことだ。

はじめは、だれもかれもが大はしゃぎで、金袋を床一面に敷きつめて、

「百億円の寝台や。おれたちのほか寝たもんあらへんやろな。ウワー、ええ気持や」

寝っ転がって、飛んではねて、ビールをお互いの頭からぶっかけて、床の梁が落ちそうな大騒ぎだったが、騒ぎが最高潮に達したとき、正義が突然、「兄さん、おれ、おりるわ」と言った、というのだ。

「何やて？　正義がおりる？」

「そや。おりる、言いくさるんや」

……騒ぎが一瞬に止んだ。

「いま何いうた？　おりる、いうたんか」

健次が聞き返すと、正義は「ああ」とはっきり言った。ビールで顔は赤かったが、声も様子もしっかりしていて、あの細い目が真剣に光っている。

「あのなあ、おまえ……」

呼吸が静まるのを待って、やっと言った。「おまえ、初めにもおりる言うたな。まだ乗りもせえへんうちにな。今は終点やで。終点へ来て……おい、おかしな洒落、いうんやないで」

「洒落やあらへん。おれ、本気や」

「本気いうて……あのなあ、今更おりるもおりんもあらへんのやで。仕事はもう終わったんやさかいな」

「終わったから言うんや。今かて、言うたら悪いけど二人分は働いたで。途中でおりたら卑怯やけど、やることやっておりるんやもん、ああさよか、言うてくれてええやないか」

「ええやないか言うて……いったい、何でや」

「わけか。言わなあかんか」

「当りまえやがな。言うたかてあかんもんを、言わんかったらなおあかんわ」

……すると、正義は、赤い顔をもっと赤くして言ったというのだ。

「あのなあ、おれきょう稲刈りに残ったわなあ」

「ああ、くーちゃんにサツの目つけられたら困るよって、おばあちゃんの命令でなあ。もう人に見られとるおまえが一緒やったら、アリバイになるさかいなあ。それがどないした?」

「そしたらなあ、帰りにくーちゃんが言わはるんや。……邦子はんがおまえの嫁はんになってもええ言うてはる。どや、二人でうちの養子にならへんか、となあ」

「何やって?」

「ほんまの話や。こないなこと、二度とあらへん、と兄さんかて思うやろ。おれもや」

「…………」

「それにはなあ、この金一円でも取ったらあかんわなあ。今までが今までやさかい、共犯いうんはしゃあないけど、せめて金のことは潔白でおらななあ」

「…………」

「そういうわけや。いろいろ厄介になったけど、おれここでおろしてもらうわ。おれの分、二人であんじょう分けてほしいんや。……な、お願いや」

「そいで、おまえ、どない言うたん?」刀自が聞く。

「決っとるやないか。そら結構なことや。そやけど、それとこれとは話が別や。三分の一の三十三億かてどないしょう思うてんのに、この上おまえの分まで押しつけられてたまるかいな。パイロットへ一千万ておばあちゃんは言うてはったけど、それ差引いて、一人が四十九億九千五百万にもなるやないか。今となってそんな勝手な話はないと、言うてやったんや」

「平太は?」

「平太？　それやがな。あん畜生」健次のほおが、また怒りでゆがむ。

平太は、隅に座って、黙って目を光らせて聞いていた。

……そして、健次がそう言って正義をどなりつけたとき、静かな、しかし正義に負けないしっかりした声で言った、というのだ。

「兄さん、おれも言おう、言おう思うとったんや」

「何をやねん」

「おれ、正義兄さんとは違う。妹のため、どないしても金が要る。そやから取り分はちゃんといただきますわ」

「当りまえやがな」

「ただなあ、こんどの金やない。初めに約束した分や」

「何やと？」

「おれの分、一千万だしたなあ。それだけはいただきます。あとは兄さんの自由にしてほしいんや」

「平太！　おまえまで何を言い出すんや」

「前から考えとったんですわ」平太はきちんと座って言ったというのだ。

「人には分いうもんがあるんですなあ。おばあちゃんを見とって、つくづくわかりましたわ。あの方のすることなすこと……あれは何やら単位……金でいうたら億単位の人がすることや。

おれらラーメン単位のもんは、真似しようかて真似できへん。下手に真似しよったら、てめえの首くるだけや。こんどの何十億もその口ですがな。おれがそないな大金持ったかて、猿がヨロイ着たみたいなもんで、動きがとれへん。分に合わんもんはどもならんのです。一千万かてちょっとだけ似合わへんかいなと思いますけど、何百万かは早急に要るんやし、何とか背負うて行けますやろ。でもそれが限度や。それ以上はあればあるだけ身の毒や。一千万、ビタ一文よけいにはいただけまへんわ」

「そいで、決着は？」刀自は聞いた。

「つくわけがあらへんやろ。どっちも強情で、今夜んとこはケンカ別れや。二人はプンプンして寝てしもうたし、おれ、しゃあないからおばあちゃんに談判に来たんや」

「私に？」

「こないなことになったんも皆おばあちゃんのせいやないか。どうや、あした改めて二人を説得してくれはるか。それがだめやったら、パイロットと平太と、二人分引いた九十九億八千万いうもんを、どないに処置したらええんか、ちゃんと責任は取ってもらいますよってな。よう考えといておくんなはれや」

健次はプイと立って行った。顔はまだ青くて、肩が大きく上下していた。

……そして終わりの決着のコマ。

正義は今もくーちゃんの家にいる。この十一月、家族がもう一人ふえるはずである。平太はあの翌日、正義がくーちゃんに買ってもらった中古の小型トラックで送られて、故郷へ帰って行った。

「楽しかったわ。それから、おれにも何かやれるいう自信がついたわ。もう二度と会えへんよって、おばあちゃん、達者でなあ」

窓からささやいて、見えなくなるまで手を振っていた。

健次は……。

この若者の大胆さには刀自も驚いている。

刑務所で覚えた木工を武器に、コネをさがして刀自の家に入りこんで、雑用を足しながら、将来に備えて刀自の生活ぶりを見習っておきたい、というのである。

「うちには紀美はんがおるやないの。口利いたら一ぺんにバレてしまうわ。あの子、おまえの声、絶対忘れへんよってな」

あきれて、たしなめると、

「だからや」と言うのだ。

「今やったら、まさか犯人がノコノコ出入りしよると思わへんさかい、声のそっくりさんで済むやないか。一年二年先にどこかで声聞かれて、あれや、となったらおしまいやもんな。一生逃げ隠れせんならんより、いまそっくりさんで覚えといてもろた方が何ぼか安全や。つまり声のパスポートやな」

そして、彼の見込みが正しかったのを、今の刀自は知っている。

……これが「あれからの彼ら」、「今の彼ら」だった。行方を言えない理由は、刀自には自明である。しかし、井狩はわかってくれたろうか。

彼はいま庭を歩いている。刀自は座敷に座って目で追っている。

さっきの刀自の「言明」から、井狩が聞いたのは二つだけだ。

「かれらが、二度と悪事をしない、と保証できますか」

「百億円が悪用されない、と保証できますか」

刀自はどちらにも「はい」と答えた。そして、「何なら証文書きまひょか」と言いそえた。

井狩は苦笑して、「この事件で犯人が残した物証……つまりおばあちゃまの書簡の類はもう山ほどありますからな。この上一通加えることもないでしょう」と言い、まじめな顔に戻って、「おばあちゃまの一言なら金鉄です」と言った。

だが、それで納得したのだろうか。

彼はいま持仏堂の前に足を止めた。タテ・ヨコ・高さ、それぞれ一メートル半のずんぐりした堂だ。花の模様を半分刻みかけてある扉を開くと、中ほどの高さの台の上に金色の阿弥陀如来が安置してある。

刀自の頭に数式が浮かぶ。

$0.175 \times 0.085 \times 100 = 1.4875\text{m}^3 \fallingdotseq (1.14\text{m})^3$

台の設計の基になった数式……一万円札百万枚の純体積だ。裸で詰めると意外に容積は少くてすむものである。

運ぶには手間がかかった。健次が正義のトラックで早朝「出勤」する毎に、シートの下の箱に七億、八億詰めて来て、台が完成してから二週間がかりだった。正義といえば……刀自の話に合わせるために、御座岬に朝早くレンタカーを走らせたのも彼のアフターサービスの一つである。

家の陰で少女の花やいだ声がして、井狩がふり向いた。紀美がかけ出して来て、井狩にペコッとお辞儀をして、縁側から刀自に呼びかける。

「うちのお部屋の窓、雨が吹っ込むんですの。そっくりはんが直してくれる言わはるんですけど、頼んでも宜しいですか」

「またお堂の細工が遅れるけど、しゃあないな。OKしたと串田はんに言うてお置き」

「はい。すんまへん」

何がおかしいのか、ぷっと吹き出しながら、走って消える。

「だれですか、そっくりはんて?」小耳に挟んだ井狩が聞く。

「棟梁のとこの新入りでしてな。木工もでけるし、朝早う来てよう働きますんで、うちでも目をかけて、今では専属同様になっとりますんや。ほら、さっき庭先にいた若い衆ですがな」

「ああ、あれですか。まだいたんですね。そっくりって、だれにそっくりなんです?」

「さあ、女の子の言うことやさかい、歌手かタレントでっしゃろなあ」

「はあ」

井狩は興もなさそうに言って、縁側に腰かけて、ふと刀自を振り向く。

「おばあちゃま、ちょっとお太りになりましたね。あのころは夏やせしておられたんですか」

「さいな。夏は弱うなりましてなあ」

刀自はポッと赤らむ。帰ってから一度、こわごわ計ったら、三十キロぴたりだった。そのときの、異様に複雑な気持を思い出したのだ。それからはもう計らないことにしようと決めている。目方がいくらになろうと、まだ当分は死ねないのだ。

いつの日か、持仏堂の台の中がからになって、そっくりさんが巣立ってゆくまでは。

それにしても一人の「金使い」を作り出すにはどうしたらいいのだろう。またどれぐらいかかるものだろう。

井狩も自分の考えを追っているようだ。

二人は黙って前の山を眺めている。

庭の枯葉が時おり風に舞っている。

解説

吉野仁

多くの根強いファンを持つ天藤真作品のなかでも、絶大な評価と知名度を誇る傑作『大誘拐』の登場である。

本作は、一九七八年に書き下ろされた著者にとって八作目の長篇。版元は、カイガイ出版という大阪にある洋書の専門輸入会社。すでに同社から短篇集を出していた山村正夫氏の紹介で書き下ろし長篇を出すことになったという（双葉文庫版『大誘拐』山村正夫氏解説より）。『陽気な容疑者たち』、『死の内幕』、『鈍い球音』、『皆殺しパーティ』などを発表し、寡作ながらすでにミステリー作家としての地位を確立していた天藤氏だが、本作によって、その立場を不動のものとしたといっても過言ではない。一九七九年に第三十二回日本推理作家協会賞長篇部門を受賞し、一九九一年には岡本喜八監督によって映画化された（ほかにテレビやラジオでドラマ化されてもいるらしい）。おそらく、この『大誘拐』によって天藤真の魅力を知った方も多いと思う。もっとも人口に膾炙した作品なのだ。

現在、謎や犯罪に関するエンターテインメント小説としての〝ミステリー〟は、きわめて多種多様なものとなっている。そして、ある特定ジャンルしか読まないガチガチのマニアもいれば、手当たり次第に内外の新作に手を出す読者もいるだろう。しかしながら、天藤真作品、とくにこの『大誘拐』は、どんなタイプの読み手をも魅きつける面白さにあふれている。

手前味噌な裏話になるが、かつて池上冬樹編『ミステリ・ベスト201日本篇』（新書館）というガイドブックをこしらえたとき、まずはじめに、担当する七人（池上冬樹、松坂健、西上心太、川出正樹、村上貴史、青木千恵、吉野仁）がそれぞれ自由にベスト作品を選定し評価をつけ、その総計上位作品が取りあげられることになっていた。そのとき、全員もれなく最高点をつけてノミネートした唯一の作品が、何を隠そう天藤真の『大誘拐』だったのである。

もちろん、ある種の書評家やミステリー好きの評価（絶賛）など「信用できない」と思う方も多いだろう。年末などに行われる各誌のアンケート集計によるベスト作を読んでみたものの、「いったいどこがいいの？」との違和感を抱いた体験をもつ方がいるはずだ。これは既成の文学賞も同様で、受賞作よりもそれ以前の作品の方が優れているというケースは少なくない。まったくそのとおりで、どれほど傑作と謳われている小説であれ、自分で実際に読んでみるまでは面白いかどうか分からないものだ。しかしながら、同好のファンが二、三人集まったというのならともかく、それぞれ読書傾向の異なる七人が最高の評価を与えて一致するケースなど、めったにあるものではない。

その理由は自明で、なにしろ本作は、傑作ミステリーの条件をことごとく満たしているのである。

斬新かつ奇抜でスケールの大きい事件。

予想もつかない展開。

存在感のあるキャラクター。

洗練された文体とテンポのいい話運び。

そして意外な結末とその真相。

これらの要素が揃っているばかりか、それぞれ質が高くスキがない。おまけに、著者の身上であるユーモア精神が随所にあふれており、現実ならば緊迫した状況となるはずの大事件も、どこかひょうひょうとした雰囲気のなか展開していく。人を食った趣向の数々が用意され、気分のいい結末で幕をおろす。こうした作品はめったにあるものではない。

斬新かつ奇抜な事件とは、もちろん尋常なスケールではない誘拐犯罪がメインになっていることだ。

八十二歳になる大金持ちの老婆が誘拐され、その身代金がなんと百億円。いまでさえ法外な金額だが、発表当時は、現在の百億よりさらに価値が大きいだろう。ちなみに本作が一九八〇年に初めて角川文庫に収録されたとき、定価は四九〇円だった。

その角川文庫版の解説では、故・中島河太郎氏が、〈誘拐事件をテーマにした作品は、実は食傷気味といってよいほどだが、またかという先入主を完全に吹きとばしてしまう大快作の出現には驚倒させられた。まだこんな手法が残っていたかという、斬新な趣向に意表をつかれたのである〉と記している。

なるほど、誘拐ミステリーといえば、黒澤明監督の映画『天国と地獄』の原作として有名なエド・マクベイン〈八七分署シリーズ〉『キングの身代金』(ハヤカワ・ミステリ文庫)を筆頭に、それこそ枚挙にいとまがないほどだ。日本でも、〈人さらいの岡嶋〉と呼ばれた岡嶋二人『あした天気にしておくれ』(講談社文庫)『99％の誘拐』(徳間文庫)を筆頭に、古くは高木彬光『誘拐』(光文社文庫)、西村京太郎『華麗なる誘拐』(徳間文庫、講談社文庫)、佐野洋『完全試合』(角川文庫)、近年では原尞『私が殺した少女』(ハヤカワ文庫JA)、法月綸太郎『一の悲劇』(祥伝社文庫)、黒川博行『大博打』(新潮文庫)、貫井徳郎『誘拐症候群』(双葉社)など数々の誘拐ミステリーが書かれている。

また、英米に目を向けると、近年人気復活のドナルド・E・ウエストレーク〈ドートマンダー・シリーズ〉の第三作『ジミー・ザ・キッド』(角川文庫)が誘拐ものだった。そのほか、レニー・エアース『赤ちゃんはプロフェッショナル!』(ハヤカワ文庫NV)、トニー・ケンリック『リリアンと悪党ども』(角川文庫)、グレゴリー・マクドナルド『誘拐犯はセミプロ』(文春文庫)など、ひと頃は、ユーモア仕立ての犯罪ミステリーが目立っていたようだ。

もちろん、ウイリアム・P・マッギヴァーン『ファイル7』(ハヤカワ・ミステリ文庫)、ジョン・クリアリー『法王の身代金』(角川文庫)、ビル・プロンジーニ〈名無しのオプ・シリーズ〉の『誘拐』(新潮文庫)、メアリ・H・クラーク『誰かが見ている』(新潮文庫)、最近ではデイヴィッド・ローン『音の手がかり』(新潮文庫)など、誘拐犯罪をメインにしたシリアスな作品が数々あるのはご存じのとおり。

これら日本と英米の作家による誘拐ミステリーの作風を比較してみると、日本作家の場合は、身代金受領のアイデアやトリックに重点をおいた作品が多く、英米作家は特異なシチュエーションを重視した作品が多いように思われる。もっとも、単に私のサンプリングが偏っているせいかもしれない。海外作品で例に出したのは、ほとんど一九八〇年以前に邦訳されたものばかり。もしかしたら、当時すでに英米ではパターンが出尽くしており、そのうえで異色ユーモア派が出現したとの可能性も考えられる。

ともあれ、内外の誘拐ミステリーにおけるすぐれた特徴を見事に取り込んだのが、本作『大誘拐』であるとの見方はまちがっていないだろう。

人質が安全であることを示したり、警察に場所をつきとめられないよう身代金を受け渡したりするアイデアやトリックの秀逸さはもちろんのこと、誘拐された人質がどんどん犯人を翻弄していく展開は、サスペンスとしてもユーモア小説としても痛快である。

語呂合わせではないが、まさに「愉快な誘拐」ミステリーだ。このユーモア感は、すでにこれまでの天藤作品で発揮されてきたものながら、主人公・柳川とし子刀自のキャラクターこそが、本作の大きなポイントになっていることはいうまでもあるまい。『皆殺しパーティ』(本全集第五巻)のあとがきで、天藤氏は作品のメイントリックについて触れたあと、〈しかし、どんなトリックも、小説である以上は、それにふさわしい人物が現われてこなければ成立しない。作の構想は、七、八年まえから抱いていたが〉と述べていた。おそらく本作も、一連のアイデアを遂行するに〈ふさわしい人物〉、すなわち〈柳川とし子刀自〉が作者の前に現われないことには成立しなかっただろう。

ちょうど物語のラスト近くで、井狩大五郎本部長が、「獅子の風格と、狐の抜け目なさと、奇妙なことだがそれにパンダの親しさと、兼ね備えた人格」と評している。刀自の人間性が端的に表わされているとともに、この小説の持ち味が説明されている場面だった。

そして、予想のつかない展開が、誘拐犯罪の計画実行ばかりではないところにも天藤真のうまさがある。

物語の主要舞台となっている〝津ノ谷村〟は和歌山県に実在しない村のようだ。

しかし、他の地名や村を通る国道などの地理関係から推測していくと、この津ノ谷村は、奈良県南部の十津川村あたりに相当するのである。そのほか、いくつかの地名や駅名は架空の名前になっているものの、実際の地図を脇におきながら、本作をあらためて再読してみると、車や電車など移動に関わる部分はちゃんと実際の所用時間どおりに書き込まれていることがうかがえる。

地理条件、交通手段、マスコミ対策などを含め、犯人側が警察の裏をかいていくアイデアは、大胆ながら充分に練られている。犯行はあくまで現実的なのだ。

ちなみに佐野洋氏は『推理日記II』(講談社文庫)で、本作の事件が完全犯罪として成立しているかどうかを検証している。また、初出時にあったいくつかの細かいミスは、佐野洋氏の指摘により、その後、訂正しているようだ。興味のある方は、ぜひ『推理日記II』に目を通していただきたい。

ところが、である。

本作が日本推理作家協会賞を受賞してまもなく、盗作騒ぎがあり、新聞にまで報じられたというのだ。（角川文庫『完全なる離婚』、本全集第三巻『死の内幕』、共に新保博久氏による解説参照）

一九七九年五月八日のスポーツニッポン紙の見出しに大きく、「盗作か偶然の一致か／ミステリー『大誘拐』／3年前公開の映画に似てる!?」とあり、題名ばかりか、金持ちのおばあちゃんが誘拐される設定まで同じだと記事に書かれている。

その映画とは、前田陽一監督による松竹映画『喜劇・大誘拐』。森田健作、三木のり平ら五人組が誘拐団を結成し、ミヤコ蝶々扮する土地成金のおばあさんをさらったものの、そのおばあさんが犯人側に知恵を貸すというストーリーらしい。

天藤氏はすぐにその件と経緯を「もうひとつの『大誘拐』と私」（『日本推理作家協会会報』昭和五十四年七月号）と題するエッセイで明らかにしている。

〈私にとっては全く寝耳に水だった。（中略）内容も、また題名まで同じ映画が存在した、というような、できすぎた話などはあるもんではない。「まさか……」と私はしばらく茫然自失したのを覚えている〉〈私にとってまことに不幸な偶然だったのは認めざるを得ないが、だからといって作の存在を放棄しなくてはならないほどの強い〝偶然〟とは思っていない〉〈断じて模倣でもないし、ヒントも得ていない。（存在も知らない映画から、どうヒントの得ようがある

か。またマネのしようがあるか。）また「喜劇……」の存在によって、私の作のレーゾンデータルに影響があるとも思わない〉

すなわち、まったくの偶然の一致だったわけである。しばしばこうしたケースが起ることは、ミステリー・ファンならば、よくご存じだろう。有名な例を挙げると、第二十七回江戸川乱歩賞で最終候補に挙がった岡嶋二人『あした天気にしておくれ』が、トリックの前例を理由に落選したことがある。

前述のエッセイで天藤氏は、〈推理小説を書いていると、ふしぎに暗合的なできごとにぶつかることはあるもので〉とも書いている。

〈第一は、シノプシスが完成した時点で、「シャドー81」の存在を知らされたことだった。このときも参った。テーマこそ誘拐とハイジャックの差はあるが、身代金の巨額という点では正にぴたしかんこだったのだ。（中略）幸いにこの壁は打開する方法がみつかった（と自分では思っている）。

第二の暗合は、こんどの映画とは別に、自分では独創と思っていた「人質と犯人との協力」（殺人事件では「八点鐘」などの同じパターンはあるが）というアイディアに先例があったのが、執筆中にわかったことである。

テレビで放映されたアメリカ映画で、（中略）この作の狙いも「人質と犯人の協力」だったのである。（中略）この程度のものなら、問題にすることはなかろう、とホッとしたのだが、厳密にいえば、アイデアの独創性はこのときすでに破れていたことになる。

こんどのもうひとつの「大誘拐」は、従って私に即していえば、第三の暗合であった〉

さらに、〈都筑道夫氏のお話では、人質が犯人をいいように引張り回す、というアイデアは、何十年か昔、О・ヘンリーが「赤い酋長の身代金」で先鞭をつけているとのことで、そうなると私の〝創意〟もだいぶ怪しいことになるが〉と述べている。

こうした一連の発言から思いだしたのは、スティーヴン・キングによる「日の下《もと》に新しきもののなし」という言葉だ（新潮文庫『グリーン・マイル1』著者まえがき／白石朗訳）。独創的な傑作とは、アイデアの奇抜さもさることながら、それをいかに新しく構築していくかにあるのではないだろうか。

その点でいえば、どれほど似たような前例があろうとも、この『大誘拐』が持つ価値が損なわれるとは思えない。アイデアを見事に生かしているからである。天藤氏は、つねに〈推理小説とは「錯覚」を主題とした文学ではないか〉と述べていた（推理小説についての覚え書「幻影城」一九七五年六月号、或る作家の周辺（その5）天藤真篇「推理文学」一九七五年十月号）。

作者は、登場人物同士の「錯覚」、作品を読んでいる読者の「錯覚」など、ある個人独特の物の見方や社会通念（常識）などによって生まれるズレをミステリーのアイデアへと持ち込んでいたのだ。

本作でいえば、誘拐犯〈虹の童子〉の三人組がラーメン単位でしか金額のスケールをはかれないとのエピソードを思いだされるだろう。それに対してとし子刀自は、トライスター（旅客機）単位で考えれば、百億円など端た金にすぎないという。ひとつの大きな「錯覚」をあつかってい《ママ》る部分だといえよう。

こうしたオリジナルな表現、物の見方で貫かれているところに、天藤真ミステリーの独創性や面白さがある。

また、作中でも言及されているが、本作の発表された一九七八年には、イタリアの元首相モロ氏が、過激派〈赤い旅団〉に誘拐され二か月後に殺害されるという事件が起きていた。犯人グループからは、二十二億円の要求があったという。ロッキード疑獄事件で時の日本首相、田中角栄が逮捕されたのは、本作発表の前々年である。庶民が一生働いても拝めないほどの大金が賄賂として権力者たちにばらまかれていたのである。

これら現実の事件が、本作のアイデアを生みだすひとつのきっかけとなったであろうことは想像に難くない。

さらに、作中に、〈……一度や二度の事前調査で、このへんがよかろうなんて成田空港並に簡単に決めるわけにはいかないんですからね〉とか〈どことかの河川敷がいい例だった〉など、紛糾の続いていた新国際空港建設や長良川河口堰（ではないかと思う）の問題についてさりげなく批判を加えている箇所があった。

これ以上は、すでに作中で語りつくされているため触れないが、意外な真相と作品の主題が見事に結実しているわけである。

しかも、作者は決して声高に主張するのではなく、むしろ自然と共存共栄しながらその地に暮す者たちをていねいに描き、人々の幸福とはなにかをみつめることで、よりテーマを際立たせているように思える。いまだ作品が古びていないのも、人が抱く普遍的な問題や驚きを描いているからだろう。

ちなみに本作の映画化に際しては、岡本喜八監督が自ら脚本を担当し製作している。舞台を津ノ谷村から（和歌山県に実在する）龍神村に移し、そこで撮影が行われたようだ。この映画版『大誘拐』をご覧になった方も多いだろうが、見事に原作の醍醐味が生かされている。北林谷栄、緒方拳ら個性的なベテラン俳優の持ち味が発揮され、紀州の大自然が映像で愉しめるなど、映画ならではの見ごたえがあったのだ。

岡本喜八によるエッセイ「追伸・シナリオ〈大誘拐〉」（「シナリオ」一九九一年三月号）によると、十二、三年前に原作を読んだおり、作中のとある一行が映画化への夢をふくらませたらしい。本書でいえば、四二五ページ二行目にある主人公刀自のセリフである。山々をみつめながら、「……お国って、私には何やったんや」とつぶやく。

従軍記者として中国の前線を歩いてきた天藤氏は、敗戦後、引き揚げたのちに千葉県で開拓農民として暮しながらミステリーの執筆にあたっていたという。すなわち、この言葉が作者自身の思いを映しだしていると考えてもおかしくはないだろう。なんとも深い感慨を覚えさせずにはおかない。

編集後記

本作品は、一九七八（昭和五十三）年十一月十日、株式会社カイガイ出版部から書き下ろし刊行された、著者の第八長編である。同書のカバー表1側袖には「奇想天外の誘拐大作戦」と題された中島河太郎の褒詞がある。

編集に当たっては同書を底本とし、一九七九（昭和五十四）年刊行の徳間NOVELS版、一九八〇（昭和五十五）年刊行の角川文庫版を参照の上、異同箇所は随時適当と思われるものを採用した。献辞は、底本に依って附したものである。

なお、現在からすれば表現に穏当を欠く部分もあるが、著者が他界している現在、みだりに内容に手を加えるのは慎むべきことであり、かつ古典として評価すべき作品であるとの観点から、原文のまま掲載した。

検 印
廃 止

著者紹介　1915年8月8日東京生まれ。東京帝国大学国文科卒業。同盟通信記者を経て、戦後は農業に従事し、その傍ら千葉敬愛短期大学で教鞭を執った。1962年〈宝石〉誌に「親友記」を応募し佳作入選。1979年『大誘拐』で日本推理作家協会賞を受賞。1983年 1月25日没。

天藤真推理小説全集 9
大誘拐

2000年 7 月21日　初版
2024年 4 月26日　26版

著 者 天《てん》 藤《どう》 真《しん》

発行所 （株）東京創元社
代表者 渋谷健太郎

162-0814/東京都新宿区新小川町1-5
電 話 03・3268・8231-営業部
03・3268・8204-編集部
URL http://www.tsogen.co.jp
工友会印刷・本間製本

乱丁・落丁本は、ご面倒ですが小社までご送付ください。送料小社負担にてお取替えいたします。

Ⓒ遠藤歌子　1978　Printed in Japan

ISBN978-4-488-40809-1　C0193

綿密な校訂による決定版

INSPECTOR ONITSURA'S OWN CASE

黒いトランク

鮎川哲也

創元推理文庫

◆

汐留駅で発見されたトランク詰めの死体。

送り主は意外にも実在の人物だったが、当人は溺死体となって発見され、事件は呆気なく解決したかに思われた。

だが、かつて思いを寄せた人からの依頼で九州へ駆けつけた鬼貫警部の前に鉄壁のアリバイが立ちはだかる。

鮎川哲也の事実上のデビュー作であり、
戦後本格の出発点ともなった里程標的名作。


本書は棺桶の移動がクロフツの「樽」を思い出させるが、しかし決して「樽」の焼き直しではない。むしろクロフツ派のプロットをもってクロフツその人に挑戦する意気ごみで書かれた力作である。細部の計算がよく行き届いていて、論理に破綻がない。こういう綿密な論理の小説にこの上ない愛着を覚える読者も多い。クロフツ好きの人々は必ずこの作を歓迎するであろう。——江戸川乱歩

犯人当ての限界に挑む大作

DOUBLE-HEADED DEVIL ◆ Alice Arisugawa

双頭の悪魔

有栖川有栖

創元推理文庫

◆

山間の過疎地で孤立する芸術家のコミュニティ、
木更村に入ったまま戻らないマリア。
救援に向かった英都大学推理小説研究会の一行は、
かたくなに干渉を拒む木更村住民の態度に業を煮やし、
大雨を衝いて潜入を決行する。
接触に成功して目的を半ば達成したかに思えた矢先、
架橋が濁流に呑まれて交通が途絶。
陸の孤島となった木更村の江神・マリアと
対岸に足止めされたアリス・望月・織田、双方が
殺人事件に巻き込まれ、川の両側で真相究明が始まる。
読者への挑戦が三度添えられた、犯人当て《フーダニット》の
限界に挑む大作。妙なる本格ミステリの香気、
有栖川有栖の真髄ここにあり。

ミステリ界の魔術師が贈る傑作シリーズ

泡坂妻夫

創元推理文庫

◆

亜愛一郎の狼狽
亜愛一郎の転倒
亜愛一郎の逃亡

雲や虫など奇妙な写真を専門に撮影する
青年カメラマン亜愛一郎は、
長身で端麗な顔立ちにもかかわらず、
運動神経はまるでなく、
グズでドジなブラウン神父型のキャラクターである。
ところがいったん事件に遭遇すると、
独特の論理を展開して並外れた推理力を発揮する。
鮮烈なデビュー作「DL2号機事件」をはじめ、
珠玉の短編を収録したシリーズ3部作。

第60回日本推理作家協会賞受賞作

The Legend of the Akakuchibas◆Kazuki Sakuraba

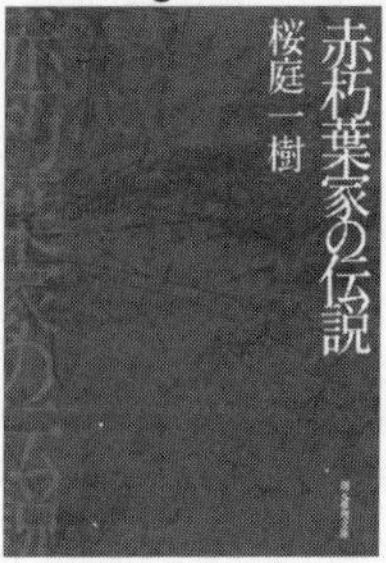

赤朽葉家の伝説

桜庭一樹

創元推理文庫

◆

「山の民」に置き去られた赤ん坊。
この子は村の若夫婦に引き取られ、のちには
製鉄業で財を成した旧家赤朽葉家に望まれて輿入れし、
赤朽葉家の「千里眼奥様」と呼ばれることになる。
これが、わたしの祖母である赤朽葉万葉だ。
——千里眼の祖母、漫画家の母、
そして何者でもないわたし。
高度経済成長、バブル崩壊を経て平成の世に至る
現代史を背景に、鳥取の旧家に生きる三代の女たち、
そして彼女たちを取り巻く不思議な一族の血脈を
比類ない筆致で鮮やかに描き上げた渾身の雄編。
第60回日本推理作家協会賞受賞作。

連城三紀彦傑作集1

THE ESSENTIAL MIKIHIKO RENJO Vol.1

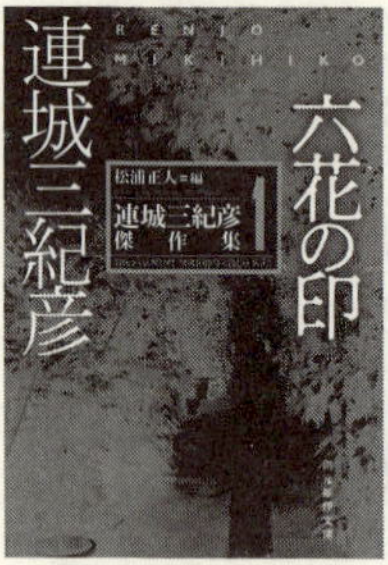

六花の印

連城三紀彦

松浦正人 編

創元推理文庫

◆

大胆な仕掛けと巧みに巡らされた伏線、
抒情あふれる筆致を融合させて、
ふたつとない作家性を確立した名匠・連城三紀彦。
三十年以上に亘る作家人生で紡がれた
数多の短編群から傑作を選り抜いて全二巻に纏める。
第一巻は、幻影城新人賞での華々しい登場から
直木賞受賞に至る初期作品十五編を精選。

収録作品＝六花の印，菊の塵，桔梗の宿，桐の柩，
能師の妻，ベイ・シティに死す，黒髪，花虐の賦，
紙の鳥は青ざめて，紅き唇，恋文，裏町，青葉，敷居ぎわ，
俺ンちの兎クン

日本探偵小説史に屹立する金字塔

TOKYO METROPOLIS◆Juran Hisao

魔都

久生十蘭
創元推理文庫

◆

『日比谷公園の鶴の噴水が歌を唄うということですが
一体それは真実でしょうか』
昭和九年の大晦日、銀座のバーで交わされる
奇妙な噂話が端緒となって、
帝都・東京を震撼せしめる一大事件の幕が開く。
安南国皇帝の失踪と愛妾の墜死、
そして皇帝とともに消えたダイヤモンド——
事件に巻き込まれた新聞記者・古市加十と
眞名古明警視の運命や如何に。
絢爛と狂騒に彩られた帝都の三十時間を活写した、
小説の魔術師・久生十蘭の長篇探偵小説。
新たに校訂を施して贈る決定版。

黒岩涙香から横溝正史まで、戦前派作家による探偵小説の精粋！

日本探偵小説全集

全12巻

監修＝中島河太郎

刊行に際して

現代ミステリ出版の盛況は、まことに目ざましい。創作はもとより、海外作品の夥しい生産と紹介は、店頭にあってどれを手に取るか、戸惑い、躊躇すら覚える。

しかし、この盛況の蔭に、明治以来の探偵小説の伸展が果たした役割を忘れてはなるまい。これら先駆者、先人たちは、浪漫伝奇の炬火を掲げ、論理分析の妙味を会得して、従来の日本文学に欠如していた領域を開拓した。その足跡はきわめて大きい。

いま新たに戦前派作家による探偵小説の精粋を集めて、新しい世代に贈ろうとする。

少年の日に乱歩の紡ぎ出す妖しい夢に陶酔しなかったものはないだろうし、ひと度夢野や小栗を垣間見たら、狂気と絢爛におののかないものはないだろう。やがて十蘭の巧緻に魅せられ、正史の耽美推理に眩惑されて、探偵小説の鬼にとり憑かれた思い出が濃い。

いまあらためて探偵小説の原点に戻って、新文学を生んだ浪漫世界に、こころゆくまで遊んで欲しいと念願している。

中島河太郎

1 黒岩涙香 小酒井不木 甲賀三郎集
2 江戸川乱歩集
3 大下宇陀児 角田喜久雄集
4 夢野久作集
5 浜尾四郎集
6 小栗虫太郎集
7 木々高太郎集
8 久生十蘭集
9 横溝正史集
10 坂口安吾集
11 名作集 1
12 名作集 2

付 日本探偵小説史